CB067628

ALBA DE CÉSPEDES

Caderno proibido

Tradução
Joana Angélica d'Avila Melo

Posfácio
Mariella Muscariello

10ª reimpressão

COMPANHIA DAS LETRAS

Copyright © 1952 by Mondadori Libri S.p.A., Milão
Copyright do posfácio © 2022 by Mariella Muscariello
Publicado com a permissão de Cambridge Scholars Publishing.

Grafia atualizada segundo o Acordo Ortográfico da Língua Portuguesa de 1990, que entrou em vigor no Brasil em 2009.

Título original
Quaderno proibito

Capa
Bloco Gráfico

Foto de capa
Retrato de uma mulher jovem de cabelo escuro sentada na beira de uma poltrona, Tudor Collins, c. 1940. Auckland War Memorial Museum Tāmaki Paenga Hira.

Preparação
Raíssa Furlanetto

Revisão
Carmen T. S. Costa
Luciana Baraldi

Dados Internacionais de Catalogação na Publicação (CIP)
(Câmara Brasileira do Livro, SP, Brasil)

Céspedes, Alba de, 1911-1997
 Caderno proibido / Alba de Céspedes ; tradução Joana Angélica d'Avila Melo ; posfácio Mariella Muscariello. — 1ª ed. — São Paulo : Companhia das Letras, 2022.

 Título original: Quaderno proibito.
 ISBN 978-65-5921-219-4

 1. Ficção italiana I. Título.

22-100575   CDD-853

Índice para catálogo sistemático:
1. Ficção : Literatura italiana   853

Maria Alice Ferreira – Bibliotecária – CRB-8/7964

Todos os direitos desta edição reservados à
EDITORA SCHWARCZ S.A.
Rua Bandeira Paulista, 702, cj. 32
04532-002 — São Paulo — SP
Telefone: (11) 3707-3500
www.companhiadasletras.com.br
www.blogdacompanhia.com.br
facebook.com/companhiadasletras
instagram.com/companhiadasletras
twitter.com/cialetras

*Señor don Blas, de qué libro
ha sacado usted ese texto?
Del teatro de la vida
humana que es donde leo.*

                                  Ramón de la Cruz

Sumário

Caderno proibido, 9
Posfácio — Além das aparências, Mariella Muscariello, 267

26 DE NOVEMBRO DE 1950

    Fiz mal em comprar este caderno, muito mal. Mas agora é tarde demais para lamentar, o estrago está feito. Nem sei o que me levou a adquiri-lo, foi por acaso. Nunca pensei em manter um diário, até porque um diário deve permanecer secreto e, para isso, seria preciso escondê-lo de Michele e dos meninos. Não gosto de deixar nada escondido; além do mais, em casa há tão pouco espaço que seria impossível. Foi assim: quinze dias atrás, um domingo, saí de casa de manhã cedo. Ia comprar cigarro para Michele, queria que ele, ao acordar, encontrasse o maço na mesa de cabeceira: aos domingos ele sempre dorme até tarde. Fazia um dia lindo, quente, apesar do outono avançado. Eu sentia uma alegria infantil em caminhar pelas ruas, do lado do sol, vendo as árvores ainda verdes e as pessoas contentes como sempre parecem estar nos dias festivos. De modo que decidi fazer um breve passeio, ir até a tabacaria que fica na praça. Ao longo do caminho, notei que muita gente parava em frente ao quiosque da florista; também parei e comprei um buquê de calêndulas. "Aos domingos é bom ter flor na mesa", me disse a florista, "os homens notam." Sorri, concordando, mas na verdade ao comprar aquelas flores eu não pensava em Michele ou em Riccardo, que, no entanto, muito as aprecia; comprava-as para mim, para segurá-las enquanto caminhava. Na tabacaria havia muita gente. Enquanto esperava minha vez, já com o dinheiro trocado, vi uma pilha de cadernos na vitrine. Eram cadernos pretos, luzidios, grossos, daqueles que eu levava para a escola e nos quais — antes mesmo de iniciá-los — eu logo escrevia, na primeira página, com entusiasmo, o meu nome: Valeria. "Me dê também um caderno", eu disse, remexendo na bolsa para pegar mais dinheiro. Mas, quando ergui os olhos, percebi que o moço da tabacaria havia assumido uma expressão severa para me dizer: "Não pode, é proibido". Ele me explicou que o fiscal ficava de guarda na porta, todo domingo, para que ali só se vendesse tabaco, nada mais. Eu era a única cliente. "Mas eu preciso", pedi novamente, "preciso mesmo." Falei baixinho, agitada, estava disposta a insistir, a suplicar. Então ele olhou ao redor e depois, rapidamente, pegou um caderno e o deslizou sobre o balcão, dizendo: "Esconda embaixo do casaco".

Mantive o caderno sob o casaco por todo o caminho, até em casa. Temia que ele escorregasse, que caísse no chão enquanto a zeladora me contava sei lá o que sobre a tubulação de gás. Meu rosto estava afogueado quando virei a chave na porta; fiz menção de ir direto para o quarto, mas lembrei que Michele continuava na cama. Enquanto isso, Mirella me chamava: "Mamãe...". Riccardo perguntava: "Comprou o jornal, mãe?". Eu me sentia agitada, confusa, com medo de não poder desvestir o casaco sem ser vista. "Vou guardar no meu armário", pensei, "mas não, Mirella abre toda hora para pegar alguma coisa emprestada, um par de luvas ou uma blusa. Michele vive abrindo a cômoda. A escrivaninha agora é praticamente de Riccardo." Considerei que em toda a casa já não dispunha de uma gaveta, um escaninho para chamar de meu. Queria fazer valer meus direitos a partir daquele dia. "No armário de roupa de cama e mesa", decidi, mas depois lembrei que todo domingo Mirella pega uma toalha limpa para arrumar a mesa. Acabei jogando o caderno no meio dos trapos de limpeza, na cozinha. Mal tive tempo de fechar o saco quando Mirella entrou e disse: "O que você tem, mamãe? Seu rosto está vermelho". "Deve ser o casaco", respondi, me livrando dele, "lá fora está calor". Temi que ela me dissesse: "Não é verdade, é porque você escondeu alguma coisa nesse saco". Tentava inutilmente me convencer de que não havia feito nada errado. Continuava ouvindo a voz do moço da tabacaria me advertindo: "É proibido".

10 DE DEZEMBRO

Por mais de duas semanas mantive o caderno escondido, sem poder escrever nele. Desde o primeiro dia foi muito difícil mudar de esconderijo o tempo todo, encontrar lugares onde não fosse logo descoberto. Se fosse achado, Riccardo o usaria para suas anotações na universidade, e Mirella para escrever o diário que mantém trancado à chave em sua gaveta. Eu poderia dizer que é meu, ficar com ele, mas deveria justificar seu uso. Para as contas de casa, sempre me sirvo de umas agendas promocionais que Michele traz do banco nos primeiros dias do ano; ele mesmo me aconselharia, com jeito, a cedê-lo a Riccardo. O que quer que acontecesse, eu desistiria de imediato do caderno e nunca mais pensaria em comprar outro; por isso me protegia encarniçadamente desse risco, embora — devo confessar —, desde o momento em que estou de posse dele, não tenha tido um só instante de paz. Antes eu sempre ficava amargurada quando os meninos saíam e agora, ao contrário, desejo que o façam para poder ficar sozinha e escrever. Jamais havia considerado que, dada a exiguidade de nossa casa e o meu horário de expediente, quase nunca tenho oportunidade de ficar sozinha. Na verdade, precisei recorrer a uma trapaça para iniciar este diário: comprei três ingressos para o jogo de futebol e disse que os ganhei de uma colega de trabalho. Dupla trapaça, já que para poder fazer isso adulterei as contas de casa. Logo depois do almoço, ajudei Michele e os meninos a se vestir, emprestei meu casaco pesado a Mirella, me despedi afetuosamente e fechei a porta atrás deles com um arrepio de satisfação. Depois, arrependida, corri à janela como se fosse chamá-los. Mas já estavam longe e fiquei com a sensação de que se dirigiam a uma cilada que eu criara para prejudicá-los, e não a um inofensivo jogo de futebol. Riam entre si e aquele riso me provocava uma fisgada de remorso. Quando entrei, quis começar a escrever logo, mas faltava arrumar a cozinha: Mirella não tinha podido me ajudar, como sempre faz aos domingos. Até Michele, por natureza tão organizado, havia deixado o armário aberto, algumas gravatas espalhadas aqui e ali, e agora fez isso de novo. Hoje também comprei ingressos para o jogo de futebol e, portanto, posso desfrutar de um pouco de calma. O mais bizarro é que, quando posso enfim tirar o caderno de seu esconderijo, sentar e começar a tomar nota, não encontro nada a dizer além de relatar minha luta cotidiana para ocultá-lo. Agora o deixo escondido no velho baú onde, durante o verão, guardamos as roupas de inverno. Dois dias atrás, porém, precisei dissuadir Mirella de abrir o baú para pegar uma calça pesada de esqui que ela usa em casa desde que abrimos mão do aquecimento. O caderno estava lá, ela o veria assim que levantasse a tampa. Então lhe disse: "Tem tempo, tem tempo", e ela retorquiu: "Estou com frio". Insisti com tanto fervor que até Michele notou. Quando ficamos sozinhos, ele me disse que não compreendia por que eu havia contrariado Mirella. Respondi duramente: "Sei o que estou fazendo", e ele me encarou, espantado com meu humor insólito. "Não me agrada que você interfira nas minhas discussões com os meninos", continuei. "Desse jeito, tira minha autoridade diante deles." E, enquanto ele objetava que em geral eu o acuso de não dar atenção suficiente aos filhos e se aproximava de mim com atitude brincalhona, dizendo: "O que você tem hoje, mamãe?", pensei que talvez eu esteja me tornando nervosa, irascível, como — é o que se diz — todas as mulheres que passam dos quarenta; e, suspeitando que Michele também pensasse assim, me senti profundamente humilhada.

11 DE DEZEMBRO

Ao reler o que escrevi ontem, acabo me perguntando se não comecei a mudar de índole a partir do dia em que meu marido, de brincadeira, passou a me chamar de "mamãe". No início gostei muito, porque assim me sentia a única adulta em casa, a única que já soubesse tudo da vida. Isso reforçava o senso de responsabilidade que sempre tive, desde a infância. Gostei também porque, desse modo, eu conseguia justificar o ímpeto de ternura que me suscitava o jeito de ser de Michele, que permaneceu cândido, ingênuo, mesmo agora que tem quase cinquenta anos. Quando ele me trata de "mamãe", respondo num tom entre severo e terno, o mesmo que eu empregava com Riccardo quando criança. Mas agora compreendo que foi um erro: ele era a única pessoa para a qual eu era Valeria. Meus pais, desde minha infância, me chamam Bebê, e com eles é difícil ser diferente daquela que eu era na idade em que me deram esse apelido; de fato, ainda que ambos esperem de mim tudo o que se espera das pessoas adultas, não parecem admitir que eu o seja realmente. Sim, Michele era a única pessoa para a qual eu era Valeria. Para algumas amigas, ainda sou Pisani, a colega de escola; para outras sou a mulher de Michele, a mãe de Riccardo e Mirella. Mas, para ele, desde quando nos conhecemos, eu tinha sido somente Valeria.

15 DE DEZEMBRO

Toda vez que abro este caderno, olho meu nome, escrito na primeira página. Sinto certa satisfação em ver minha letra sóbria, não muito alta, inclinada de lado, que no entanto denuncia claramente a minha idade. Tenho quarenta e três anos, se bem que quando penso nisso não consigo acreditar. Os outros também se espantam ao me verem com meus filhos e sempre fazem algum elogio que provoca um sorriso constrangido em Riccardo e Mirella. Seja como for, tenho quarenta e três anos e me parece vergonhoso recorrer a subterfúgios infantis para escrever num caderno. Por isso, é absolutamente necessário que eu confesse a Michele e aos meninos a existência deste diário e afirme meu direito de me fechar num aposento para escrever quando tiver vontade. Agi tolamente desde o início e, se continuar assim, cada vez mais se agravará a impressão de estar fazendo uma coisa errada por escrever estas linhas inocentes. Tudo isso é absurdo. E agora já não tenho paz nem no escritório. Se o diretor precisa de mim além do expediente, fico com medo de que Michele volte para casa antes de mim e, por algum motivo imprevisível, vasculhe os velhos papéis entre os quais escondo o caderno; por isso muitas vezes invento uma desculpa para não ficar, e assim abdico de algum pagamento extra. Volto para casa tomada de ansiedade; se vejo o casaco de Michele pendurado na entrada, meu coração dá um salto: entro na sala de jantar temendo ver Michele com o preto brilhante do caderno nas mãos. Se o encontro conversando com os meninos, penso igualmente que ele pode tê-lo achado e só espera ficar sozinho comigo para me falar disso. À noite, tenho a impressão de que ele fecha a porta do nosso quarto com especial zelo, evitando que a maçaneta faça barulho. "Agora ele vai me olhar e dizer." Ele, porém, não diz nada, e acabei me dando conta de que ele sempre fecha a porta desse jeito, é um cuidado habitual dele.

Dois dias atrás Michele me telefonou no escritório, e na mesma hora temi que ele tivesse voltado para casa por um motivo qualquer e encontrado o caderno. Atendi o telefone gelada. "Escute, preciso lhe dizer uma coisa…", ele começou. Por alguns segundos, me perguntei, nervosa, se devia afirmar meu direito de ter quantos cadernos eu quiser e de escrever neles o que me der vontade ou, em vez disso, dizer: "Michele, compreenda, eu sei, fiz mal…". Mas ele só queria saber se Riccardo havia lembrado de pagar a matrícula da universidade que vencia naquele dia.

21 DE DEZEMBRO

Ontem à noite, logo depois do jantar eu disse a Mirella que não gosto de seu costume de manter a gaveta da escrivaninha trancada à chave. Ela me respondeu surpresa, alegando que tem esse hábito há anos. Retruquei que, de fato, há anos eu o desaprovo. Mirella respondeu com ênfase que, se estuda tanto, é justamente porque deseja começar a trabalhar, ser independente e sair de casa assim que for maior de idade: então poderá manter todas as gavetas trancadas sem que ninguém se melindre. Acrescentou que ela guarda seu diário na gaveta, e por isso a fecha à chave, e que, aliás, Riccardo também faz o mesmo numa gaveta em que conserva as cartas que recebe das garotas. Repliquei que, nesse caso, Michele e eu também teríamos o direito de manter uma gaveta trancada à chave. "Na verdade, nós temos uma", Michele disse, "é a gaveta onde guardamos o dinheiro." Insisti que gostaria de ter uma só para mim; e ele, sorrindo, me perguntou: "Para fazer o quê?". "Sei lá, para guardar meus papéis pessoais", respondi, "algumas lembranças. Ou talvez um diário, como Mirella." Então todos, inclusive Michele, começaram a rir da ideia de que eu possa ter um diário. "E o que você gostaria de escrever nele, mamãe?", Michele dizia. Mirella, esquecendo seu ressentimento, ria também. Eu continuava a discutir, sem dar importância às risadas deles. Então Riccardo se levantou, sisudo, e se aproximou de mim. "A mamãe tem razão", disse em tom grave, "ela também tem o direito de manter um diário como Mirella, um diário secreto, talvez um diário amoroso. Preciso dizer que, de uns tempos para cá, comecei a desconfiar que ela tem algum admirador oculto." Fingia grande seriedade, franzia a testa, e Michele, entrando no jogo, se mostrava apreensivo, dizia que sim, de fato é verdade, a mamãe já não parece a mesma, é preciso ficar de olho nela. Depois todos puseram-se a rir de novo, a rir muito, e me rodearam e me abraçaram, inclusive Mirella. Riccardo, segurando meu queixo, me perguntou carinhosamente: "O que você quer escrever no diário, hein?". De repente caí no choro e não compreendi o que eu tinha, exceto um grande cansaço. Ao me ver chorar, Riccardo ficou pálido, me abraçou apertado, dizendo: "Eu estava brincando, mãezinha, não percebe que eu estava brincando? Me perdoe…". Depois se virou para a irmã e disse que é sempre por causa dela que essas coisas acontecem. Mirella saiu da sala de jantar batendo a porta atrás de si.

Pouco depois Riccardo também foi dormir e ficamos sozinhos, Michele e eu. Michele começou a falar comigo, afetuoso. Dizia que compreendia muito bem o meu impulso de ciúme materno, mas que agora eu devo me acostumar a considerar Mirella uma moça, uma mulher. Eu tentava explicar que não se tratava disso em absoluto, e ele continuava: "Ela está com dezenove anos, é normal que já experimente alguma coisa, sensações, sentimentos, que não queira revelar ao pessoal de casa. Um pequeno segredo, enfim". "E nós, então?", repliquei, "nós também não temos o direito de ter algum segredo?" Michele pegou minha mão e a acariciou com doçura. "Oh, querida", disse, "que segredos você quer que ainda tenhamos, com essa idade?" Se ele tivesse pronunciado essas palavras em tom atrevido, brincalhão, eu me rebelaria; mas o tom melancólico de sua voz me fez empalidecer. Olhei ao redor para me certificar de que os meninos estavam na cama e também pudessem acreditar que aquele instante de fraqueza se devesse a ciúme materno. "Você está pálida, mamãe", Michele dizia, "você se cansa demais, trabalha demais, vou lhe servir um conhaque." Recusei com ênfase. Ele insistia. "Obrigada", eu disse, "não quero beber nada, já passou. Tem razão, talvez eu estivesse um pouquinho cansada, mas agora estou ótima." Sorri e o abracei, para tranquilizá-lo. "Sempre a mesma: se recupera depressa", Michele comentou com ternura, "nada de conhaque, então." Eu, encabulada, desviava o olhar. Na despensa, ao lado da garrafa de conhaque, dentro de uma velha lata de biscoitos, eu tinha escondido o caderno.

27 DE DEZEMBRO

O Natal foi dois dias atrás. Na noite da véspera haveria um baile, para o qual Riccardo e Mirella haviam sido convidados, na casa de velhos amigos nossos, os Caprelli, que naquela ocasião apresentavam a filha à sociedade. Esse convite havia sido recebido com júbilo pelos meninos, porque os Caprelli são uma família muito abastada que recepciona com fartura e bom gosto. Eu também fiquei contente, pois assim poderia jantar sozinha com Michele, como quando éramos recém-casados. Mirella estava feliz com a ideia de poder usar novamente seu primeiro vestido de noite, inaugurado no último Carnaval, e Michele emprestaria a Riccardo seu smoking, como já fizera no ano passado. Em vista dessa noitada, eu tinha comprado para Mirella uma echarpe de tule salpicada de paetês dourados e, para Riccardo, uma camisa de gala, daquelas modernas de colarinho mole. A tarde foi muito alegre, já que todos esperávamos passar um belo serão. Mirella, depois de pronta, ficou graciosíssima: a expectativa da diversão havia dissipado de seu rosto aquela expressão sempre um pouco aborrecida e meio obstinada que lhe é peculiar. Quando entrou na sala de jantar e, para nos exibir seu vestido rodado, girou levemente sobre si mesma, escondendo o rosto atrás da echarpe num movimento incomum de timidez, seu pai e seu irmão prorromperam em exclamações admirativas, quase espantados por reconhecer na filha e na irmã uma jovem tão atraente. Eu também sorri, fiquei até orgulhosa; estive prestes a lhe dizer que gostaria de vê-la sempre assim, alegre, graciosa, como deve ser uma moça de vinte anos. Depois considerei que talvez para os outros ela seja assim, totalmente diferente daquela que conhecemos. E, ao me perguntar com inquietação se uma dessas suas características não seria um fingimento, uma enganação, compreendi que não é ela a diferente, mas que são diferentes os papéis que é obrigada a desempenhar em casa e fora dela. Para nós, está reservado o mais ingrato.

Riccardo foi logo se vestir, animado pela visão da irmã. Minutos depois, ouvi-o me chamar do quarto. Pelo tom de sua voz, logo intuí o que estava acontecendo. Confesso que temia isso havia dias, mas só naquele momento o seu chamado, "mamãe", me obrigou a reconhecer esse receio. O smoking de Michele estava apertado, as mangas curtas demais. De pé no meio do quarto, ele se entregava em minhas mãos, com todo o pesar de sua decepção. No ano passado, o smoking já estava bem justo; havíamos rido, dizendo que ele não poderia abraçar uma garota sem sentir a roupa se rasgar nas costas, as mangas se descoserem. Mas de lá para cá Riccardo ficou mais robusto, talvez tenha crescido também. Ele me olhava com a expectativa de que, ao meu aparecimento, tudo se resolvesse por milagre, como quando ele era criança. Eu também gostaria que fosse assim. Por um momento, eu quis dizer: "Ficou muito bom em você", e que ele pudesse acreditar. Em vez disso, concluí: "Não vai dar". Em seguida, de repente, me aproximei dele apalpando as mangas, o peito, imaginando adaptações fulminantes que, no entanto, eu não seria capaz de efetuar. Com os olhos, Riccardo seguia ansiosamente minhas mãos, esperando um diagnóstico favorável. Mas repeti, desalentada: "Nada a fazer".

Voltamos juntos à sala de jantar. Riccardo estava com as orelhas vermelhas, a face pálida. "Não se vai ao baile", anunciou, com voz maldosa. Fitava a irmã e parecia querer rasgar-lhe o vestido, seu olhar parecia uma mordida. Mirella, temendo que nem se se insurgisse poderia evitar tamanha desgraça, perguntou, incerta: "Por quê?". Ele mostrou como não conseguia abotoar o paletó e como as mangas descobriam ridiculamente os punhos da camisa nova. "Papai tem ombros estreitos", disse, com grosseria.

Em seguida passamos rapidamente em revista parentes e amigos que poderiam nos emprestar um smoking. Eu me dava conta de já ter feito isso, de forma inconsciente, dois dias antes, e de ter concluído que quase todos os nossos conhecidos não têm mais esse traje. Pendurados num fio de esperança, telefonamos a um primo, mas ele ia precisar do smoking naquela noite. Mentalmente, pesamos e medimos alguns amigos, balançando a cabeça. Um outro parente, interrogado por telefone, respondeu quase espantado por nossa pergunta: "Um smoking? Não, não tenho, por que teria um?". Riccardo, ao pousar o fone, disse com um riso nervoso: "Só conhecemos gente pobre". E Michele rebateu: "Gente como nós". Então Riccardo propôs, fingindo brincar: "Poderíamos alugar um, não? Como fazem os figurantes". Michele disse: "Era só o que nos faltava". Eu sentia que ele pensava no fraque que vestiu no dia do nosso casamento: a calça e a sobrecasaca estão penduradas no armário sob um lençol branco. Pensava, sem dúvida, nos uniformes negros e azuis de seu pai. "Era só o que nos faltava", repetiu, severo. Eu compreendia muito bem o que levava Michele a falar assim; também lembrava de muitas coisas do passado das quais é difícil separar-se, e no entanto julgava que seria bom dizer que a ideia de Riccardo era excelente, podia-se alugar um smoking. Sentia que meu filho esperava que eu dissesse isso, era uma ajuda que eu gostaria de lhe dar, mas, constrangida por uma incerteza indefinível, abstive-me de falar. Mirella me encarava fixamente e eu declarei, resoluta: "Mirella irá sozinha". Michele quis replicar; continuei, sem olhar para ninguém: "É preciso começar a aceitar as situações novas — não ter um smoking e mandar uma jovem sozinha a um baile, como no meu tempo não me era permitido. Há uma vantagem em tudo. Você a acompanha, Michele. Depois volta para casa. Ficaremos bem do mesmo jeito, nós três. Riccardo, paciência".

Riccardo não dizia nada. Mirella me abraçou de leve e depois, sem saber se devia se despedir do irmão, saiu com um passo que pretendia ser discreto mas que, pelo frufru do vestido, adquiria um toque de atrevimento. Eu torcia para que, antes de ouvir a porta de casa fechar, acontecesse de fato um milagre e eu pudesse correr para Riccardo, rindo, como se, até então, tivesse apenas representado uma comédia. Via-me tirando do armário um smoking novo, via as lapelas de cetim flamejante. Quando a porta fechou, Riccardo franziu um pouco a testa, e eu repeti: "Paciência".

Falei em tom humilde, como se eu devesse ser perdoada por alguma coisa, e era justamente contra esse tom que, dentro de mim, embora o empregasse, eu me rebelava. Gostaria de prometer a Riccardo que lhe compraria um smoking, a prestação, como havíamos comprado o vestido de gala de Mirella; mas um traje masculino é sempre mais caro e, além disso, um homem não precisa arranjar marido. Por isso eu devia reconhecer que não podia onerar nosso orçamento com essa despesa supérflua. Lembrava de quando Mirella e Riccardo eram crianças e pediam brinquedos caros demais; eu respondia que o banco não tinha mais dinheiro, eles acreditavam e se rendiam àquela dificuldade insuperável. Mas hoje já não posso recorrer a semelhantes subterfúgios.

Quando Michele voltou e nos instalamos à mesa, senti que Riccardo olhava o pai de maneira diferente da habitual, quase como se o medisse. Era uma ceia especialmente saborosa, e no entanto comemos sem vontade. Eu tinha comprado damascos secos, de que Michele gosta muito, mas ele nem os notou quando os servi. Opacos, murchos, eles difundiam uma sensação de tristeza e miséria.

Depois da ceia, nós nos sentamos junto ao rádio. Não ousei mencionar a garrafa de espumante que pretendia abrir à meia-noite: o obstinado silêncio de Riccardo e seu olhar severo me detinham. De algum tempo para cá, com frequência vejo em seus olhos aquela expressão inimiga, uma expressão que me desagrada nele, que é tão doce e gentil. Isso sempre acontece quando ele é obrigado a ficar em casa porque acabou o dinheiro que Michele lhe dá todo sábado para suas despesas pessoais. Senta-se junto ao rádio e escuta as músicas dançantes, carrancudo, ou então folheia uma revista. Pela primeira vez, na noite de Natal, compreendi que seu mau humor é uma acusação contra o pai e contra mim. De fato, Riccardo às vezes diz que Michele, embora tenha passado anos dentro de um banco, não é um homem de negócios, e com isso quer dizer que o pai não soube enriquecer; fala sorrindo, de forma afetuosa, como se essa deficiência fosse apenas um cacoete ou um resíduo de esnobismo. Em seu tom levemente protetor, porém, sempre vislumbro certa condescendência, como se ele perdoasse Michele por tê-lo tornado uma vítima de uma incapacidade sua. No fundo, com essa brincadeira Riccardo se compadece de si mesmo, enquanto passa a impressão de absolver o pai.

Então me aproximei de Michele, sentei a seu lado, segurei sua mão e apertei-a com força na minha, queria que formassem uma só. Riccardo escutava o rádio e encostava a cabeça no espaldar da poltrona, sem nos olhar. Eu o revia dizendo: "Papai tem ombros estreitos". E, ao ouvir de novo aquelas palavras — meu Deus, mal ouso confessar, estou escrevendo num momento de exasperação, talvez risque estas linhas depois —, ao ouvir de novo aquelas palavras, devo admitir que sentia estar ficando má. Tive vontade de levantar, me plantar diante de Riccardo, rir com sarcasmo e, rindo, lhe dizer: "Tudo bem, vamos ver aonde você terá chegado daqui a vinte anos". Mal conheço a moça com a qual ele fala ao telefone durante horas, baixinho, uma moça loura, franzina, chamada Marina; mas sentia que ele pensava nela naquele momento, que a tomava pelo braço e os dois saíam juntos. Então me plantava também diante dela e, sempre rindo, lhe dizia: "Veremos, veremos". Lembrava do dia em que havia dito a Michele que podíamos dispensar a babá, e ele concordara sem olhar para mim, só disse que as crianças já estavam grandes: uma tinha cinco anos, a outra, três. Lembrava quando, mais tarde, eu lhe disse que era melhor também demitir a empregada, e, diante de sua hesitação, mencionei o risco de que ela pudesse comentar sobre nossas compras no mercado clandestino. E, por fim, o dia em que, voltando para casa, eu tinha abraçado Michele alegremente e anunciado que havia arranjado um emprego: afinal, já dispunha de muito tempo livre, os meninos estavam no ginásio e a casa não me dava muito trabalho. "Veremos", eu dizia, rindo, a Marina, "veremos", e enquanto isso apertava com força a adorável mão de Michele.

mais tarde

São duas da madrugada, levantei para escrever, não conseguia dormir. A culpa, mais uma vez, é deste caderno. Antes, eu esquecia rápido o que acontecia em casa; mas agora, desde que comecei a anotar os eventos cotidianos, mantenho-os na memória e tento compreender por que se produziram. Se é verdade que a presença oculta deste caderno dá um sabor novo à minha vida, devo reconhecer que não serve para torná-la mais feliz. Em família, seria preciso fingir nunca perceber o que acontece ou, pelo menos, não se perguntar o significado dos fatos. Se eu não tivesse este caderno, já não lembraria do comportamento de Riccardo na véspera do Natal. Mas, com o caderno, é impossível esquecer que naquela noite ocorreu uma coisa nova entre pai e filho, embora aparentemente nada tenha mudado, e no dia seguinte ambos estivessem afetuosos um com o outro, como sempre. Michele não voltou a tocar no assunto, mas intuo que ele, mesmo compreendendo a atitude de Riccardo, não pode se furtar de julgá-lo ingrato. Foi assim que o julguei, no início, mas depois tive de reconhecer honestamente que se trata de outra coisa.

O fato é que nossos filhos não podem mais acreditar em nós como nós acreditávamos em nossos pais. Eu tentava convencer Michele disso, na própria noite de Natal, mas não conseguia traduzir em palavras meus pensamentos confusos. Riccardo tinha ido para a cama e nós estávamos esperando Mirella voltar do baile. "Escute, Michele", eu disse, "lembra que durante a guerra nós pedíamos aos meninos que não contassem na escola que havíamos comprado sapatos sem gastar pontos do carnê?" Ele me respondeu distraidamente, perguntando por que eu ficava relembrando essas coisas. Eu não sabia dizer o motivo exato, mas insistia: "E quando pedíamos que não falassem que escutávamos uma rádio estrangeira?". Eu queria lhe explicar como certa vez, naquela época, me fora difícil punir Mirella por ter dito sei lá qual mentira. Ela já era quase da minha altura e, enquanto eu lhe falava, ela me fitava nos olhos. Eu pensava que minha mãe jamais havia sido surpreendida por uma mentira minha. Isso talvez tornasse Mirella um pouco desnaturada se comparada a mim, mas eu não podia afirmar ter sido algum dia sua cúmplice. Quando meu pai voltava do escritório e eu o via tirar o chapéu-coco e largar sua pasta de advogado, jamais me acontecia pensar que ele não soubera tirar partido de sua vida e que, por isso, não éramos ricos. Para mim, ele tinha bens muito mais preciosos do que a riqueza, os quais, por isso mesmo, nunca me ocorria comparar com esta. Agora, porém, às vezes já não encontro em mim de modo tão nítido, estável, definido, aquele modelo de vida que nossos pais, com seu exemplo, nos mostravam, e no qual parece natural se inspirar. Em suma, duvido que tudo o que possuímos, e que nossos pais possuíam antes de nós — tradições, linhagem, normas de honra —, ainda tenha valor, em quaisquer circunstâncias, diante do dinheiro. Contudo, mesmo duvidando, no fundo continuo acreditando em minhas convicções de outrora. Mas gostaria que Michele entendesse que, por causa dessas nossas dúvidas, Riccardo e Mirella talvez já não acreditem em nós.

1º DE JANEIRO DE 1951

Michele dorme, é como se eu estivesse sozinha em casa. Mas, a partir do momento em que iniciei o diário, temo que ele finja dormir para me surpreender. Escrevo à mesa da cozinha e, ao meu lado, deixei o livro das despesas de casa para cobrir o caderno caso, em algum momento, Michele entre de repente. Se bem que, se eu fosse descoberta em uma trapaça, seria ainda pior: seria o fim da harmonia e confiança que sempre estiveram na base de nossas relações, em vinte e dois anos de casamento. Na realidade, seria bom confessar a Michele a existência deste caderno, quem sabe implorando que ele nunca me peça para lhe mostrar o que escrevo. Se, ao contrário, eu fosse surpreendida, permaneceria sempre entre nós a suspeita de que agora eu tenha, e tenha tido antes, sei lá quantos outros segredos. O absurdo, de minha parte, está em reconhecer francamente que, se Michele tivesse um diário sem o meu conhecimento, eu me sentiria ofendida.

Outra coisa me impede de confessar que escrevo, e é o remorso de perder muito tempo escrevendo. Com frequência reclamo que faço muita coisa, que sou escrava da família, da casa; que nunca tenho a oportunidade de ler um livro, por exemplo. Tudo isso é verdade, mas em certo sentido essa escravidão se tornou também a minha força, a auréola do meu martírio. Tanto que as raras vezes que me acontece tirar uma soneca meia hora antes de Michele e os meninos chegarem para o jantar, ou me demorar um pouco olhando as vitrines enquanto volto do escritório, eu jamais o confesso. Temo que, admitindo haver desfrutado nem que seja de um curto repouso, de uma distração, eu perca a fama de me dedicar à família cada instante do meu tempo. De fato, se eu o admitisse, todos os que me cercam já não se lembrariam das horas incontáveis que passo no escritório ou na cozinha, fazendo compras para a casa ou consertando roupas, e apenas dos breves momentos empregados na leitura de um livro ou num passeio. Na verdade, Michele vive insistindo para que eu me permita um pouco de repouso, e Riccardo diz que, quando puder ganhar um salário, me oferecerá uma temporada em Capri ou na Riviera. O reconhecimento do meu cansaço os isenta de qualquer responsabilidade. Por essa razão, repetem com frequência, com um ar severo: "Você deveria descansar", como se eu não o fizesse por capricho. Depois, na prática, assim que me veem sentada no meio deles lendo um jornal, logo me pedem: "Mamãe, já que você não tem nada para fazer, poderia cerzir o forro do meu paletó? Poderia passar a ferro minha calça?", e assim por diante.

De modo que, pouco a pouco, eu também me convenci disso. Quando, no escritório, me é concedido um dia de folga, eu logo anuncio que o dedicarei a várias providências atrasadas e às quais há tempos destinei aquela jornada livre. Garanto que não descansarei, visto que, se o fizesse, aos olhos de quem me rodeia aquele breve dia figuraria como um mês inteiro de repouso. Anos atrás uma amiga me convidou para passar uma semana em uma casa de campo que ela tem na Toscana. Viajei cansadíssima, pois havia tomado todas as providências a fim de que nada faltasse a Michele e aos meninos durante minha ausência; na volta, encontrei inúmeras coisas acumuladas durante minhas breves férias. No entanto, mesmo quando já estávamos no inverno, se eu fizesse menção a meu cansaço, todos me fariam notar que naquele ano eu tinha veraneado e que minha disposição certamente havia se beneficiado disso. Ninguém parecia compreender que uma semana de repouso em agosto não me impediria de estar cansada em outubro. Se às vezes digo "não me sinto muito bem", Michele e os meninos fazem um breve silêncio respeitoso e embaraçado. Depois me levanto e recomeço aquilo que devo fazer. Ninguém move um dedo para me ajudar, mas Michele grita: "Aí está, você diz que não se sente bem, mas não fica parada nem por um momento". Pouco depois recomeçam a falar de uma coisa e outra, e ao sair os meninos me recomendam: "Descanse, hein?". Riccardo me faz um gesto ameaçador com o dedo, como se me proibisse de sair para me divertir. Na minha família, somente a febre, a febre alta, é sinal de que estamos de fato doentes. A febre preocupa Michele, os meninos me trazem suco de laranja. Só que eu raramente tenho febre; nunca, posso dizer. Em compensação, estou sempre cansada e ninguém acredita. No entanto, minha paz nasce justamente do cansaço que sinto quando me deito na cama, à noite. Nele encontro uma espécie de felicidade na qual me aplaco e adormeço. Devo reconhecer que a determinação com a qual me defendo de qualquer possibilidade de repousar talvez não passe de medo de perder essa única fonte de felicidade que é o cansaço.

3 DE JANEIRO

Ontem fui à casa de Giuliana. Todo ano declaro que não vou ao chá que, por ocasião de seu aniversário, ela costuma oferecer a algumas antigas colegas de colégio com as quais manteve amizade. Digo que tenho trabalho demais para poder me ausentar do escritório, afirmo que, se pudesse, aproveitaria esse tempo com coisas mais importantes. Todo ano Michele e os meninos insistem, empenham-se em me convencer a não renunciar ao prazer de encontrar velhas amizades, até porque, hoje em dia, raramente tenho essa oportunidade, dada a vida diferente que levamos. Eu balanço a cabeça e me oponho, depois, todo ano, acabo indo.

Ontem, no almoço, eu me opunha com mais vigor do que o habitual quando Mirella disse: "Ora bolas, você sabe muito bem que irá: mandou modernizar o chapéu preto". Trocamos um olhar rancoroso e eu não ousei replicar. Talvez porque Mirella tenha razão. Todo ano, de fato, embora não o confesse nem a mim mesma, já no início de dezembro experimento um de meus velhos chapéus, que hoje uso bem esparsamente, e me convenço de que ele precisa de uma reforma. Depois me pego parada diante das bancas de revistas de moda, experimentando, em fantasia, o chapeuzinho da última moda que está reproduzido numa capa. Se alguém se aproxima, desvio o olhar para o jornal mais próximo e finjo ler os títulos das matérias políticas. Mas, assim que me vejo sozinha de novo, volto a olhar afetuosamente para as revistas de moda. Volto para casa com aquele chapéu novo na cabeça, aquela pena que recai de um lado do pescoço, trazendo no rosto a expressão fátua e fugidia das modelos. Espanta-me que os meus não percebam isso, nem mesmo Michele. Ele me cumprimenta como de costume, dizendo: "Oh, boa noite, mamãe". Durante dias, continuo caminhando na rua com aquele chapéu na cabeça, me vejo assim, sentada na sala de Giuliana. Por fim tomo uma decisão, telefono a uma costureirinha que conheço, muito hábil em reformas, e lhe sussurro misteriosamente que passarei lá no dia seguinte. Mas quando o chapéu renovado já está no armário e se fala do chá de Giuliana, eu ainda insisto: "Não vou, não vou". Tenho quase medo de usá-lo, como se não conseguisse passar numa prova.

 A prova talvez seja o olhar de Mirella. Michele sempre diz que eu estou muito bem e depois lamenta que sua renda já não me permita frequentar aquela modista da Via Veneto na qual eu comprava meus chapéus quando me casei. "Por quê?", eu pergunto. "Então você quer dizer que este não me cai bem?" Ele logo responde que não e, pelo contrário, faz um elogio, observa que eu uso qualquer coisa com muita elegância.

Saio de casa tranquilizada, contente. Na sala de Giuliana, porém, compreendo muito bem o que Michele queria dizer. De repente, meu gracioso chapéu de feltro preto desaparece diante dos chapéus de cetim colorido das amigas. Somos apenas seis ou sete, é uma reunião íntima, no entanto estão todas vestidas como para uma ocasião: usam joias, e vê-se que escolheram suas melhores roupas, as mais vistosas. Naqueles vestidos, e no modo volátil de falar em voz alta, estridente, reconheço a intenção de provar umas às outras que são felizes, ricas, sortudas, e que suas vidas foram muito bem-sucedidas. Talvez não acreditem de fato nisso, é como quando, no colégio, mostrávamos umas às outras os brinquedos recebidos de presente e cada uma dizia: "O meu é mais bonito". Parece-me justamente que, nelas, essa puerilidade cruel permaneceu. Às vezes, de brincadeira, começamos a falar francês, como fazíamos no colégio; gostávamos muito de falar francês quando íamos passear no Pincio, todas em fila, vestidas de azul-escuro; as pessoas nos tomavam por estrangeiras e isso nos provocava um arrepio de orgulho. Na realidade, todas nós nos envaidecíamos por estar no colégio mais renomado da cidade, com muitas alunas pertencentes à aristocracia: estas últimas sentiam confirmado o prestígio de suas famílias, e as outras, como eu, porque, ao se referirem a elas, podiam pronunciar com familiaridade sobrenomes de famílias que haviam dado papas à Igreja e nomes a palácios, embora com frequência não os possuíssem mais. Lembro muito bem que, quando eu mencionava essas colegas, meu pai, que pertencia a uma família de juristas burgueses, ficava lisonjeado. Já minha mãe, que provinha de uma família da nobreza vêneta, infelizmente decaída, fingia não dar nenhuma importância; pelo contrário, contava historietas daquelas linhagens e sabia reconstruir com perfeição a genealogia delas, citando nascimentos, matrimônios, mortes precoces. Meu pai a fitava com respeito, e ela, naquelas ocasiões, humilhava-o involuntariamente, assegurando ter mantido, até se casar, estreita amizade com as famílias às quais pertenciam as alunas do colégio onde — ao preço de grandes sacrifícios econômicos — desejara que eu estudasse. De modo que, nos primeiros tempos, eu acreditava que, ao simplesmente me ouvirem declarar o nome de solteira dela, as colegas aristocráticas me tratariam como uma parenta. No entanto parecia que jamais o haviam escutado, e suas mães tampouco lembravam da minha, a qual, no entanto, conservava delas uma lembrança tão precisa.

Ontem também, na casa de Giuliana, tive a impressão de que nos movíamos em mundos diferentes e, quase, de que falávamos uma língua diferente. Eu as via com divertida curiosidade, como quem assiste a um espetáculo. Não sei explicar muito bem minha impressão, mas sentia que elas permaneciam no tempo do colégio e que somente eu, entre todas, tivesse me tornado adulta. Tentava imitá-las, desejosa de rejuvenescer; esforçava-me em lembrar que temos mais ou menos a mesma idade, muitas recordações comuns, que todas somos casadas, temos filhos; portanto, nossos problemas deveriam ser os mesmos. Além disso, até o momento em que comecei a trabalhar, nós nos víamos de vez em quando, à tarde, para jogar cartas. Em relação a Luisa e Giacinta, sequer nos separamos por uma condição econômica distinta, porque seus maridos não ganham mais do que Michele e eu ganhamos juntos. Em suma, eu não sabia a que atribuir nossa diferença, que sinto mais profunda a cada ano. Reconheço ter me esforçado em compreendê-las enquanto falavam, como quando, recém-chegada ao colégio, tentava segui-las em seu francês desenvolto. Camilla contava com muita graça como havia conseguido obter presentes caros do marido no Natal, mediante astutas e elaboradas manobras. Usava um chapeuzinho ornado por um penacho cinza, de ave-do-paraíso, que me fascinava. Giuliana também explicava como havia induzido o marido a lhe comprar uma joia; ambas eram realmente divertidas, eu tinha a impressão de assistir a truques de mágica. Tanto ela quanto Camilla falavam dos maridos tal como, no colégio, falavam das freiras, demonstrando como eram espertas ao tapeá-los, ainda que por motivos inocentes, como a compra de um vestido ou a escolha de um lugar de férias. Giacinta garantia persuadir o marido a pagar todo mês o boleto da luz, cujo vencimento é bimestral; Luisa sustentava que é preferível aumentar a conta das despesas com as crianças: "É o único método seguro", afirmava, rindo, e nesse riso fazia estremecer o ramalhetezinho de violetas pregado no cetim branco do chapéu. "Nas férias, sempre que perco no jogo, as crianças têm uma amigdalite ou um resfriado." Giacinta logo a interrompeu, dizendo: "Isso porque as suas ainda são pequenas; as minhas já falam, e diriam que estavam ótimas". Eu também queria contar alguma coisa para ser admirada, mas não encontrava nada e me sentia humilhada. Minhas amigas pareciam tão felizes, tão alegres... Giuliana, no entusiasmo da conversa, me segurava o braço, e isso me comovia; elas comiam docinhos, tiravam da bolsa estojos de pó de arroz e isqueiros novos, engenhosíssimos. Margherita tinha a mesma expressão de quando, durante a aula, conseguia fazer circular de uma carteira para outra a caricatura da madre superiora. Se, de repente, seu marido entrasse, ela teria enrubescido como no dia em que a freira a descobriu e a expulsou da sala. Volta e meia olhava a hora em um relojinho refinado, e logo começou a manifestar sinais de inquietação, dizendo que Luigi estava prestes a voltar para casa. Já não parecia tão segura de si como pouco antes; também Giacinta disse que Federico deseja que ela sempre esteja em casa antes dele. Curiosa por essa exigência bizarra, perguntei-lhe o motivo disso, e ela, erguendo levemente os ombros e com um suspiro, declarou que não há nenhum motivo, os homens são assim mesmo. Objetei que Michele nunca presta atenção a qual de nós dois volta para casa primeiro, e ela comentou: "Sorte sua!". Enquanto isso, Margherita havia ido ao telefone e voltara, anunciando que Luigi iria passar para pegá-la no portão; Camilla também disse que Paolo já saíra do escritório para vir buscá-la. Eu observei: "Parece até que vocês estão falando do ônibus que passava para pegar as alunas externas, lembram?". É sempre bonito recordar o tempo do colégio, e todas nos abraçamos. Camilla, Margherita e Giuliana combinaram se encontrar na próxima sexta-feira, para jogar cartas; todas excluíam cuidadosamente o domingo, porque nesse dia o marido não vai ao escritório, e, disse Margherita com um suspiro, também a quinta-feira, porque é a folga da babá. Convidaram-me afetuosamente: "Venha também". Respondi que trabalho até às sete e que, para estar livre naquela tarde, teria de pedir permissão.

Imediatamente senti formar-se ao meu redor um silêncio entre embaraçado e desconfiado, percebi que todas olhavam meu vestido. Em seguida perguntaram de que tipo era meu trabalho, embora já tivessem perguntado a mesma coisa no ano passado. Repeti que é um trabalho agradável, um trabalho de responsabilidade, bastante bem remunerado, e que eu o executo de bom grado. Mas percebia que elas não acreditavam. Luisa disse "coitadinha", e pousou a mão no meu braço, como se eu tivesse perdido um parente. Camilla sugeria: "E você não pode encontrar uma desculpa?". Respondi que sim, certamente poderia, mas não iria me divertir, pensando no trabalho urgente que eu estaria negligenciando; e que, ademais, de nada adianta ficar livre só por uma vez. Então Margherita concluiu, com frivolidade: "Ora, venha, venha sim, deixe para lá o trabalho!". E em seguida, antes mesmo que eu reagisse, de repente constatou estar atrasada: "Oh, meu Deus, Luigi!", exclamou, e, tendo beijado as amigas no rosto, saiu às pressas.

Já estávamos na porta, àquela altura; durante aquelas duas horas, era como se todas houvessem representado um teatro no qual somente eu não sabia meu papel e tivesse esquecido as falas. Fiquei calada, compreendendo pouco a pouco que a intransponível distância escavada entre nós, nestes últimos anos, deve-se ao fato de eu trabalhar e elas não. Ou melhor, mais precisamente, ao fato de eu ser capaz de prover às necessidades econômicas da minha vida e elas não.

Essa descoberta me tranquilizou, deixando-me mais segura de mim mesma, orgulhosa, quase, e justificou minha impressão de ser mais velha, embora elas tenham a minha idade. Eu compreendia também que os sentimentos que me ligam a Michele são de uma qualidade diferente daqueles que as ligam a seus maridos. Isso me alegrava e me deixava ansiosa por correr para casa a fim de lhe dizer isso, mesmo sabendo que — considerando meu temperamento fechado —, uma vez juntos, nunca sei lhe dizer nada: simplesmente me sento ao lado dele e dos meninos e falo de uma coisa e outra. No entanto, compreendia também que, por ser independente, jamais poderei me entender com Giuliana e as outras; e isso me dava uma profunda sensação de melancolia, semelhante àquela que experimentamos ao partir de um lugar que nos foi querido.

Enquanto fazia essas reflexões para mim mesma, Giuliana e Camilla falavam da nova peliça de Margherita, astracã raríssimo que elas calculavam em mais de um milhão. Camilla dizia que o marido de Margherita é um advogado famoso e Giuliana aprovava, falando dele com voz respeitosa. Dei-me conta de que elas avaliavam o casaco de pele da esposa como avaliariam a força física do marido; as joias com que ele presenteava Margherita, as roupas caras, eram outras tantas provas de virilidade. De fato, pelo marido de Giacinta, que só pôde comprar uma peliça de esquilo, elas pareciam não ter a mesma consideração.

Ocorreu-me refletir se sou realmente uma boa esposa, já que, pagando com meus ganhos as contas da costureira ou do cabeleireiro, de algum modo impeço Michele de participar dessas provas. Pensei nos dias em que adulterei as despesas de casa para enviar Michele e os meninos ao jogo de futebol e, assim, poder escrever em paz; no entanto, não conseguia me orgulhar de minha habilidade como fazia Luisa, e, pelo contrário, me arrependia de ter me aproveitado não só da boa-fé de Michele como também do dinheiro que ele ganha a cada hora, pois sei quanto se ganha em um escritório. Agora mesmo, ao lembrar o que fiz, não experimento nenhuma satisfação, apenas uma sensação aguda de vergonha. Tenho vontade de chorar. Penso que jamais consulto o relógio dizendo: "Oh, meu Deus, Michele!", e depois fujo apavorada. Minha mãe me diz com frequência: "Você está errada em não confiar a seu marido toda a responsabilidade econômica da casa, das necessidades dos filhos do casal. É ele quem deve arcar com isso. Você deveria depositar numa caderneta o dinheiro que ganha". Talvez minha mãe tenha razão; talvez até Michele, no fundo, ficasse mais contente. Mas quando ela me descreve a vida de sua família, da minha avó que tinha uma *villa* nas colinas Eugâneas, onde à tardinha fazia tricô junto à lareira enquanto vovô jogava xadrez com os amigos das propriedades vizinhas, quando ela conta tudo isso e eu penso na vida de Michele, na vida dos nossos meninos, na minha própria vida, encaro minha mãe como uma imagem sacra, uma ilustração antiga, e me sinto sozinha com este caderno, separada de todos, até mesmo dela.

5 DE JANEIRO

Amanhã é a Epifania. Felizmente as festas terminaram. Não sei por quê, todo ano eu espero por elas com certa ansiedade, uma íntima sensação de júbilo, e depois elas sempre me deixam uma grande melancolia. Isso acontece sobretudo desde que Riccardo e Mirella já não são crianças, talvez justamente desde que pararam de acreditar na Befana.* Antes, eu adorava pôr as lembrancinhas nas meias, com a ajuda de Michele, enquanto as crianças dormiam. Até comprei um livro alemão que ensinava como preparar de modo poético os presentes de Natal. Todo ano inventava surpresas diferentes. Ficava dias e dias zanzando de loja em loja, incerta quanto à escolha, até porque, embora nossas condições econômicas fossem melhores do que as de hoje, nunca tivemos muito dinheiro. Chegava exausta na noite da véspera, mas saracoteava entusiasmada em torno da lareira, na ponta dos pés, já que nessa noite as crianças têm o sono muito leve. Michele me olhava com ternura: "Por que essa trabalheira?", perguntava. "Acha que os meninos vão compreender o seu empenho em preparar tudo isso?" Eu dizia que sim e que, fosse como fosse, para mim o importante era imaginar a alegria deles. "Não é uma forma de egoísmo, então?", ele me questionava, com um leve sorriso. "Egoísmo?", eu repetia, ofendida. "Claro que sim, uma prova de orgulho, pelo menos: um modo de mostrar mais uma vez sua grandeza. Você quer ser também a mãe que prepara uma Befana perfeita." Estávamos sozinhos em plena noite, falávamos baixinho, cochichando, como se nos confessássemos. Michele me abraçava com força e eu murmurava: "Talvez você tenha razão". Reclinava a cabeça no ombro dele, gostaria de lhe dizer que aquele era o meu modo de confinar um pouco mais nossos filhos na idade em que é possível esperar algo de ex-

---

* Corruptela da palavra "Epifania", o termo se refere a uma figura folclórica italiana, espécie de bruxa boa que, na Noite de Reis (5 para 6 de janeiro), enche de presentinhos as meias penduradas pelas crianças na lareira, mas só quando elas se comportam bem, caso contrário deixa carvão ou alho. (N. T.)

traordinário, de miraculoso. Mas eu jamais consigo falar, me expressar: Michele sempre teve um temperamento mais expansivo do que o meu. Foi Mirella quem primeiro deixou de acreditar na Befana. "Sei de tudo", ela me disse, na véspera da Epifania; tinha pouco mais de seis anos e Riccardo, mais velho do que ela, ainda acreditava. Ele estava lá, olhava ora uma, ora outra, nos interrogando. Mirella disse: "Ele não sabe de nada". Riccardo continuava a me olhar sem entender, justamente como a irmã dizia, e estava prestes a cair no choro. Então eu fiz uma coisa reprovável, é raro eu não controlar meus nervos: dei um tapa em Mirella. Riccardo começou a chorar, Michele acorreu e, embora tivesse vontade de me reprovar, disse às crianças que era muito mais legal assim, era muito mais legal que fosse a mamãe. Mirella respondeu: "Não acho".

Esta noite eu também fiquei acordada, preparando alguns presentinhos para os meninos. Michele queria me fazer companhia e eu disse: "Não, obrigada, pode ir dormir". Mas era porque, depois, eu pretendia escrever. Agora, por trás de qualquer coisa que eu faça ou diga, existe a sombra deste caderno. Nunca poderia acreditar que tudo o que me acontece ao longo do dia merecesse ser anotado. Minha vida sempre me pareceu meio insignificante, sem acontecimentos notáveis além do casamento e do nascimento das crianças. Mas desde que, por acaso, comecei a manter um diário, percebo que uma palavra, um tom, podem ser tão importantes, ou até mais, quanto os fatos que estamos habituados a considerar como tais. Aprender a compreender as coisas mínimas que acontecem todos os dias talvez seja aprender a compreender realmente o significado mais recôndito da vida. Mas não sei se isso é um bem, temo que não.

Ao fazer estes embrulhos que contêm presentes utilitários — luvas para Michele, meias para Riccardo, um estojo de pó de arroz para Mirella —, eu me dizia que daqui a pouco começarei a preparar a Befana para os netos. Michele já me disse isso uma vez, sorrindo: "Você renunciará pelo menos ao papel da avó que prepara uma Befana perfeita? Você se empenha muito nessas provas, se desgasta". Ele me disse essa frase na presença dos meninos, que me olharam com estupor. É terrível pensar que sacrifiquei tudo de mim para levar adequadamente a termo tarefas que eles consideram óbvias, naturais.

7 DE JANEIRO

Ontem Michele me presenteou com uma graciosa caderneta de telefones; a que tínhamos estava em más condições. Os meninos têm o péssimo hábito de anotar os números a lápis, de qualquer jeito, em desordem. À tarde ficamos em casa, sozinhos; Michele lia jornal e eu transcrevia os nomes da velha para a nova caderneta. Não se passaram mais de seis ou sete anos desde que os copiei pela última vez, no entanto percebo que era inútil transcrever muitos nomes, dentre os primeiros escritos na velha caderneta; seus lugares foram ocupados por outros anotados ao lado, a lápis, às pressas. Perguntei a Michele se ele achava que somos volúveis em nossas amizades, e ele respondeu que sempre pensou o contrário. Então lhe mostrei a velha caderneta, dizendo: "No entanto…".

E assim, como sempre acontece no início de um novo ano, começamos a discorrer, a repassar nossa vida. Foi uma tarde linda, como há muito tempo não tínhamos. Por sorte Mirella havia saído com sua amiga Giovanna, do contrário não teria camuflado sua irritação, já que se entedia quando fica em casa conosco. Sempre diz isso com dureza, sem pensar que talvez eu também me entedie ficando em casa com eles nos dias festivos ou à noite, mas, ao contrário dela, não tenho sequer o direito de fazer tal comentário. E isso porque, se os filhos podem confessar francamente que se entediam com os pais, uma mãe nunca pode confessar que se entedia com os filhos sem parecer desnaturada.

Fiz essa observação a Michele enquanto copiava os números na caderneta. Ele, sorrindo, retrucou que fizemos o mesmo com nossos pais. Respondi que não concordo; que a mim, por exemplo, o estudo havia custado sacrifícios, porque não tinha vocação para isso, e no entanto eu não estudava só para obter quanto antes o direito de sair de casa, como Mirella. Sobretudo, não lembrava ter algum dia considerado a diversão como uma coisa que me coubesse de direito; era, a cada vez, uma sorte inesperada. De fato, tenho certeza de nunca ter respondido à minha mãe como Mirella muitas vezes responde a mim, quando lhe peço que faça alguma coisa ou me ajude nas tarefas domésticas: "Não posso, não estou a fim". Michele diz que isso é culpa da última guerra e daquela que, conforme se teme, pode eclodir de um dia para outro: todos, e sobretudo os jovens, temem não poder se divertir, e por isso querem aproveitar o momento presente, divertir-se o dia todo. Talvez seja exatamente por causa desse propósito que não o conseguem a contento.

Enquanto copiava os nomes, devagar, com cuidado, como se fizesse um exame de caligrafia, eu observava que, a julgar por aquela caderneta, nossas amizades mudaram justamente depois da guerra. Talvez porque de lá para cá as condições econômicas gerais também mudaram, e famílias como a nossa, que viram a renda diminuir e os filhos crescerem, devem forçosamente se adaptar a uma condição social diferente. Ou melhor, pensando bem, creio intuir que isso aconteceu porque, durante a guerra, alguns compreenderam muitas coisas importantes, e outros não.

Mas, num caso ou outro, talvez seja difícil as pessoas continuarem amigas por toda a vida. Na realidade, em certo momento cada um de nós muda, fica diferente, alguns vão adiante, outros ficam parados; em resumo, nos encaminhamos para direções opostas, de modo que já não há encontro, já não há nada em comum. Eu gostaria de ter telefonado a Clara Poletti, ao menos para lhe desejar bom Natal, pensei, ao transcrever o nome dela. O fato é que não tenho tempo, tenho cada vez menos tempo. Até me parecia inútil anotar seu número na nova caderneta; quase não nos vimos mais, desde que ela se separou do marido. Nos últimos meses de seu casamento, tentei ficar perto dela o máximo possível, confortá-la; ela sempre me dizia que eu não a compreendia e que escutar meus conselhos era como ler um livro escolar. Depois da separação, Clara começou a escrever roteiros cinematográficos, passou a frequentar gente que nós não conhecemos. Tornou-se uma mulher bastante famosa e, quando vamos ao cinema, não raro nos acontece ver seu nome nos créditos do filme. Todas as vezes que fui vê-la ela estava ocupadíssima, falava comigo apressada entre um telefonema e outro, sempre me dizia que estava apaixonada. Com frequência me perguntava se eu algum dia havia traído Michele. De outra pessoa, que não me conhecesse bem, eu não toleraria essa pergunta. Mas a ela eu respondia, rindo: "Que bobagem!". Mas Clara é simpática. Talvez ficasse contente se eu lhe tivesse telefonado no Natal. "Continua com Michele?", me perguntaria. Eu teria respondido: "Pare com isso, Clara. Lembre-se da nossa idade. Venha nos visitar, você precisa ver como estão os meninos". Enquanto acabava de copiar os nomes na caderneta nova, pensei que, por sorte, Michele e eu não mudamos em nada nestes anos, ou pelo menos ambos mudamos do mesmo modo.

9 DE JANEIRO

Estou de mau humor, apreensiva. Mirella adquiriu o costume de voltar para casa quando quer. Ontem à noite, inclusive, só chegou às dez. Assim que entrou, eu lhe disse que, se isso acontecesse de novo, eu não lhe guardaria o jantar. "Pois vamos começar hoje mesmo", respondeu, com gentileza arrogante, "eu posso muito bem dispensar a comida, boa noite."

Desconfiei que ela tivesse jantado fora, com um homem; gostaria que Michele a repreendesse, mas ele disse que eu já havia feito isso e que era suficiente. Na realidade, ele queria ficar sossegado junto ao rádio, escutando o concerto. Atualmente, é frequente ele ficar escutando música até a hora de ir dormir. Gosta sobretudo de Wagner. Já eu acho que é uma música má, violenta, me dá medo; mas não quero contrariar Michele, que raramente dispõe de alguma distração depois das longas horas de trabalho. De modo que me sento a seu lado, consertando roupas, embora a música, no final do dia, me dê sono. Não acho que Michele prefira Wagner por acaso. Ontem à noite, volta e meia eu parava de costurar e o olhava, ele não se dava conta. Estava distraído, devaneante, como sempre fica quando escuta aquela música. Eu olhava seu perfil ainda definido, os cabelos castanhos levemente grisalhos nas têmporas, as belas mãos; quando éramos noivos, minha mãe sempre dizia que Michele tem uma cabeça bonita, uma cabeça de poeta e de herói. Talvez, ao escutar essa música, ele imagine ser o herói de aventuras épicas, sonha uma vida muito diferente daquela que leva, embora a nossa sempre tenha sido feliz. Por isso não queria se distrair de seus pensamentos, nem mesmo quando o fiz notar que nossa filha, se continuar agindo assim, talvez possa se encaminhar por uma estrada perigosa. Eu o olhava com certo estupor porque, em seu lugar, não saberia ficar indiferente diante desse problema. Até que, olhando-o, compreendi que naquela música ele busca um conforto.

Comovida, me aproximei e lhe disse: "Vamos embora, Michele". Mas logo me arrependi de ter pronunciado essas palavras. Temi que ele se voltasse e perguntasse: "Para onde, mamãe?", não suspeitando que eu tivesse surpreendido seu sonho. Estava disposta a mentir para ajudá-lo na mentira, disposta a esclarecer: "Eu quis dizer: vamos para a cama, está tarde". Só que ele não respondeu, apenas me apertou a mão. Então fiquei apavorada. Creio intuir que, se Michele se entrega a esses sonhos, significa que ele não tem mais esperanças, é um homem vencido. Mas talvez tudo o que, de uns tempos para cá, eu creia ver ao redor não seja verdade. Talvez seja culpa deste caderno. Deveria destruí-lo, com certeza vou destruí-lo, pronto. Faria isso imediatamente se não temesse que alguém possa descobri-lo no lixo; e, se o queimasse, Michele e os meninos sentiriam o cheiro. Também poderiam me surpreender no ato de queimá-lo, e eu não saberia o que dizer. Vou destruí-lo assim que puder: domingo.

10 DE JANEIRO

O comportamento de Mirella chegou a um ponto tal que preciso escrever sobre isso uma última vez, para desabafar. Michele e Riccardo foram para a cama, estão dormindo. Eles podem dormir apesar do que aconteceu. Eu me tranquei no banheiro e estou escrevendo com frio, extenuada. Esta noite Mirella pediu as chaves de casa dizendo que iria ao cinema com sua amiga Giovanna e o irmão dela. À uma da manhã, ainda não tinha voltado. Preocupada, telefonei para a casa de Giovanna e acordei todo mundo. A mãe atendeu e disse que Giovanna estava dormindo, não tinha saído para lugar nenhum. Enquanto isso, Giovanna, despertada pelo toque do telefone, acorreu e tentou tomar o aparelho da mãe. Ouvi que falava baixinho, nervosa. A mãe me disse: "Giovanna está aqui ao meu lado, dizendo que de fato haviam combinado de sair juntas, mas depois o plano foi por água abaixo, e Mirella saiu com outras pessoas. Mas não creia nisso, senhora, não deve ser verdade". Agradeci e, enquanto desligava, senti que empalidecia. Corri à janela: nada. Então fui acordar Riccardo e em seguida Michele. Ficamos os três debruçados na janela, soprava um vento frio. Pouco depois um carro parou diante do portão, um carro grande, cinza; vi Mirella desembarcar, voltar-se para o veículo e se despedir com um gesto de mão afetuoso. Eu queria ver quem a acompanhava, teria descido até o portão se não estivesse de robe; então pedi a Riccardo: "Desça você", mas ele logo disse: "É o Alfa de Cantoni". Enquanto isso o automóvel arrancava. Perguntei quem era Cantoni. Riccardo respondeu: "Um sujeito de trinta e quatro anos".

Mirella abriu a porta de casa com cautela; quando nos viu, os três, em pé, de robe, na entrada da sala de jantar, hesitou por um momento, como se quisesse fugir, e depois avançou um tanto pálida, mas sorrindo, tentando parecer natural. "Boa noite", disse, "ficou tarde, vocês não deviam me esperar acordados…" Adiantou-se até nós e aproximou-se do pai a fim de saudá-lo com um beijo, como sempre faz, mas ao mesmo tempo olhava para mim. "Escute, Mirella", eu disse, séria, me forçando a ficar calma, "telefonamos a Giovanna. Por isso, não nos venha com mentiras. Onde você estava?" Ela jogou as chaves sobre a mesa de jantar, com desprezo. Então disse: "É culpa de vocês, são vocês que me obrigam a mentir". Michele observou, irônico: "Nós? Ah, esta é muito boa". E ela insistia: "Sim, vocês. Não é admissível que eu, na minha idade, nunca saia sozinha à noite. Ou que só possa sair acompanhada de meu irmão. É ridículo, faço um papel ridículo. Riccardo sabe muito bem que muitas outras moças…". O irmão a interrompeu bruscamente, dizendo que jamais permitiria que sua irmã faça aquilo que muitas outras moças fazem. "Não me permitiria? O que você tem a ver com isso? No máximo, posso ser obrigada a obedecer a meu pai. A você…"

Michele estava prestes a intervir, mas eu conheço o temperamento de Mirella e temi que, neste caso, fosse pior. Então pedi que me deixassem sozinha com ela.

Convidei-a para se sentar, como se ela fosse uma visita, e também me sentei. Mirella estava emburrada, com a expressão de quando era criança. No fundo é uma boa moça, eu pensava, é um comportamento passageiro, vai passar. Enquanto isso ela tirava da bolsa um maço de cigarros americanos que não tinha quando havia saído. Até então eu raramente a vira fumar; agora, porém, notava que abria o maço com um gesto familiar. Eu não quis falar nada sobre o cigarro. Perguntei-lhe com doçura onde havia estado e com quem. Ela respondeu que fora ao cinema e depois dançar com Sandro Cantoni, um advogado que tinha conhecido na noite de Natal, na casa dos Caprelli. Perguntei-lhe com afeto, tentando segurar a mão que ela retirava, se estava apaixonada por ele. Respondeu: "Não creio, não sei, acho que não". Fitei-a nos olhos, esperando ao menos que estivesse mentindo, mas me pareceu que dizia a verdade. Perguntei-lhe por que então saía sozinha com ele, comprometendo assim sua reputação. Ela começou a rir. "Mamãe, você ficou no século XIX!" Eu quis responder que não nasci naquele século, mas continuei, tentando me fazer compreender e compreendê-la. "Riccardo diz que ele é uma pessoa muito mais velha do que você. Veja bem, seria diferente se você tivesse saído com um colega de universidade, é até compreensível que possam ficar até bem tarde conversando. Mas assim, com esse homem já maduro…" Estive prestes a falar do cigarro, mas resisti. "Não sei", continuei, "mas há algo que não me agrada nessa sua nova amizade. Já é a segunda vez que você volta tarde, muito tarde; além disso, me parece inquieta, e à noite já não é pontual para o jantar. Ontem, imagine, até suspeitei que você tivesse jantado fora…" Eu a fitava para interrogá-la, desejando que me contradissesse. Ela disse que, de fato, havia jantado fora. Depois ajeitou-se na cadeira e começou a me falar, com frieza: "Escute, mamãe, é bom que falemos claro. Estou cheia de sair com os amigos de Riccardo. Eles não têm um centavo, me fazem caminhar durante horas e horas, dizem uma infinidade de bobagens. Se finalmente me convidam para me sentar em algum local, é numa leiteria onde eu não demoro a sentir frio nas mãos, nos pés. Mamãe, me ouça: não quero ter a vida que você e o papai tiveram. Papai é um homem extraordinário, fora do comum, sei disso, eu o adoro, mas, afinal, se fosse para ter a vida que ele fez você ter, eu me mataria. Só disponho de uma carta na manga: o casamento. E logo, porque não posso exigir muito, tenho apenas a juventude. Não tenho um sobrenome, sei lá, um pai com uma posição política, uma posição social, não tenho nem roupa. Por isso, se tiver que sair, eu vou sair, e vocês devem se acostumar. Além disso, sair me diverte. Você precisa fazer o papai entender isso também. Se insistirem nessa atitude, eu vou esperar atingir a maioridade e ir embora. Mas, pensem, seria pior. Digo por vocês e também por mim: precisam se acostumar. Não tenha medo, mamãe", ela acrescentou, quase afetuosa, "eu não faço nada daquilo que você chama de fazer algo errado". Sorria e ao mesmo tempo me olhava com frieza, como quando, aos seis anos, havia dito: "Sei de tudo", para me anunciar que não acreditava mais na Befana. Até agora me pergunto se foi realmente Mirella quem falou assim ou uma moça que não conheço de jeito nenhum. Eu pensava em quando lhe comprei a echarpe de tule para a festa de Natal; eu havia hesitado porque era muito cara, cheguei a desistir mas depois voltei à loja para comprá-la. "E os sentimentos, você não os leva em conta, então?" Ela me interrompeu, dizendo que eu não entendia. Respondi que entendia muito bem. Perguntei-lhe se não levava em conta nem mesmo o amor. "O que isso tem a ver?", objetou. "Acha que o que vocês sentem é amor? Esta miséria, este desgaste, esta renúncia a tudo, este vaivém do escritório ao mercado? Não vê como ficou acabada, na sua idade? Por favor, mamãe, você não quer compreender nada da vida, mas eu sempre a considerei uma mulher inteligente, inteligentíssima. Raciocine: que vida você e papai levam? Não vê que papai é um falido e que a arrastou junto com ele? Se você me quer bem, como pode desejar que eu tenha uma vida semelhante à sua?"

Levantei imediatamente e fui fechar a porta para que Michele não ouvisse. Esse gesto me fez enrubescer, me lembrou o que eu havia escrito na noite anterior, neste caderno, sobre Michele e Wagner. Disse a Mirella que sempre fui felicíssima, que verdadeiramente desejava que ela o fosse também. Acrescentei que esta é a vida que toda mulher deve ter, que não lhe permitiria agir como se propunha: enquanto estivesse na minha casa, não lhe permitiria. "Sei que é um momento que passará. Você vai refletir, eu a farei refletir, você se casará quando estiver apaixonada, quando admirar um homem, e então amará sua família, seus filhos, como eu fiz. Se ele for rico, tanto melhor; se não for, você trabalhará, como eu trabalho..."

Mirella me encarou com um olhar duro e disse: "Você está com ciúme".

14 DE JANEIRO

Domingo de novo. Todos saíram logo depois do almoço; Michele foi ver o pai, queria que eu também fosse mas respondi que tinha muita coisa a fazer e que, mais tarde, gostaria de descansar. Ele segurou meu queixo entre os dedos e perguntou: "O que você tem, mamãe? Muitas vezes até parece preferir ficar sozinha. Riccardo tem mesmo razão quando afirma que você mudou de uns tempos para cá". Respondi que sim, em certo sentido é verdade, mas justamente por causa dos meninos: estou sempre preocupada com eles porque já não parecem os mesmos, já não se contentam com o que antes os deixava felizes. Aproveitei para contar que ontem Mirella insistiu em pedir um casaco novo: dizia que, se quisermos, podemos comprá-lo, porque tanto o pai dela quanto eu recebemos uma gratificação de Natal. Tentei em vão fazê-la compreender que esse dinheiro já está destinado a outras despesas, ela talvez pense que nosso desejo é guardá-lo para nós, ciumentamente enfiado numa gaveta. Michele observou que, afinal, se quiséssemos ficar com esse dinheiro, teríamos o direito de fazê-lo: "É dinheiro nosso, ganho por nós, você também poderia desejar um casaco novo, não acha, mamãe?". Eu disse que havia feito essa observação a Mirella, mas que ela havia respondido que, para mim, aos quarenta e três anos, um casaco novo já não tem muita importância. Michele sorriu e eu esperava que discordasse; ele, porém, concluiu: "Pois é, talvez ela tenha razão", e saiu, depois de me abraçar ternamente.

Ainda não ousei contar a Michele o que aconteceu entre mim e Mirella na noite em que ela voltou tarde: pelo contrário, de manhã eu disse que ela havia prometido não fazer mais isso. Queria poupá-lo da contínua ansiedade em que me encontro desde aquela noite. Além do mais, não tive coragem de lhe repetir a pérfida frase que ela me disse antes de se trancar no quarto: "Você está com ciúme". Temo que, assim como em relação ao casaco novo, ele possa observar, sorrindo: "Talvez ela tenha razão".

mais tarde

Parei de escrever há pouco porque ouvi um ruído na porta e achei que alguém tinha enfiado a chave na fechadura. Apanhada de surpresa, não sabia onde guardar o caderno: olhei ao redor, todos os móveis me pareciam de vidro, transparentes, era como se ele fosse ficar visível em qualquer lugar onde eu o escondesse. Virava-me para um lado e outro com o caderno na mão; afinal compreendi que o ruído vinha do apartamento vizinho e, tranquilizada, sorri de meus temores. Antes de sentar de novo para escrever, passei a corrente na porta, pensando que sempre poderia dizer que o fiz por distração. Mas esse gesto, executado instintivamente, me espantou logo depois, pois me mostrou até que ponto eu — que sempre me considerei uma mulher franca e leal — já aceitei a possibilidade de mentir; até mesmo de preparar um álibi. Pensei em Mirella, que algumas noites antes havia mentido habilmente, afirmando ter marcado um encontro com Giovanna, e quem sabe quantas outras vezes havia mentido, e pensei em Riccardo, que, para receber do pai um pouco mais de dinheiro, disse ter comprado um livro que na verdade não havia comprado. Perguntei-me de que modo Michele também mente, assim como eu minto para escrever o diário. Aos poucos, perdida nesses pensamentos, comecei a chorar. Estava sozinha na casa vazia, no silêncio dominical, e me parecia ter perdido para sempre todos aqueles que amo, se eles, na realidade, forem diferentes de como eu sempre os imaginei. Se sobretudo eu mesma for diferente de como eles me imaginam.

Até agora sempre pensei que nós quatro — Michele, Mirella, Riccardo e eu — éramos uma família unida, serena. Ainda vivemos na mesma casa onde Michele e eu, recém-casados, viemos morar. Ficou apertada demais; para dar um quarto a Mirella, tivemos de renunciar à sala de estar; os cômodos são muito pequenos, mas, talvez por isso mesmo, eu achava que nos abraçavam melhor, nos acolhiam sob a mesma asa. Também sempre pensei que, sob muitos aspectos — os mais importantes —, nossa família era mais afortunada do que as outras: Michele e eu nunca nos desentendemos seriamente em tantos anos, ele sempre trabalhou, eu consegui trabalho quando quis, os meninos são saudáveis. Talvez quisesse contar justamente a serena história de nossa família neste caderno; talvez tenha sido justamente esse o motivo que me levou a comprá-lo. Seria agradável relê-lo quando os meninos casassem e ficássemos sozinhos, Michele e eu. Então eu poderia mostrar o caderno a Michele com orgulho, como se, sem que ele soubesse, eu tivesse acumulado um patrimônio para nossa velhice. Seria bonito. Em vez disso, a partir do momento em que comecei a escrever, já não me parece mais que todas as coisas que acontecem em nossa casa sejam dignas de se recordar. Talvez eu tenha começado tarde demais a manter um diário, deveria ter escrito sobre Riccardo e Mirella quando eram crianças. Hoje, embora ainda não os considere como tais, eles já são adultos: têm todas as fraquezas dos adultos e talvez já tenham todos os pecados. Às vezes, porém, penso que estou errada em escrever tudo o que acontece; fixado por escrito, parece ruim até mesmo aquilo que, em substância, não o é. Fiz mal em escrever sobre o colóquio que tive com Mirella quando ela voltou tarde para casa e, depois de falarmos longamente, nos separamos não como mãe e filha, mas como duas mulheres inimigas. Se eu não tivesse escrito a respeito, teria esquecido. Estamos sempre inclinados a esquecer o que dissemos ou fizemos no passado, até para evitar a tremenda obrigação de permanecer fiel àquilo. Parece-me que, de outro modo, todos nos descobriríamos cheios de erros e, sobretudo, de contradições entre o que nos propusemos a fazer e o que fizemos, entre o que desejaríamos ser e o que nos contentamos em ser na realidade. Talvez por isso naquela noite eu tenha escondido o caderno com mais cuidado do que o habitual: subi numa cadeira e o pus em cima do armário de roupa de cama e mesa. Achei que, escondendo-o, poderia superar mais facilmente uma dúvida que se apoderara de mim: a de ter vivido por cerca de vinte anos com minha filha, tê-la nutrido, educado, estudado seu caráter com amoroso zelo, e afinal precisar admitir que, na verdade, não a conheço em absoluto.

15 DE JANEIRO

Ontem, depois de ter escrito, fui ver minha mãe, negligenciando tudo o que deveria fazer em casa. Ela mora aqui perto, num apartamento pequeno mas ensolarado. Os velhos dão grande importância ao sol: quando vivia com eles, eu nem sequer me dava conta de que o imóvel estava voltado para o sul, ao passo que ela sempre se vangloriava disso. Minha mãe se alegra muito quando vou visitá-la aos domingos, tem a impressão de que roubo de Michele algumas horas para dar a ela, e isso a envaidece, lhe dá certa satisfação.

Aos domingos, se o tempo estiver bom, minha mãe fica de mau humor, uma vez que meu pai sai sozinho para uma longa caminhada. Primeiro os dois vão juntos à missa das dez e depois ele a acompanha passo a passo até em casa, de braços dados, afetuosamente. Mas, uma vez no portão, ele se despede e logo se afasta, enquanto, parada na calçada, minha mãe o segue com um olhar sombrio. Sem voltar-se para trás a fim de saudá-la, meu pai caminha desenvolto, como se quisesse, com seu ritmo, demonstrar ser muito mais jovem do que ela, embora tenham a mesma idade: setenta e dois anos. Mal se apoia à bengala de castão de marfim e em seguida ergue-a com um gesto elástico, tal como era moda em seu tempo. Avança até Villa Borghese, onde vai ao Giardino del Lago, e na volta fala à minha mãe do ar livre, das árvores, respirando longamente, juvenilmente, como se quisesse deixá-la despeitada. E, de fato, consegue: ela fica o dia inteiro fechada num silêncio desdenhoso. Acontecia o mesmo quando eu era criança e meu pai, aos domingos, ia praticar esgrima ou remar.

Tudo é sempre igual na casa da minha mãe: a velha empregada ainda me chama de senhorita, e minha mãe insiste em me chamar de Bebê, embora eu tenha lhe dito que isso é ridículo, já tenho muitos cabelos brancos. Quando entro na casa, quase instintivamente vou até meu quarto de solteira, minha mãe me segue e nos fechamos ali para conversar. O aposento continua igual, e eu sempre volto a ele com uma leve sensação de remorso, como se ter ido morar com Michele tivesse sido um ato de rebelião, uma loucura. Quando estou naquele quarto, com minha mãe, e falamos de Michele e dos meninos, ela — que no entanto os ama ternamente — parece me escutar como se eu falasse de estranhos que se intrometeram entre nós sorrateiramente.

Ontem mesmo, como de hábito, sentei na cama e minha mãe começou a costurar. Eu gostaria de falar do que havia acontecido com Mirella, mas achei que seria como contar-lhe coisas que também poderiam ter sido ditas entre nós, quando eu tinha a idade de Mirella, e que ambas havíamos preferido ignorar. Na casa da minha mãe, eu sempre tenho um trabalho iniciado, um suéter para Michele ou para os meninos, de modo que pouco depois comecei a tricotar. Enquanto isso, dizia: "Estou cansada. Hoje de manhã arrumei a casa toda, fiz as compras de mantimentos. Não achei nenhuma verdura no mercado que fosse comível, estavam todas queimadas de frio. Eles têm vagens bonitas, mas custam trezentas e vinte liras o quilo". Minha mãe assentia sem me olhar: "Pois é, ontem, seu pai, quando voltou para casa, me perguntou por que eu nunca compro alcachofras. Eu disse que está custando setenta e cinco liras a unidade". Respondi: "Ainda está muito frio para alcachofras". E ela: "Seu pai saiu sem cachecol esta manhã, imagine. Foi até o Pincio assim. Ele ainda acredita ser um rapaz, vai pegar um resfriado". "Já não se pode nem ficar doente", comentei. E ela concluiu: "Ninguém aguenta mais".

Então levantei os olhos para fitá-la. Minha mãe é uma velha senhora alta e grisalha; no modo de pentear os cabelos — que ela avoluma com enchimentos, segundo a moda dos primeiros anos do século XX — ainda se percebe um toque de coquetismo. É uma velha senhora daquelas que dificilmente encontramos hoje; eu sempre digo que não serei igual a ela quando tiver sua idade: pertenço a uma geração que não se envergonha de mostrar o próprio cansaço. Ela, contudo, parece não se conceder jamais um instante de desleixo: de manhã já está toda vestida, pronta como se fosse sair, arrumada, luminosa, branca de talco, o magro pescoço apertado numa alta fita de gorgorão de seda. Ontem fiquei olhando-a, enquanto fazia meu trabalho encurvada, meio encolhida na cama. Ela se sentava ereta numa cadeira dura, sempre diz que não gosta de poltronas; afirma que convidam ao ócio, e até à melancolia. Cerzia umas meias velhas do meu pai, meias que, na realidade, já deveriam ter sido jogadas no saco de trapos; cerzia com um gesto elegante, como, quando jovem, fazia renda renascença. Ao se sentir observada, ergueu os olhos e encontrou os meus: me fitou por um instante, mantendo a agulha no ar, a linha esticada, e depois, baixando de novo a vista para o trabalho, disse: "Acho mesmo que você deveria ter uma moça para ajudá-la nas tarefas". Murmurei: "Sim, tem razão. Se em fevereiro Michele receber o aumento que lhe é devido, vou pensar".

Os assuntos das conversas entre nós duas jamais foram além das coisas materiais, coisas distantes daquilo que realmente nos importa; ela sempre foi fria comigo; mesmo quando eu era criança, era raro ela me abraçar, e quando o fazia, era de um jeito que me intimidava ainda mais. Bem cedo me mandou para o colégio. Sempre acreditei que sua atitude se atribuísse a uma reserva habitual na família aristocrática à qual ela pertencia. De fato, ela sempre se dirigia à sua mãe tratando-a por "senhora". Eu pretendia educar minha filha de maneira muito diferente, ser sua amiga, sua confidente mais íntima. Não consegui. E me pergunto se é possível ter êxito em semelhante empreitada. Ontem, porém, falando com minha mãe de coisas materiais, do mercado, das tarefas diárias, percebi que, por meio daquela linguagem convencional, a vida inteira falamos de tudo o que nos acontecia, no mais íntimo, sem confessá-lo abertamente, mas com aquele entendimento que só pode existir entre mãe e filha. Ontem, por exemplo, senti que aludíamos a algo diferente quando dizíamos que não era possível aguentar mais aquele preço das alcachofras. E ela reconhecia em mim um cansaço, uma debilidade perigosa, quando me aconselhava a arranjar alguém que me ajudasse nas tarefas domésticas. Creio ter entendido tudo isso somente agora, talvez porque agora eu também tenho uma filha que não consigo compreender. Mas vou compreendendo minha mãe e, escrevendo sobre ela, tenho vontade de aninhar a cabeça em seu ombro, como nunca ousaria fazer se ela estivesse presente. Nos primeiros tempos do meu casamento, quando sentia alguma dificuldade em me habituar ao temperamento de Michele e, afinal, à vida de mulher casada, eu ia procurá-la com muita frequência. Nós nos sentávamos, como agora, no meu quarto, e eu dizia: "Estou com dor de cabeça, me dê um analgésico". Ela nunca me perguntava o porquê. "É o tempo", dizia, dando-me um comprimido de aspirina. E me aconselhava: "Descanse um pouco antes de voltar para casa". Não falava mais nada, ficava trabalhando, e eu também silenciava, deitada na minha cama de solteira; via o sol entrar pelas vidraças em losangos, verdes e violeta, e emitir lampejos que me agradavam muito quando eu era criança. "Passou?", minha mãe perguntava, desviando ligeiramente os olhos do trabalho. Por fim, eu dizia: "Acho que estou um pouco melhor". Enquanto ela me acompanhava à porta, informava-se sobre o jantar na minha casa, e eu respondia, digamos, "risoto e bife". Na manhã seguinte ela logo telefonava para perguntar se Michele tinha gostado do risoto, se havia comido com gosto. Quando eu respondia que sim, que tudo tinha corrido bem, eu a ouvia dar um suspiro de alívio.

Talvez seja preciso ficar quase velha e ter filhos grandes, como eu tenho, para compreender os próprios pais e, nos espelhando neles, compreender um pouco sobre nós mesmos. Agora, de repente, creio perceber em qual abismo de solidão eu cairia se não pudesse mais telefonar à minha mãe e dizer-lhe que Michele e os meninos estão bem e comeram com gosto. Até o momento, por causa do nosso modo de conversar, me parecia que nunca havíamos nos entendido. Eu nunca teria ousado dizer sinceramente à minha mãe que não acreditava mais na Befana, como Mirella me disse; aos dez ou onze anos, eu ainda fingia acreditar. Foi ela mesma quem me perguntou, um dia: "O que você quer que eu lhe dê, pela Befana?". Lembro que não pestanejei, mas corei. Respondi que gostaria de um par de pantufas forradas e as ganhei. Na realidade, somente naquela ocasião admiti para mim mesma que os presentes vinham da minha mãe, e não da Befana. De igual modo, quando me apaixonei por Michele, não ousei confessar nada a ela. Dizia sempre "estou sem fome" para esconder meu estado de espírito, minha feliz inquietação.

17 DE JANEIRO

Ontem à noite Mirella me pediu de novo a chave do portão. Respondi que não; ela disse que, nesse caso, dormiria na casa de uma amiga. Tentei fazê-la refletir, mas acabei cedendo; disse que era a última vez e que, se ela continuasse assim, eu seria obrigada a contar ao pai dela e tomar algumas decisões graves. Ouvi-a voltar às duas; estava na cama, pensando nela, e não conseguia dormir. Hoje de manhã, ao abrir seu armário por acaso, vi uma bolsa nova, de couro de javali, que deve custar pelo menos dez mil liras. Não soube o que fazer, quis falar com Michele, ele já tinha saído, e também considerei que, se falar disso com Michele ou Riccardo, esse comportamento de Mirella, que talvez seja apenas passageiro, se eles ficarem a par dele, se tornará imbatível. Pensei que o melhor seria fingir não ter visto a bolsa e, enquanto isso, estudar uma providência séria. Ao fechar cautelosamente o armário, tive a impressão de executar os mesmos gestos que faço para guardar este caderno. Então senti medo e corri a telefonar para minha mãe. Porém, assim que a ouvi atender com sua voz calma, habitual, não tive coragem de lhe confessar que minha filha aceita presentes de um homem. Disse que estava preocupada porque Mirella havia novamente insistido em me pedir um casaco novo e, acrescentei, uma bolsa de javali; que anda caprichosa, obstinada, quer sair todas as noites. Minha mãe respondeu que Mirella tem o mesmo temperamento meu, eu fazia igual na idade dela. "Eu?", exclamei, surpresa, e depois comecei a rir; "eu não saía; não pedia nada." Minha mãe disse que eu ficava em casa mergulhada num silêncio rancoroso e a encarava com reprovação sempre que ela comprava para si um chapéu novo. "Depois passa", acrescentou. "Você me provocava uma ansiedade enorme, o seu futuro. Quando você casou, parecia que casava só para sair de casa, ser livre. Pensei que daria uma esposa ruim, porque não parecia de fato apaixonada por Michele. Depois passa", repetiu. Eu queria replicar, garantir que jamais havia desejado sair de casa, deixá-los, queria dizer que sempre fui apaixonada por Michele. Em vez disso, ri de novo, levianamente, e disse: "Depois passa, eu sei". Desliguei e saí para ir trabalhar.

18 DE JANEIRO

Hoje soubemos que Michele terá um discreto aumento de salário, cerca de dezoito mil liras por mês. Assim que voltou do banco, na hora do almoço, ele me disse, esforçando-se para que sua voz soasse natural: "Mamãe, venha comigo um instante". Os meninos já estavam em casa. Senti um sobressalto ao imaginar que ele tivesse encontrado o caderno; mas, considerando que o guardei em cima do armário das roupas de casa, logo me tranquilizei. De fato, agora seria muito grave se ele o encontrasse, porque até escrevi que o tal Cantoni presenteou Mirella com uma bolsa de javali e que eu fingi não tê-la visto. Quando fui ao seu encontro no quarto, Michele fechou a porta, me segurou as mãos com entusiasmo e disse: "Mamãe, estamos ricos". Ao saber que ele havia falado pessoalmente com o diretor, o qual o tratou de modo até mesmo amigável, oferecendo-lhe todo o reconhecimento que ele esperava havia anos, fiquei tão contente que comecei a chorar. Então Michele me tomou nos braços; enquanto ele me estreitava, eu via, por cima de seu ombro, nossas imagens refletidas no grande espelho do armário, e tinha a impressão de que éramos mais jovens. Além disso, ele me anunciou que não somente receberá esse novo salário a partir do mês de fevereiro — como esperávamos, na melhor das hipóteses —, como também os atrasados desde novembro passado. Em seguida pegou papel e lápis, fez as contas, concluiu que são cerca de sessenta mil liras e imediatamente me ofereceu dispor dessa quantia da maneira que eu considerasse mais oportuna; respondi que gostaria de contratar uma empregada em meio expediente, mas, depois de refletir por um instante, concluí que não, que era mais urgente comprar alguma coisa para Mirella, ele perguntou o quê, e respondi que ainda não sabia precisamente, talvez o casaco vermelho que havia muito tempo ela dizia desejar, uns sapatos e outras coisinhas que são necessárias a uma jovem da idade dela. Michele me encarou, espantado. Então acrescentei que Mirella está atravessando um momento difícil, daqueles que as meninas de famílias ricas são enviadas para uma bela viagem ao exterior. Michele, franzindo o sobrolho, pretendia falar imediatamente com ela e, em todo caso, ao contrário de mim, julgava que, sobretudo nos momentos difíceis, não convém tentar esconder de uma jovem a realidade, mimando-a, ou melhor, iludindo-a, com a aquisição de roupas, badulaques e outras futilidades do gênero. Pedi que por enquanto não falasse com ela, eu mesma lhe sugeriria isso quando fosse oportuno. Lembrei a ele que, em fevereiro, Mirella deve fazer algumas provas, e que talvez seja o estudo, o medo de não ser bem-sucedida, a deixá-la um pouco nervosa; é preciso desculpá-la. Aliás, como o aniversário dela é no dia 28, eu propus convidar alguns amigos dela, para distraí-la. E, embora me dê conta de que — considerando o custo de vida — a soma que deveremos receber não é, afinal, muito grande, fiz Michele ver que esse é um sinal de que as coisas enfim melhoravam para nós; começaram quando o velho diretor da sede — que não tinha nenhuma simpatia por Michele — foi transferido para Milão, tendo sido substituído pelo atual, que, ao contrário, muito o aprecia. Michele disse que é verdade, as mulheres têm muita intuição, e nos abraçamos de novo.

    Depois daquele abraço, acabei enrubescendo, porque me parecia que fosse outro homem a me abraçar, e não Michele. Havia em seus braços um vigor novo que me reconduzia em pensamento ao modo pelo qual ele costumava me estreitar quando éramos recém-casados. Ele não me abraçava assim fazia muito tempo. Eu achava que isso acontecia porque, hoje, temos pouquíssimas oportunidades de ficar sozinhos, e à noite estamos sempre muito cansados. Na presença dos meninos, se Michele me fizer algum elogio ou me der um beijo, eu me sinto constrangida e o afasto com uma atitude severa, mas, no fundo, lisonjeada; Riccardo nos olha com ternura, Mirella, ao contrário, desvia o olhar, dando a entender que tais comportamentos são ridículos em nossa idade. Devo confessar que, nos primeiros tempos, o modo fraterno de agir que se estabeleceu entre nós dois me desagradava muito e, internamente, eu sentia um pouco de rancor. Mas não falava nada, temendo, justamente, parecer ridícula: convencia-me que já era uma mulher velha e que Mirella tinha razão. Direi até que sua crueldade impiedosa, embora decerto involuntária, servia para me fazer aceitar mais facilmente uma realidade inegável. Eu pensava assim, sobretudo, quando tinha trinta e cinco, trinta e oito anos. Por mais que isso possa parecer absurdo, faz algum tempo que, ao contrário, admito com maior dificuldade, e até com alguma resistência, a ideia de estar velha e de ter que renunciar a tudo. Mas nunca ousaria confessar essa minha sensação, porque nada me parece mais penoso, numa mulher, do que a recusa em admitir que a juventude acabou e que é preciso aprender a viver diferentemente e a descobrir novos interesses.

Desde hoje de manhã, porém, penso que se não tivéssemos tido tanta luta em nossa vida, ou se pelo menos tivéssemos tido mais vitórias, Michele teria me abraçado mais amiúde, como hoje de manhã. Havia chegado resoluto e alegre como quando ainda não éramos casados e ele fazia muitos projetos para o futuro. Naquela época, Michele dizia sempre que não ficaria muito tempo como funcionário de banco, que aquela não era sua vocação, que talvez gostaria de obter uma licenciatura e talvez dar aulas, talvez escrever. Acrescentava até que, se não fosse por amor a mim, se não precisasse ter um salário para podermos nos casar logo, já teria deixado o banco e se aventurado. Nos primeiros anos do casamento, eu temia que ele se lembrasse desses propósitos e quisesse realmente concretizá-los: Riccardo já tinha nascido e logo Mirella também despontava. Não saberíamos o que fazer, porque, então, nunca pensávamos na possibilidade de que eu arrumasse um emprego; e também, por causa dos filhos pequenos, eu não poderia trabalhar. Michele costumava dizer a nossos amigos, e a mim, que seu emprego era uma solução momentânea, que não gostava de seguir uma carreira lenta, nem de receber um salário tão baixo, embora seguro. Dizia que logo teria uma excelente oportunidade, estava esperando que amadurecessem algumas iniciativas importantes de certos amigos seus; eu não lhe perguntava nada, porque essas conversas sempre me provocavam apreensão. Aos poucos ele foi deixando de falar do assunto, só o mencionava quando havia mais gente. Talvez tenha parado de ter contato com aquelas pessoas, pois deixou até de se referir a elas; a oportunidade não se apresentou nunca, e ele parecia não pensar mais nisso. Hoje, porém, pelo seu modo de me abraçar, compreendi que, ao contrário, ele nunca deixou de pensar nessa questão. Eu deveria estar contente por ele não ter mais falado disso comigo, já que esta é mais uma prova de sua generosidade e delicadeza de espírito; mesmo assim, não me alegro. Sinto que, em seu silêncio, há uma crítica, quase uma acusação contra mim e as crianças, por ele ter renunciado a tudo aquilo de que gostaria. Mas, hoje, ao me abraçar, manifestava uma esperança ainda viva dentro dele, semelhante a uma outra que está escondida em mim e da qual não ousaria lhe falar. Essa descoberta me pareceu fonte de um novo entendimento entre nós, um novo amor. Eu estava alegre, me parecia que tudo ainda estava por começar; dei o braço a Michele e juntos percorremos o corredor com o passo de quando éramos jovens e queríamos chegar sei lá onde. Anunciei aos meninos que o pai tinha tido esse aumento e, sobretudo, a satisfação moral que por longo tempo, injustamente, lhe fora negada. Mirella abraçou seu pai e depois disse que, vamos e venhamos, dezoito mil liras por mês mudam pouca coisa. Retruquei que não é verdade, que, agindo com sensatez, com um orçamento limitado como o nosso, isso significaria uma largueza um pouco maior. Eles me pareciam incrédulos. Então acrescentei que dentro em pouco eu também deveria ter um aumento, tinha até saído no jornal, e de qualquer modo poderíamos comprar logo o casaco vermelho para ela e algumas coisas para Riccardo. Enfim, teríamos uma vida melhor, como antes da guerra. Michele objetou que, em vez de fazer tantas despesas supérfluas, deveríamos admitir uma empregada para me aliviar do peso das tarefas domésticas que eu tinha suportado de bom grado por muitos anos. Os meninos não disseram nada. Mas, fosse como fosse, eu logo me opus; declarei que até agora temos ido muito bem desse jeito, não há razão para mudar, sou uma mulher forte, com boa saúde, graças a Deus, e jovem, acrescentei com firmeza. Olhava para Michele, me aproximava dele com ternura, e revia nossas duas figuras abraçadas como as tinha visto refletidas no espelho: ele com seu belo porte, meu corpo ainda esbelto, não tenho nenhuma ruga. Mirella pode rir se quiser, mas penso que ainda somos jovens.

    Gostaria de escrever longamente, estou muito feliz, queria registrar alguns planos para o futuro, os preparativos que tenho em mente para o aniversário de Mirella, a fim de que ela sempre recorde com doce saudade o dia em que completou vinte anos, como eu recordo o meu. Mas não posso: Riccardo está no quarto dele, estudando, poderia entrar de repente; Mirella e Michele voltarão para casa de um momento para outro. Devo realmente parar, que pena.

19 DE JANEIRO

Hoje me aconteceu algo insólito, uma tolice que eu me envergonharia até mesmo de anotar se não tivesse a certeza de que ninguém jamais lerá o que escrevo aqui. Esta tarde, ao atravessar a portaria do trabalho, vi um homem alto, elegante, que devia ter pedido uma informação ao porteiro, porque os dois folheavam juntos uma agenda. Eu ia entrando meio afobada, temendo estar atrasada; o porteiro ergueu os olhos e me cumprimentou como sempre, com gentileza; é uma boa pessoa e já me conhece há muitos anos. Sorri para ele mais efusivamente do que de costume, me sentia de bom humor e queria quase fazê-lo cúmplice do meu atraso. Em seguida o porteiro recomeçou a folhear a agenda, ao passo que o outro não tirava os olhos de mim: me fitava com estupor, como se de repente tivesse visto uma aparição benfazeja. Era jovem, teria talvez trinta e cinco anos. Quando passei a seu lado, sussurrou algo que de início não captei, mas depois compreendi num lampejo, quase como se o ouvisse de novo na fantasia; uma palavra realmente boba. Parece-me ridículo repeti-la aqui, ele talvez não imaginasse que tenho dois filhos já grandes, sinto vontade de rir ao lembrar da situação, mas, enfim, o que ele disse foi: "Fascinante". Precisei me deter ao pé da escada porque o elevador estava parado no segundo andar; sentia que o homem continuava a me fitar, que o porteiro já lhe dera todas as informações, mas ele não saía dali. Meu coração batia com força, tive uma sensação de vertigem, de medo, queria fugir e o elevador não chegava nunca. Tomei muito cuidado para não me voltar: aquele homem poderia pensar que eu o fazia por causa dele. Mas, quando entrei no elevador, fui obrigada a me virar para fechar a porta. Então vi que ele continuava parado ali, me fitando encantado, e movia os lábios murmurando alguma coisa que eu não podia compreender, talvez a mesma palavra de antes. Entrei no escritório como se estivesse sendo seguida. Por toda a tarde espiei a porta da minha sala temendo que aquele homem tivesse a ousadia de subir até ali com alguma desculpa. Ele não sabia quem eu era, mas podia ter perguntado ao porteiro. Desconfiei até que me tivesse visto passar outras vezes, tivesse me seguido, e hoje, para me encontrar, houvesse recorrido a um pretexto. O tempo todo eu temia ver entrar o contínuo anunciando que alguém perguntava por mim; ficava sobressaltada quando alguém abria a porta, tanto que uma colega me perguntou o que eu tinha. Respondi que estava esperando uma visita, já que, se aquele homem tivesse se arriscado a subir, sem dúvida eu não poderia confessar que ele havia me seguido e agora vinha até mesmo perguntar por mim, sem me conhecer: a colega me julgaria mal e estaria autorizada a me imaginar pouco séria quando caminho pela rua. Se ele aparecesse, eu fingiria não ter ideia de nada, já havia pensado, iria recebê-lo na sala de espera e o instaria a sair imediatamente, a não aparecer nunca mais, explicando-lhe que se enganara ao pensar que eu fosse uma mulher daquelas que se deixam abordar por um desconhecido. Por sorte não apareceu ninguém. Quando saí, olhei ao redor com cuidado, até virei para trás várias vezes a fim de me certificar de que ele não estava ali, não me seguia. Agora, porém, posso confessar que esse episódio me causou uma alegria que não experimentava desde mocinha.

20 DE JANEIRO

Existe, em minha índole, uma coisa que não consigo decifrar. Até agora, sempre pensei ser clara, simples, a ponto de não reservar a mim mesma, nem aos outros, nenhuma surpresa. No entanto, de uns tempos para cá já não tenho tanta certeza disso, mas não saberia definir de onde vem essa impressão. Para me reencontrar tal como sempre pensei ser, preciso evitar ficar sozinha: ao lado de Michele e dos meninos, readquiro aquele equilíbrio que era minha prerrogativa. A rua, ao contrário, me atordoa, me lança numa singular inquietação. Não sei me explicar, mas fora de casa não sou mais eu. Basta sair pelo portão e me parece natural começar a viver uma vida totalmente diferente daquela costumeira, sinto vontade de percorrer ruas que não estão em meu itinerário cotidiano, encontrar pessoas novas, que desconheço até aquele momento, com as quais eu possa ficar alegre, rir. Tenho muita vontade de rir. Talvez tudo isso queira dizer apenas que estou cansada, deveria tomar um fortificante.

Ou talvez seja porque este mês, por causa dos atrasados que Michele embolsou, eu não esteja esperando com ansiedade que o tempo passe e que logo chegue o dia em que recebemos nossos salários. É um fato novo, que deixou livres, convidativas, estas jornadas em geral cinzentas e, desde que se iniciam, temidas. De muitos anos para cá, só existe um dia do mês em que Michele e eu nos sentimos seguros: o dia 27. Depois recomeçamos a esperar. Agora, porém, vivo como sempre vivem os que não têm a constante preocupação com a falta de dinheiro; compreendo que a eles possam parecer possíveis todos os acontecimentos felizes e extraordinários. De fato, agora, se escuto a campainha, penso que se trata de uma surpresa boa. Esta manhã, ao voltar para casa, encontrei no portão o mensageiro de um florista com um grande buquê de rosas, esplêndidas, envoltas em celofane. Tive um sobressalto e pensei uma coisa absurda: que eram para mim. Tão absurda que olhei ao redor antes de perguntar ao rapaz, baixinho: "Valeria Cossati?". Ele me encarou, surpreso, e em seguida balançou negativamente a cabeça: era para uma jovem atriz que mora no segundo andar e que toda noite, já tarde, manda a empregada abrir o portão para um senhor de óculos. Segundo a zeladora, ela sempre recebe flores e embrulhos das lojas mais famosas; quando a encontro, imagino-a abrindo aqueles pacotes, toda feliz, em meio a um grande frufru de papel de seda.

 Hoje, no final da tarde, comprei uma combinação azul-celeste. Ficou muito bem no meu corpo, justinha. Michele já estava na cama quando eu a experimentei. "Gostou?", perguntei de repente. Ele baixou o jornal e disse: "De quê?". "Desta combinação, é nova." E avancei, sorridente, tocando meus ombros nus, com um gesto que era ao mesmo tempo satisfeito e tímido. "Querida", ele disse, "você já não tinha uma parecida?" "Não, esta é diferente das outras, tem renda, está vendo?", expliquei, me inclinando sobre ele e apontando o decote. "Querida", ele repetiu, "quanto custou?" "Ainda não paguei", respondi, para não confessar que esta combinação é mais cara do que as outras. "Peguei na loja aqui da esquina, posso pagar quando quiser." "Fez mal." "Eu precisava dela", protestei, enrubescendo. "Não, não é disso que estou falando, você fez muito bem em comprá-la, se está precisando, mas não convém deixar contas em suspenso."

 Não sei por que fiz isso, sempre fui a primeira a dizer que as dívidas são uma ruína. Não sei explicar, talvez tenha sido porque, no fundo, espero que tudo mude de agora em diante, que Michele tenha uma nova posição no banco, ganhe muito dinheiro, e que todo dia seja dia 27. Tirei a combinação, dobrei-a. "Vou devolver, direi que não caiu bem." "Por quê?", disse Michele, gentil: "Se você gostou…". "Sim", repliquei, séria, "mas no fundo era um capricho, não preciso dela." Eu de fato me perguntava como, assediada pelas preocupações com Mirella, cismei de fazer aquela aquisição inútil. Talvez porque hoje é sábado, eu estava livre, vagando sem pressa na rua. Nem mesmo agora, sozinha com o caderno, consigo compreender: este caderno, com suas páginas em branco, me atrai e ao mesmo tempo me perturba, como a rua.

24 DE JANEIRO

De novo sou obrigada a escrever já bem tarde, durante o dia não tenho um só momento de sossego; aliás, percebo que ninguém se espanta ou se opõe quando fico acordada à noite, alegando alguma tarefa a executar. O fato de somente a esta hora conseguir ficar sozinha para escrever me faz compreender que agora, pela primeira vez em vinte e três anos de casamento, dedico um pouco de tempo a mim mesma. Escrevo sobre uma bancada no banheiro, como quando, na juventude, sem minha mãe saber, escrevia uns bilhetinhos que a empregada, depois de certa resistência, concordava em entregar a um coleguinha de escola. Lembro que ela sempre perscrutava o envelope com desconfiança, e eu mesma via com desagrado, entre suas mãos desrespeitosas, aquela mensagem de amor. Tenho agora impressão semelhante ao imaginar que alguém possa tocar este caderno.

Estou atravessando uma crise de desânimo, talvez seja uma reação aos últimos dias. Domingo quero me confessar, coisa que não faço há muito tempo. Pedi uma folga hoje porque queria ir ao centro fazer umas compras para Mirella. Demorei-me diante das lojas, me perguntando o que poderia agradá-la: as vitrines estavam cheias de peças desejáveis, e as que eu poderia comprar me pareciam insuficientes para satisfazer o anseio que ela tem por se vestir bem, por parecer rica e feliz. De fato, a soma de que dispunha me deixava uma escolha bastante limitada, que excluía tudo o que era mais atraente, ao passo que, dois dias antes, com essa inesperada soma de dinheiro eu tinha acreditado poder mudar até mesmo a vida e as intenções de Mirella, poder dar a ela não alguma coisa, mas tudo. Diante dos fatos, eu tinha de reconhecer que só poderia comprar o casaco vermelho, uma saia kilt e um perfume. Além disso, admito que, rechaçando o sensato propósito de adquirir coisas das quais Mirella precisaria, fiquei tentada pelas vitrines onde estavam expostas umas bolsinhas; sentia em mim o impulso de competir com a bolsa de javali, que sempre finjo não ver, e que ela ganhou daquele Cantoni com quem todo dia fala rapidamente por telefone, respondendo por monossílabos. Em comparação com algumas bolsas que eu via expostas, aquela que ele lhe deu me parecia modestíssima; e reconheci isso com malignidade, quase sentindo prazer em acusá-lo de não ser tão rico quanto Mirella talvez acredite, ou, pior, de ser avarento. Tive vontade de presenteá-la com uma bolsa muito mais bonita, para que ela deixasse de apreciar a outra. Fiquei muito tempo diante de uma vitrine, tentando adivinhar quanto custava uma bolsa vermelha de crocodilo; me senti uma provinciana, atordoada e inexperiente diante da vida na cidade. Por fim, entrei na loja e saí pouco depois, dizendo com desenvoltura: "Obrigada, volto mais tarde".

    Nunca poderei comprar uma daquelas bolsas. Aquela de Cantoni custa muito mais do que eu havia imaginado. Dei alguns passos, absorta em meus pensamentos; as pessoas tropeçavam em mim, eu dizia: "Desculpe". Tinha dinheiro na carteira, mas, justamente por causa daquele dinheiro, me sentia uma pobretona, já que ele havia me obrigado a praticamente mensurar nossa pobreza. Pela minha fraqueza, me parecia intuir a de Mirella e, pela minha, sua impossibilidade de se defender. Compreendi que é muito difícil fazer alguma coisa para salvá-la, e talvez nem ela mesma possa fazê-lo. Além disso, eu me perguntava cinicamente se de fato a salvaria ou se, ao contrário, a impediria de ter uma vida melhor do que a minha: talvez eu queira somente lhe impor meu exemplo como um castigo. Ou talvez, dizia a mim mesma com um calafrio, eu esteja mesmo com ciúme. Depois, repentinamente me chamando à razão, eu me propunha correr para casa e dizer-lhe que ninguém pode comprar coisas que custam tanto, seria uma imoralidade, uma loucura, uma bolsa não pode custar o que um homem ganha com seu trabalho de um mês inteiro, ninguém deveria ter a coragem de usá-la. Mas me parecia ouvir Mirella responder com uma risada: as lojas estavam cheias de pessoas que não se limitavam a olhar, como eu, mas escolhiam e compravam num piscar de olhos. Pensei então que seria ótimo ter um momento de revolta e aceitar todas as tentações, todas as loucuras, dizer "Chega, oh, chega", entrar nas lojas, comprar todas as bolsas e ser olhada por todos os homens como por aquele que encontrei ontem na portaria do escritório. Atrás de uma vitrine, um vendedor arrumava algumas pedras preciosas sobre uma bandeja de veludo marrom. Eu me perguntava quanto custariam aquelas pedras, cifras que eu sequer podia imaginar, mas sabia que cada uma valia anos de trabalho meu, de trabalho de Michele. Sentia que toda a minha vida podia estar encerrada numa daquelas pedras, quem tem dinheiro pode comprá-la, me comprar, comprar Mirella. Eu me sentia fraca, receava desmaiar. O homem na vitrine me olhava fixamente; de repente achei que o advogado Sandro Cantoni podia ser ele. Era alto, louro, tinha olhos claros, lábios finos. "Case com ela, pelo menos", murmurei, "seja bondoso, case com ela." Ele me olhava com estupor, talvez me achasse uma doida, falando sozinha. Eu estava de fato atordoada, raramente me acontece ir às ruas do centro, cheias de luzes, de gente, de ruídos, que não têm a bonomia afetuosa das ruas do nosso bairro. Tendo chegado à Piazza di Spagna, disse a mim mesma: "Agora vou comprar umas flores", mas os quiosques estavam tão abarrotados, fornidos, inflados, que mesmo de longe achei que não poderia comprar nada. Passavam muitos automóveis, Riccardo havia dito que o de Cantoni é um Alfa Romeo. Então fiz uma coisa que havia muito tempo não fazia: peguei um táxi, pedi que me levasse para casa e dei uma gorjeta generosa, talvez excessiva. "Tome, é para você", disse ao motorista, "para você." Sentia-me realmente satisfeita por ter jogado fora quinhentas liras.

25 DE JANEIRO

Dias atrás anunciei a Mirella que pretendia comemorar de algum modo seus vinte anos; disse-lhe que convidasse os amigos para um chá. Ela me agradeceu, mas sem entusiasmo. Acrescentei que poderiam até dançar: eu removeria a mesa da sala de jantar e deixaria a porta escancarada a fim de que o aposento, junto com o vestíbulo, formasse uma peça contígua. Um amigo de Riccardo havia prometido trazer alguns discos americanos novos. Ela disse que faria os convites.

Hoje à tardinha, porém, ela me comunicou que prefere não celebrar: a maior parte de seus amigos não estará livre na data em questão. Além disso, acrescentou com certo esforço, para aquela noite, já fazia algum tempo que tinha marcado um jantar. "Lamento", ela disse. Eu também disse: "Lamento". Em seguida, pronunciando com relutância aquele nome, perguntei se ela havia sido convidada por Sandro Cantoni. Respondeu que sim, por ele e outras pessoas, mas percebi que não é verdade, ou, ainda que seja verdade, não são essas pessoas que lhe importam. Perguntei por que não convidava esses amigos a virem aqui em casa. Ela disse que é impossível, é uma gente habituada a receber e, em resumo, a viver de modo diferente do nosso, um modo que não conheço. Objetei ironicamente que, até agora, eu sempre soube como se vive e como se recebe; falei da minha família, da minha educação, frisando que nem ela nem seus amigos tinham coisa alguma a me ensinar. Mirella se desculpou, não tinha intenção de me ofender, mas afinal nós não recebemos há anos e tudo mudou, ninguém mais toma chá, as pessoas tomam coquetéis, e ela detesta festinhas familiares. Ao me ver amargurada, acrescentou que, se eu realmente fizesse questão, ela não sairia na tal noite, ficaria em casa conosco, mas só nós; e sairia na noite seguinte. Talvez eu devesse ter aceitado, ao menos para mostrar que ela não é livre para simplesmente fazer tudo o que quer; uma espécie de orgulho, porém, me sugeriu responder: "Obrigada, não precisa fazer esse sacrifício". Eu me perguntava o que diria a Michele, a quem havia anunciado essa pequena recepção; encontrar uma desculpa me parecia um encargo dificílimo, embora, na realidade, eu soubesse que bastava uma desculpa qualquer: Michele ficaria tão contente por não ter visitas e poder passar o domingo como prefere, ao lado do rádio, tranquilo, que aceitaria qualquer explicação. Enquanto isso, eu observava Mirella: debruçada sobre a escrivaninha, pintava as unhas com esmalte vermelho. Tem mãos longas, finas, belíssimas; apoiava uma delas sobre um grosso volume de economia política. Mirella estuda direito, como o irmão. Não está preocupada com as provas, na verdade, eu disse isso a Michele para justificar o estado de espírito dela e minha apreensão: estuda pouco, mas com uma vontade firme e precisa, suas notas são sempre superiores às de Riccardo, embora me pareça que ele seja mais inteligente. Ontem ela disse que fará todas as provas em junho. Temo que essa sua decisão esconda alguma coisa; queria lhe falar a respeito disso, mas, quase sem me dar conta, perguntei: "Tem intenções sérias?". Ela indagou: "Quem?". Eu estava arrependida de ter puxado esse assunto, mas respondi: "Cantoni". Vi que ela enrubescia com o esforço de se manter calma; disse que havia errado em me falar dessas coisas, tinha feito isso somente porque não gosta de mentir e porque me julgava uma mulher inteligente, compreensiva. Em seguida, sempre enrubescendo, acrescentou que por enquanto ela não tem nenhuma intenção de casar, quer olhar aqui e ali, desfrutar a vida, e que, afinal, foi isso que a aconselhei incitando-a a continuar os estudos, a se matricular na universidade, para um dia poder trabalhar e ser independente: "Você dizia sempre que assim eu não precisaria casar com o primeiro que aparecesse só pensando em ser sustentada.

Não foi você mesma quem me disse isso?". Tive de admitir que é verdade.

Continuei a observá-la e me perguntava se ela já havia conhecido um homem. Mirella é bem bonita: alta, esbelta, desejável. Faço-me essa pergunta inclusive agora, enquanto escrevo, e quase me envergonho, porque é terrível que uma mãe se pergunte isso em relação à própria filha, uma jovem de vinte anos. Na verdade, eu não poderia falar desse assunto com ninguém, Riccardo e Michele reagiriam com violência. Os homens dizem sempre: "Ai de minha filha se..., ai de minha irmã se...". Dizem: "Não admito". É fácil dizer "não admito". No entanto, certas coisas acontecem e as moças que as fazem são filhas, afinal, e sem dúvida seus pais fizeram as mesmas ameaças. Assim que Mirella entrou na adolescência, conversei francamente com ela sobre o que acontece no casamento, entre homem e mulher, na vida. Lembro até que me perguntei se ela já não sabia disso tudo, porque minha exposição não pareceu surpreendê-la, mas entediá-la. Michele me aprovou, disse que assim uma moça pode se defender. Não nos perguntávamos, porém, se ela gostaria de se defender: parecia-nos óbvio, indiscutível. Mas agora começo a duvidar; penso que na idade de Mirella eu já estava casada, grávida de Riccardo. Jamais havia considerado tal questão até aquele momento; pensava que ela continuava sendo uma menina e que esses problemas, por mais que lhe dissessem respeito, eram apenas teóricos. Agora, porém, é preciso enfrentá-los. Falei muitas vezes com ela sobre a moral, a religião, mas agora temo que as palavras não sejam uma boa arma para lutar contra os sentimentos e, digamos de uma vez por todas, contra os instintos. Talvez eu devesse tê-la tratado duramente, com ameaças, e no entanto o que lhe disse foi: "Escute, Mirella, comprei o casaco vermelho para você. Pretendia lhe dar no dia do seu aniversário. Está no armário, embrulhado". Ela me olhava fixamente e sequer parecia contente. Acrescentei: "Espero que você goste. Foi muito caro". Fiz menção de me levantar, de ir buscá-lo. Ela achou que eu queria encerrar nossa conversa: apoiou a fronte nas mãos, mantendo os dedos esticados porque as unhas estavam com esmalte fresco, e começou a chorar. Senti um frio repentino na espinha, preferiria que jamais tivéssemos iniciado essa conversa. Queria sair do quarto, estava acovardada. Em vez disso, me aproximei dela e a abracei, enquanto ela afastava as mãos para não me sujar de esmalte. "O que foi?", perguntei baixinho. "É muito grave? Pode me confiar qualquer coisa, vou compreender tudo, Mirella, eu suplico, tenha confiança." Ela me fitou nos olhos e compreendeu o que eu suspeitava. "Não", disse, "não aconteceu nada do que você está pensando. Vocês sempre pensam somente numa coisa, somente essa lhes parece temível, mas, afinal, ela nem é tão importante assim." Eu já não sabia o que supor, me perguntava o que mais podia ser tão temível para uma mulher. "E então?", insisti. Ela já se acalmara, dizia: "E então não sei, mamãe, tive um instante de desânimo. Tudo é muito difícil". Aliviada, respondi que a compreendia muito bem, que também tive vinte anos; ela, porém, sorria, balançando a cabeça, parecendo não acreditar. Aliás, enquanto lhe dizia isso, eu mesma tinha a impressão de enganá-la. Para começar, não lembro muito bem como de fato foram meus vinte anos e, além disso, para ser sincera, os meus me parecem muito diferentes dos dela. Não lembro ter sido livre para escolher entre meu bem e meu mal, como é ela hoje; e não por causa dos muitos costumes que mudaram, mas justamente por uma condição íntima minha. Nos meus vinte anos, já existiam Michele e as crianças, antes mesmo que eu o conhecesse e que elas nascessem; estavam na minha sina, mais ainda do que na minha vocação. Eu só precisava me entregar, obedecer. Pensando bem, parece-me ser essa a causa da inquietação de Mirella: a possibilidade de não obedecer. Foi isso que mudou entre pais e filhos, e também entre homem e mulher.

Eu queria falar sobre tudo isso, esboçar algumas ideias que se apresentavam à minha mente, embora de maneira confusa, quando ela me perguntou: "Onde está o casaco vermelho, mamãe?". Estava sorrindo, e fomos juntas para meu quarto. Aliás, achei que, por enquanto, tínhamos dito tudo o que havia para dizer.

27 DE JANEIRO

De alguns dias para cá, ando muito cansada. À tardinha, quando volto para casa, sequer tenho vontade de comer. Parece-me ter chegado a um ponto em que é necessário passar minha vida a limpo, como quem arruma uma gaveta na qual, por muito tempo, tudo foi sendo jogado de qualquer jeito. Talvez seja a idade dos filhos a me sugerir esses pensamentos. De fato, dos meus vinte anos até hoje, cuidei somente deles, e desse modo me parecia cuidar de mim mesma. Mas até agora foi fácil: bastava me ocupar da saúde deles, da educação, das notas na escola, interesses e problemas de uma idade diferente da minha e que, pessoalmente, não me diziam respeito. Hoje, porém, ao assistir aos primeiros confrontos deles com os problemas da vida, ao vê-los incertos quanto ao caminho a tomar, me pergunto se aquele que escolhi é o adequado. Oferecendo-lhes minha experiência, tento compreender muitas coisas que me aconteceram e que aceitei sem me perguntar a causa delas.

Às vezes eu precisaria ficar sozinha; nunca ousaria confessar a Michele, temendo desgostá-lo, mas sonho ter um quarto só para mim. Os empregados domésticos, embora trabalhem ininterruptamente o dia inteiro, à tardinha dizem "boa noite" e têm o direito de se fechar num quarto, num cubículo. Eu me contentaria com um cubículo. No entanto, jamais consigo me isolar, e só renunciando ao sono é que encontro um tempinho para escrever aqui. Se, quando estou em casa, interrompo o que estou fazendo, ou à noite, na cama, paro de ler e olho o vazio, há sempre alguém que pressurosamente me pergunta em que estou pensando. Mesmo que não seja verdade, respondo que estou pensando no escritório ou fazendo umas contas; em suma, devo sempre fingir só pensar em coisas práticas, e essa dissimulação me desgasta. Se dissesse que estou pensando em um problema moral, ou religioso, ou político, sei lá, eles começariam a rir, caçoando afetuosamente de mim, como fizeram na noite em que afirmei meu direito a ter um diário. Mas como alguém pode se regular segundo certas normas, se nunca pensa nelas? Michele volta do escritório e começa a ler o jornal, ouve música sentado na poltrona, e pode pensar, refletir, se quiser. Já eu, volto do escritório e devo ir imediatamente para a cozinha. Às vezes, vendo-me passar atarefada, ele me pergunta: "O jantar está pronto? Quer ajuda?". Eu logo declino de sua oferta, agradecendo. Na verdade, me envergonharia se ele tivesse de me ajudar em minhas obrigações femininas, a cozinhar, por exemplo; embora ele não se envergonhe nem um pouco em receber ajuda nas obrigações que são consideradas masculinas, ou seja, fornecer o dinheiro com o qual se compram os alimentos que serão cozinhados. Noites atrás fomos ao cinema, era um filme americano; a certa altura, via-se o marido ajudando a mulher a lavar os pratos. Todos riam, e eu também, confesso, tive vontade de rir. Depois via-se a mulher trabalhando num escritório, séria, de óculos, dando ordens a uns funcionários, e ninguém ria. Comentei que, evidentemente, presume-se que as mulheres sejam capazes de saber fazer mais coisas do que os homens, e Michele se enfureceu.

    Penso assim, com certo rancor, quando estou cansada. Talvez as mulheres consigam se habituar mais depressa a situações novas, pensem menos em geral, e por isso as aceitem sem justificá-las. Michele tem quarenta e nove anos, nasceu numa época em que tudo era diferente, diz sempre que seu pai nunca admitiria ser visto com um pacote embaixo do braço. Já Riccardo não se envergonha disso nem um pouco; às vezes me ajuda de espontânea vontade, ou então me faz companhia quando estou na cozinha, e conversamos. Entre um filho e sua mãe sempre se estabelece uma confiança maior do que aquela entre mãe e filha, embora pareceria natural o contrário. Talvez pelo fato de cada um pertencer a um sexo diferente, eles nunca adquirem uma familiaridade absoluta, parecem menos parentes, eu diria, e por isso podem ser mais sinceros. Entre mulheres, porém, as duas se conhecem bem demais. De fato, o estado de espírito de Mirella me abala intensamente, ao passo que a seu pai não preocupa nem um pouco. Riccardo me contou que a irmã costuma sair com pessoas mais velhas do que ela, que frequentam o bar de um hotel e bebem. Mencionei isso a Michele, mas ele sempre vai de um extremo a outro, a depender de seu humor: uma hora diz que as mães são sempre exageradas, que é preciso compreender a juventude, e outra hora afirma que vai trancar Mirella dentro de casa. Então não ouso falar francamente com ele, mas me pesa assumir sozinha essa responsabilidade: tenho medo de estar errada. Ontem à noite, para lhe falar de Mirella, recorri a um estratagema; disse que a filha de uma colega minha se comporta de um modo que descrevi reportando-me, justamente, ao modo de se comportar de nossa filha. Perguntei o que faríamos em caso semelhante e ele respondeu que a nós essas coisas não podem acontecer, porque tudo depende de como os filhos são educados, dos exemplos que receberam; que minha amiga é viúva, a jovem não teve a orientação paterna, e aquelas eram as dolorosas consequências. Não tive coragem de lhe confessar que essas coisas acontecem justamente conosco; me parecia que não era verdade. Então falei, com a voz meio hesitante, me escondendo atrás de um sorriso: "Pois é, tem razão, mas vamos analisar uma hipótese: suponhamos que Mirella adote atitudes livres demais, que fique até tarde fora de casa e que, na volta, a cara dela não me agrade...". Ele me interrompeu, aborrecido: "Não quero ouvir isso nem por brincadeira". "Tudo bem", continuei, sempre no mesmo tom, "mas imaginemos que ela volte para casa com presentes caros, oferecidos por um homem, e que os justifique com uma mentira, como naquela noite, lembra?, em que ela afirmou ter saído com Giovanna mas na verdade havia ido dançar. Suponha que ela diga que deseja viver uma vida confortável, de qualquer modo, por qualquer meio..." Michele retrucou que jamais permitiria que Mirella falasse assim na casa dele. Objetei que acabou o tempo em que o pai podia dizer "não permito" e a filha devia obedecer porque ele lhe fornecia comida, roupas, alojamento; agora, se é um bem ou um mal, não sei, mas uma jovem como Mirella pode responder: "Vou sair de casa e começar a trabalhar". Então Michele disse que não queria desperdiçar seu tempo escutando essas conversas absurdas, eu evidentemente não tinha nada para fazer, se me perdia nessas hipóteses; ele tinha o jornal para ler, eu nunca me interessava pela situação internacional, não me dava conta do que acontece no mundo. Respondi que me dou conta muitíssimo bem e que, pelo contrário, esses problemas não me parecem estranhos um ao outro. Ele disse: "O que eles têm a ver?". Eu não soube responder, mas era o que sentia.

28 DE JANEIRO

Hoje é o aniversário de Mirella. Passamos um dia tranquilo; meus pais vieram para o almoço, e veio também o pai de Michele, que é muito velho e todas as vezes afirma que este é o último evento familiar do qual participa. Nunca se sabe o que dizer diante dessas suas palavras, porque pode vir a ser verdade, e quem é mais jovem quase sente vergonha por sobreviver, parece uma falta de respeito. Estávamos todos de bom humor; meu sogro instigava Riccardo a casar logo, porque assim ele teria tempo de conhecer o bisneto. "Um macho, lembre-se", disse, "tem que ser macho." Meu sogro é um coronel reformado, não dá valor às mulheres nem à companhia feminina; se fala delas, é de um jeito ávido e depreciativo que me fazia enrubescer quando eu era jovem. Também meu pai, sempre tão discreto, e até Michele, incitavam Riccardo a casar, com o mesmo objetivo. Talvez por terem comido e bebido muito, difundira-se no ambiente aquela atmosfera típica dos banquetes de núpcias, a qual, pensando bem, é um tanto inconveniente. De fato, Riccardo se sentia pouco à vontade. Defendia-se afirmando que não pode casar porque é pobre, e hoje em dia as moças não têm paciência de esperar que o noivo arranje um emprego, abra caminho no mercado de trabalho. "Elas não são como você deve ter sido na idade delas", me diz frequentemente. Ao falar isso, usa um tom afetuoso, diferente do tom de Mirella; sinto que me imagina de maneira diferente de como sua irmã me imagina. Também Michele hoje, à mesa, me elogiando, dizia: "Pois é, você é mesmo diferente das outras, mamãe", e sorria para mim como se eu fosse uma criança. Pedi-lhe que não me chamasse mamãe, e sim Valeria. "Está bem, *Valeria*", ele disse de imediato, em tom de afetado zelo. Mas ouvir meu nome pronunciado por ele depois de muito tempo me provocou uma impressão tão bizarra que acrescentei, rindo: "Eu estava brincando...".

No entanto, parecia natural que ele me chamasse assim durante o noivado e nos primeiros anos do nosso casamento, assim como nas cartas que me escrevia quando estava na guerra, na

África. "Minha Valeria", escrevia sempre. De fato, eu sempre pertenci a ele, aos meninos; agora, porém, às vezes me parece estar ligada a todos, ainda que não pertença a ninguém. Creio que para ser feliz uma mulher deve sempre pertencer a alguém.

Eu dizia justamente isso a Mirella, esta noite, ao ajudá-la a se vestir. Ela esteve tão infantilmente alegre durante todo o dia, tão contente com os presentes recebidos, que tenho a impressão de vislumbrar paz no horizonte. Mostrava-se contente por estar conosco hoje, estávamos todos juntos, e sem dúvida sentia que é bom fazer parte de uma família. Uma família exprime uma força, uma força inelutável, descomunal, que, para quem ainda é muito jovem, pode parecer opressiva. Por isso eu quis que ela saísse serena, com minha aprovação. Talvez, se eu não contradizê-la mais, vou privá-la do gosto pela polêmica e, assim, também do desejo de uma atitude de rebeldia. Ela prometeu voltar às onze; já são onze e quinze, mas não vai demorar muito, tenho certeza. Estava tão graciosa em seu casaco vermelho, até me abraçou ao sair. É melhor eu parar de escrever, do contrário não poderei esconder o caderno a tempo. Agora o mantenho trancado numa gaveta onde conservo minhas recordações de infância e as cartas de Michele, uma gaveta que ninguém nunca abre.

29 DE JANEIRO

Mirella voltou às duas da manhã, ontem; eu tinha adormecido vestida. Mostrou-me um relógio de ouro que ganhou de Cantoni, pelo aniversário. Ordenei-lhe que o devolvesse imediatamente, porque não se podem aceitar presentes do tipo, a não ser do noivo. Ela se recusou, acrescentando que, mais uma vez, errara em ser sincera. Eu disse que não a deixarei mais sair à noite, e ela respondeu que, se é por aquilo que temo, também é possível ter um amante durante o dia. Em seguida me anunciou que a partir do dia 1º vai começar a trabalhar.

30 DE JANEIRO

É terrível, não sei mais o que fazer, estou transtornada. Esta noite Riccardo voltou para casa enfurecido, e foi logo me perguntando: "Onde está Mirella?". Perguntei o que ele queria, e ele repetiu duramente: "Onde ela está?". Ela havia saído. Ele me contou que havia brigado com Marina porque ela afirmava que Mirella é amante de Cantoni. "Não é verdade!", exclamei, e garanti que se trata de mexericos, de maldades. Riccardo disse que Mirella foi vista saindo do prédio dele, no domingo à noite: usava um casaco vermelho.

2 DE FEVEREIRO

Estou vivendo dias muito difíceis. Desde que Riccardo me disse ter ouvido dizer que Mirella é amante de Cantoni, me parece que o mundo inteiro mudou. Não acredito no que Marina lhe referiu, nunca acreditei, desde o momento em que ele me informou a respeito, com o rosto alterado por uma palidez raivosa. Mirella, além disso, negou tudo quando a confrontei, na mesma noite: me assegurou ter ido à casa dele com outros amigos, por isso foi vista saindo do prédio. Deu explicações convincentes, mas também poderia estar mentindo.

Depois da conversa com Riccardo e em seguida com Mirella, decidi esperar dois ou três dias, refletir se é justo dar crédito a esses mexericos, antes de falar do assunto com Michele. Mas à noite não conseguia dormir, temia que ele se voltasse contra mim e me repreendesse, embora eu não tivesse feito nada errado. De manhã acordei cedo e por um momento tive a esperança de haver vivido tudo isso em um pesadelo; talvez desse mesmo modo acordassem, após os bombardeios, aqueles que haviam se conformado em dormir num refúgio ou na casa de outros, porque a casa que eles tinham amado, onde haviam morado durante anos, da qual conheciam cada ângulo, cada canto, já não passava de um monte de escombros. Embora tenha executado os mesmos gestos da véspera e de sempre, eles me pareciam incomuns; e até o bonde, o velho bonde do nosso bairro que há anos pego toda manhã, no mesmo horário, me parecia um daqueles bondes que tomamos ao chegar de madrugada, cansados, numa cidade desconhecida, e que não sabemos muito bem se nos levarão aonde queremos ir. No escritório, fui logo folhear o jornal, avidamente. Creio que sentia medo de encontrar ali nosso nome, por causa de Mirella. As notícias policiais falavam de um rapaz que havia matado o pai porque este lhe negara algum dinheiro, de uma jovem de dezessete anos que havia atirado no namorado e, por fim, de uma moça que se suicidara. Já li muitas vezes sobre casos semelhantes, mas não considerava que esses moços, esses jovens, têm pais, nem tentava imaginar o que esses pais sentiam ao serem informados desses fatos terríveis. Talvez, numa obtusa inclemência, até os julgasse culpados por terem educado mal os filhos, por não terem cuidado deles o suficiente. Mas eu dediquei aos meus toda a minha vida.

Ademais, devo confessar, tenho a impressão de temer pelo meu futuro, mais ainda que pelo de Mirella. Talvez porque ainda não consiga imaginar como se desenrolará sua vida, ao passo que a minha me parece repentinamente interrompida em seu plácido curso. Sempre pensei que Mirella se casaria logo porque é uma moça atraente, embora não seja rica; e logo teria filhos, dos quais eu já previa cuidar. Agora fico na dúvida se, mais que o casamento dela, eu não desejava era o momento em que nascessem essas crianças. Gosto muito de bebês, gosto de estreitá-los nos braços, acariciá-los, imaginar seus pensamentos. Quando eles crescem e sabem se expressar em palavras, já não é a mesma coisa. Nestes últimos tempos, embora tivesse muitas coisas a fazer e me sentisse muito cansada, frequentemente pensei que gostaria de ter outro filho. Direi até que, quanto mais me sentia cansada ou nervosa, mais o desejava; mas naturalmente isso seria ridículo na minha idade. Ter um bebê quando já se tem filhos grandes que, por sua vez, poderiam ter bebês, não fica bem. Eu me consolava pensando que logo teria os filhos de Mirella. Esta é uma das primeiras coisas que eu queria escrever quando comecei este diário, mas depois sempre me esquecia. Por isso, agora, ao saber que Mirella quer trabalhar e só se casará quando considerar vantajoso, me parece que ela agiu mal contra mim, mais do que contra si mesma, enfim, que me lesou. Aos quarenta e três anos, se tudo o que possuímos nos vier a faltar, é muito difícil recomeçar a viver.

No entanto, há momentos em que a possibilidade de recomeçar me parece muito atraente. Vejo-me saindo de casa, livre, feliz, como naquela manhã de novembro que ainda parecia verão e eu comprei este caderno. Penso que no final tudo correrá bem; Mirella terá um trabalho interessante como o da minha amiga Clara, cujo nome sempre lemos entre os que escrevem para cinema, e depois se casará com o advogado Cantoni ou com outra pessoa igualmente rica; Riccardo se formará no ano que vem, arranjará um emprego e se casará com Marina. Só pensa nela, quer ter um salário por causa dela. Às vezes diz que gostaria de me oferecer tudo aquilo de que necessito; fala de peliças, de viagens, de casas de campo, coisas fabulosas que ele jamais poderá me dar. Mas, no ano passado, quando ganhou um dinheirinho dando aulas particulares a dois estudantes do ensino elementar, gastou tudo com Marina, em presentes e idas ao cinema. Penso que, no fundo, quando os meninos tiverem saído de casa, Michele e eu sentiremos uma espécie de alívio. Michele ganha bastante, agora, e está muito contente: quando me telefona do banco e fala rapidamente, dizendo que está muito ocupado, sua voz parece rejuvenescida, eu quase espero que ele diga as palavras inflamadas de outrora. Se estivéssemos sozinhos, poderíamos até fazer uma pequena viagem, desejamos isso há muito tempo, ele diz que gostaria de ir a Milão para ver o que foi reconstruído depois da guerra. Eu, porém, gostaria de ir a Veneza, onde estivemos na lua de mel.

É absurdo, mas justo nestes dias em que estou tão angustiada frequentemente me ocorre voltar a Veneza em pensamento; me vejo numa gôndola, ou na Piazza San Marco entre os pombos, e a luz ao redor resplandece entre amarelo e gris, como naquele mês de outubro. Desde então não retornei a Veneza. Disse muitas vezes que gostaria de levar nossos filhos até lá, mas Michele objetava que não vale a pena ir a Veneza com crianças. Elas quase se ofendiam, e eu lançava a Michele um olhar de reprovação; agora, creio que ele tinha razão. Vejo-me debruçada à janela do nosso quarto, sobre o Canal Grande: havia lua, mas o Canal parecia feito de tinta, espesso. Penso nessas coisas quando estou na rua, ou no escritório; no escritório me sinto mais livre, quase alegre. Ontem, até recortei do jornal uma matéria que dava sugestões para um tratamento de beleza. Sinto uma espécie de relutância em voltar para casa nestes dias. Só me consola pensar neste caderno.

3 DE FEVEREIRO

Decidi falar com Michele, falo amanhã. Se adiei até agora, foi porque Riccardo estava muito nervoso e eu temia que seu estado de espírito pudesse influenciar o pai. De fato, o mais difícil foi persuadi-lo a não dizer nada. O tempo todo, fiquei de olho para que ele não estivesse sozinho com a irmã; desde a primeira noite me empenhei em dissuadi-lo de falar com ela, convenci-o de que era tarefa minha. "Se ela lhe dissesse que sim, é verdade, é amante de Cantoni, o que você faria?", eu perguntava. Ele sempre respondia que a pegaria pelo braço e a expulsaria de casa. "Tudo bem", eu dizia, "entendo, mas e depois? Vamos calcular as consequências práticas desse seu gesto." Ele não respondia, ficava repetindo aquela frase ameaçadora. Eu sentia que ele falava assim por causa de Marina: na realidade, era a ela que desejava oferecer uma prova de sua força e, demonstrando um caráter intransigente, obter não somente o seu respeito, mas também sua admiração. É preciso ter a minha idade para compreender que, muitas vezes, resistir exige um maior esforço da vontade. Uma vez eu disse a ele que melhor seria ele tentar saber quem é esse advogado Cantoni. Ele respondeu, a contragosto, que todos o consideram uma pessoa de bem. Dei um suspiro de alívio, mas Riccardo sustentava enfaticamente que Michele deveria marcar um encontro com Cantoni, confrontá-lo, falar-lhe claramente; do contrário, irá ele mesmo, mas talvez seja melhor que não vá, porque é muito violento. Gosta de fazer essa distinção entre ele e o pai. "Mirella é menor de idade", dizia; "pode-se obrigar Cantoni a desposá-la." Temo que Michele também pense do mesmo modo; se assim fosse, seria um sinal de que estou errada e deixarei o assunto com ele que é homem e, nessas coisas, certamente sabe melhor do que eu como convém agir. Talvez ele pudesse, com um bilhete, convidar Cantoni a vir aqui; sairíamos todos de casa para deixá-los conversando a sós. Mas, se Cantoni se recusasse a vir, não consigo imaginar Michele indo ao escritório dele. Cantoni poderia não recebê-lo ou fazê-lo esperar longamente, como meu diretor faz com os importunos, aqueles que vêm solicitar algo que ele está decidido a não conceder. Imagino Michele sentado na entrada, entre os que vêm cobrar as faturas, esperando pacientemente sua vez, e depois o vejo pedir a um homem desconhecido, muito mais jovem do que ele, que salde a dívida contraída com nossa filha. Talvez até o ameace com uma ação legal, afirmando que Mirella foi enganada. De fato, poderíamos sustentar isso, por causa da idade dela. Mas não seria honesto: estou convencida de que Mirella, se fez coisa parecida, sabia muito bem o que fazia. Pergunto-me até se a teria feito com um homem pobre, com um de seus colegas de escola. Talvez a única pessoa que poderia ir falar com Cantoni seja eu, porque prefiro ser eu a mentir, a rogar, em vez de Michele. Pronto: expressei finalmente uma suspeita que até agora não ousei confessar a ninguém. É preciso que Riccardo se convença disto, e que Michele compreenda logo: nenhum de nós deve ir falar com Cantoni, justamente porque Cantoni é rico e, se fosse obrigado a desposar nossa filha, para nós seria uma fortuna imprevista.

5 DE FEVEREIRO

Ontem falei com Michele. Talvez tenha sido a noite menos adequada; seu time de futebol tinha sido derrotado. Mas como, escrevendo neste caderno, já notei que muitas vezes mascaro meu mau humor por trás de motivos fortuitos, me perguntava o que é que Michele tinha. De fato, depois, ele encontrou vários outros motivos de irritação: o jantar que não estava pronto, que não estava bom; foi procurar um velho paletó de usar em casa e o encontrou roído por traças e disse que de uns tempos para cá a casa está numa enorme desordem. É verdade. Para escrever o diário, eu negligencio meus deveres. Mas creio ter sido eu mesma a inventar muitas obrigações para me prender a elas. No entanto, por causa do caderno, me sentia culpada e, por isso, me mostrei ofendida: respondi que ele tinha razão, mas que, para que ele possa ser mais bem servido, é preciso uma pessoa adequada para tanto. Ele se enfureceu, disse que eu o censurava por não ganhar o suficiente. Havíamos entrado numa picuinha boba: uma das forças da família é manter em permanente desafio as pessoas que a compõem, de tal modo que cada uma sempre tenta se superar, ainda que seja apenas para impressionar aquele que a familiaridade predispõe à desconfiança. Para cortar, eu sorri, admiti estar nervosa, estar cansada; enquanto dizia essas palavras me via em Veneza, debruçada sobre o Canal Grande. Acrescentei que ando muito atarefada, o diretor está ausente e eu devo substituí-lo porque ninguém conhece como eu o movimento do escritório. Michele mal me escuta quando falo do meu trabalho, creio que nem sabe em que consiste exatamente, embora muitas vezes eu tenha repetido que hoje em dia não sou mais uma simples funcionária; mas, se falo dessas coisas, todos prestam tão pouca atenção que eu logo me calo e quase me envergonho. Ninguém considera o que faço nem minhas responsabilidades; parece que todo dia eu saio em determinado horário por capricho e que, a cada vez que trago para casa o salário, no fim do mês, é como se tivesse ganhado na loteria. A diferença entre mim e Mirella está no fato de que, para ela, trabalhar é uma escolha, ao passo que eu tive de trabalhar por necessidade.

Já estávamos deitados quando falei com Michele sobre as intenções de Mirella, sobre o emprego que ela diz ter arranjado, por intermédio de uma amiga, em um escritório de advocacia; mas que sem dúvida lhe foi proporcionado por Cantoni. Por fim, resolvi informá-lo dos mexericos que Riccardo ouviu a respeito da irmã e que lesam nossa honorabilidade, embora ela afirme que essas histórias não têm nenhum fundamento. "Ela não se incomoda que digam tais coisas, compreende? Simplesmente dá de ombros e fica rindo. É uma vergonha. O que faremos, Michele?"

Comecei a chorar, e ele me consolava. "Não fique assim, mamãe." Ouvi-lo me chamar desse modo, no entanto, me fazia chorar mais ainda, já que para ele eu há anos personifico somente essa figura que agora está naufragando e me arrasta consigo. Então, movida por um desesperado instinto de defesa, falei que era preciso tomar uma posição. Para isso, recorri às duras palavras usadas por ele mesmo, poucas noites antes, e àquelas pronunciadas por Riccardo, embora eu as tivesse desaprovado. Disse que Mirella ainda não é maior de idade. "Você deveria falar pessoalmente com Cantoni", concluí. Afirmei até que podíamos obrigá-lo a casar com ela.

Michele balançava a cabeça, protestando ter confiança em Mirella porque a conhece melhor do que ninguém, dizia que é uma moça séria, sensatíssima. Tal como minha mãe, ele também sustentava que Mirella tem exatamente o meu temperamento e, contradizendo-se tanto quanto eu, concluía que tudo depende das condições econômicas gerais. "Eu não ganho o suficiente para sustentar minha filha como meu avô sustentou minha mãe e como seu pai sustentou você, embora não fossem ricos. Por isso devo aceitar que você trabalhe, que ela trabalhe. Nós mesmos a aconselhamos a estudar direito. Com que objetivo, então?" Eu me recusava a admitir que se tratasse apenas de um objetivo econômico. "No entanto, é assim", ele insistia, "é justamente assim..." Acrescentou que, embora nunca falasse disso, vinha refletindo havia muito tempo sobre esses problemas, e tinha se convencido de que é natural que Mirella trabalhe e que, por isso, convivendo com homens, também é natural que possa ser alvo desses mexericos. "É preciso ter confiança", dizia, "com você foi a mesma coisa..." "Comigo?!", exclamei, perplexa. "Sim, claro", ele acrescentou, sorrindo, "você deveria saber. Estou falando de muitos anos atrás, naturalmente, quando você começou em seu emprego. Eu sabia que você trabalhava o dia inteiro com o diretor, na mesma sala. Você era jovem, na época, devia ter uns trinta anos..." "Trinta e cinco", corrigi, "mas..." Michele me interrompeu: "E ele também era jovem, quantos anos tinha?". "Não sei", respondi distraída, mas enrubescendo, "uns quarenta." "Pois é, e a trazia para casa, às vezes..." Eu continuava ruborizada, replicando: "Mas somente porque trabalhávamos até tarde. Era época da guerra, não havia transporte, e ele tinha permissão para ter um automóvel". "Sim, sim, é claro, sei muito bem, e mesmo assim às vezes me perguntava o que poderiam dizer as pessoas, sei lá, o zelador..." "Ah, bom, era por causa do zelador, entendo", concluí, mais tranquila, embora um tanto decepcionada. "Naturalmente", continuava Michele, "e do mesmo modo a atitude de Mirella, a aspiração dela à liberdade, à independência, nós também tivemos..."

"Nós também?" "Mas claro, mas claro", ele disse sorrindo, ansioso por deixar de lado qualquer explicação: "Depois passa". Perguntei por que passa e ele não soube, não quis responder. Disse que de uns tempos para cá eu ando muito nervosa, deveria procurar um médico. Pouco depois fingi dormir. Pensei que também entre nós dois, assim como entre mim e minha mãe, estabeleceu-se há anos uma espécie de linguagem convencional. Ele me observava, enquanto dizia que estou nervosa e que eu deveria procurar um médico, e franzia a testa. Sabe, tanto quanto eu, que estou muito bem: me olhava como eu olho para ele quando está escutando a música de Wagner. Talvez ambos nos recusemos a aceitar que aquela coisa indefinível que torna rebeldes os nossos filhos já tenha, para nós, efetivamente passado.

6 DE FEVEREIRO

Estou profundamente perturbada porque acabei de reler algumas cartas que escrevi a Michele durante nosso noivado.

Não consigo me convencer de que eu mesma as escrevi. Não reconheço sequer a letra: alta, pontuda, artificiosa. As cartas me espantaram sobretudo porque não parecem escritas pela jovem que sempre acreditei ter sido. Porém, a descoberta mais importante não é essa, é outra: compreendi que Michele não me conhece em absoluto, já que considera livre, rebelde, minha postura de então. Eu hoje sou muito mais livre, muito mais rebelde. Ele continua a se relacionar comigo por meio de uma imagem que não me espelha mais. Nada do que aconteceu ao longo destes anos conseguiu arranhar aquela imagem, talvez porque nunca mais conversamos como quando noivos, somente sobre nós, sobre o que acontecia em nosso íntimo. Se eu o abordasse e, de repente, tentasse resumir minhas mudanças graduais, me descrevendo sinceramente como sou hoje, ele não acreditaria em mim; pensaria que, como todas as mulheres, eu me invento diferente daquela que sou. Preferiria, inclusive para evitar enfrentar qualquer problema, ater-se àquele modelo de mim que já se petrificou em sua mente. Talvez me aconteça o mesmo em relação a ele e a meus filhos. Vou prestar atenção. Se não formos abertos às pessoas queridas, com as quais vivemos, dia após dia, em família, com quem o seremos? Quando é que somos verdadeiramente nós? Talvez eu o seja somente quando

7 DE FEVEREIRO

Ontem à noite precisei parar de escrever de repente porque Michele acordou e, não me vendo a seu lado, foi à minha procura. Eu estava na sala de jantar: ouvi que alguém acendia a luz, ouvi passos no corredor, mal tive tempo de jogar o caderno na gaveta da cristaleira e Michele já aparecia à porta. "O que está fazendo?", ele perguntou. "Nada", respondi, "acabei de arrumar um pouco as coisas e justamente agora ia para a cama." Eu devia estar pálida, e sentia as mãos trêmulas. Segui o olhar de Michele e, sobre a mesa, vi a caneta ainda aberta. "Estava escrevendo?", ele perguntou. Tolamente neguei, mas depois me corrigi dizendo que havia feito as contas de casa. Vi que ele procurava com os olhos, sem encontrar, o caderninho das despesas domésticas. "Para quem você estava escrevendo?", ele perguntou, desconfiado. Comecei a rir, com um riso falso, estudado. "Mas o que você está pensando, Michele?", respondi. Ele então pediu desculpas: "Nem eu mesmo sei", murmurou. E me interrogava com o olhar, perdido num embaraço que ele me pedia para dissipar, a fim de não precisar recorrer a perguntas diretas. Eu, porém, insistia: "Diga... diga...". Ele passou a mão no rosto: "Pensei que você estava escrevendo... bom, no fundo essa história de Mirella me deixa inquieto, temi que você escrevesse a...". De novo, me fitou antes de dizer: "Como é mesmo o nome? Cantoni". Voltou para o quarto e quando, instantes depois, fui ao seu encontro, ele já estava deitado, tinha apagado a luz.

Talvez não temesse verdadeiramente que eu escrevesse a Cantoni: temia que eu escrevesse a um homem. Eu gostaria de lhe tirar essa suspeita, gostaria de tranquilizá-lo, mas então deveria dizer a verdade, ou seja, falar do caderno. Não posso em absoluto lhe falar disso, talvez ele quisesse lê-lo, e eu jamais ousaria deixá-lo ler o que escrevi. No entanto, daria tudo para livrá-lo dessa dúvida. Espanta-me sobretudo considerar que enquanto eu jamais pensaria, na minha idade, em escrever a um homem, ele, ao contrário, imagina que eu ainda possa fazê-lo.

10 DE FEVEREIRO

Desde quando, noites atrás, por pouco Michele não me surpreendeu escrevendo, mudei o caderno de lugar umas três ou quatro vezes, mas não fiquei satisfeita com nenhum dos esconderijos. Às vezes me parece que Michele me olha com suspeita, ou que, fingindo indiferença, me espia quando falo ao telefone, como eu faço com Mirella para saber com quem ela conversa e o que diz. Sempre temo que ele possa me pedir: "Jure que não estava escrevendo naquela noite". Não quero ser obrigada a cometer perjúrio. No entanto, às vezes eu mesma torço para que ele volte ao assunto, assim saio desta incerteza. O desejo de escrever e o temor de que este caderno seja descoberto me levam a agir de maneira ambígua, que pode levantar suspeitas. Ontem, por exemplo, perguntei a Michele se ele tinha intenção de sair depois do jantar. Ele, que na verdade não sai nunca, ergueu os olhos do jornal e perguntou: "Para ir aonde?". "Não sei, achei que você fosse sair para uma pequena caminhada", respondi. "Eu? E por quê?", ele respondeu, espantado. "Mas sim, no verão você às vezes vai até o bar da esquina, vai tomar um café." Ele me olhou, embasbacado, e não replicou. Certamente se convenceu de que, naquela noite, eu escrevia a um homem e quero ficar sozinha para escrever de novo a esse homem.

    Pensei em levar o caderno para o escritório, mas sinto uma inexplicável relutância em fazer isso. Aliás, nem mesmo no escritório eu teria tempo ou tranquilidade, embora de dois anos para cá já disponha de uma sala só para mim. A esta altura, continuar a escondê-lo em casa é muito perigoso, e só piora a cada dia, à medida que escrevo: se ainda não o destruí, é porque espero que ele me ajude a entender com mais clareza o comportamento de Mirella, a recordar os fatos e a ordem deles. Não quero que alguma coisa possa me escapar, não quero me reprovar por ter sido leviana em relação a ela. Depois, quando tudo estiver esclarecido, mostrarei o caderno a Michele, bastará arrancar algumas páginas. Mas ele poderia perceber. Não é necessário que eu o mostre.

Segunda-feira Mirella começa a trabalhar, irá todas as tardes, das quatro às oito. Hoje tivemos uma discussão porque eu quero acompanhá-la ao escritório no primeiro dia. Ela se opôs resolutamente, dizendo que com isso ela faria um papel ridículo. Insisti, e ela por pouco não começou a chorar. Eu disse que queria saber quem é esse advogado. "Barilesi, eu lhe falei, todos o conhecem." Foi buscar a lista telefônica e a folheou rapidamente: "Barilesi, achei: Barilesi, Bruno, advogado, temos aqui o endereço, o número do telefone, você pode me ligar, se quiser se certificar de que estou lá". Objetei que desejo falar com esse advogado. "Ao menos para fazê-lo ver que você não é sozinha no mundo, para dizer a ele que ninguém a obriga a trabalhar, que você poderia muito bem dispensar esse emprego, que só o aceitou para passar o tempo, por capricho." Ela me encarava com um rancor desesperado: "Desse jeito você estragaria tudo, não vê? Por capricho!...", repetia, irritada. Respondi que ela não era livre para fazer impunemente tudo o que queria, que devia respeito à casa de seu pai, que não conseguiria me enganar. Acho que cheguei a dizer: "Você deveria se envergonhar". E ela: "Mas de quê, afinal? Não aguento mais essa vigilância, essas suspeitas. Sabe em que você me leva a crer? Que eu ajo de modo extravagante, que não sei usufruir da minha liberdade. Parece que isso a desagrada. Você julga isso tão improvável que me faz pensar que você, no meu lugar, já teria feito aquilo desde o primeiro dia, com o primeiro que aparecesse...". Eu a obriguei a se calar dando um soco na mesa. "Mirella!", exclamei duramente, "chega!" Ela silenciou por alguns minutos, e depois disse: "Vocês têm a possibilidade de encerrar qualquer discussão com um grito, uma intimação, e nós não podemos fazer o mesmo. Mas não é justo. Aliás, nem sei se gostaria de fazê-lo", acrescentou, com uma pontinha de desprezo.

Não pude suportar e saí para ir ao escritório, ainda que aos sábados ninguém vá. Eu precisava ficar sozinha. Tenho a chave, o escritório estava aquecido e deserto, silencioso. Desabei numa poltrona. Antes de sair, tinha ido me despedir de Mirella, e oferecera, em tom conciliador: "Eu poderia ir buscá-la quando você sair do escritório, à noite; saio antes de você, então posso esperá-la na portaria". Para ser justa, devo reconhecer que percebi um esforço doloroso em seu rosto, enquanto ela respondia: "Não... não, mamãe, não insista". Eu sentia que ela lutava para se defender do meu afeto, como de um perigo; me perguntava se teria tido forças para fazer o mesmo com minha mãe e me respondia que não. Eu jamais poderia ter proclamado de tal maneira o meu direito à liberdade sem invocar, para minha justificativa, um sentimento, e acusá-lo de me haver transtornado. Em minhas cartas a Michele, descobri uma ânsia irrefreável por deixar minha casa, meus pais; mas me era sugerida pelo amor por ele, que, eu dizia, me fazia esquecer até mesmo meus deveres. Michele, de fato, quando na outra noite me surpreendeu acordada em hora tardia, desconfiou que eu talvez estivesse escrevendo a um homem. Ele jamais imaginaria que eu tenho um diário: para ele é mais fácil acreditar que eu obedeça a um sentimento incriminador, em vez de me reconhecer capaz de pensar. Então me perguntei se aquilo que Mirella disse, num momento de raiva, é verdadeiro; isto é, se eu teria sabido permanecer dona de mim, desfrutando da liberdade que ela tem. Mas não sei o que responder. Todas as questões que hoje minha vida familiar me propõe são angustiantes.

No escritório, ao contrário, uma sensação de bem-estar me invadiu de imediato. Fechei a porta da minha sala, sentei à escrivaninha e abri a gaveta que mantenho fechada à chave. Sempre que a abro, experimento um secreto arrepio de prazer, embora ali só guarde coisas desprovidas de interesse — papéis, tesouras, cola, o pente e o pó de arroz. Ninguém conhece os hábitos que adquiri no escritório, pequenas manias, como as de um velho solteirão. Penso que de agora em diante Mirella também terá uma gaveta no escritório, e eu nunca saberei o que ela contém. Conservará ali as cartas de Cantoni, os presentes que não quer mostrar. Planejo vigiá-la toda noite, na saída; seu escritório não fica longe do meu, é quase na mesma rua, vou telefonar a ela com frequência, para saber se seu trabalho é mesmo todo dia e não eventual. Temo que seja uma desculpa para ver Cantoni, quem sabe até receber dinheiro dele. Gostaria de segui-la por toda parte na vida que está diante dela, aberta a suas escolhas. Sofro ao pensar que frequenta pessoas que não conheço: vai mencioná-las amiúde, e será como se falasse de países desconhecidos. Recordo quando Michele vinha me buscar no escritório, nos primeiros tempos, porque, por causa do blecaute, não queria que eu voltasse sozinha para casa. No primeiro dia fiquei muito contente; me agradava mostrar a todos que meu marido era um homem bonito e elegante, de modos fidalgos; depois acabei sentindo certo desconforto. Logo me afastava com ele, e ao despedir das colegas já usava um tom diferente do costumeiro, da mesma forma como acontecia com as companheiras de colégio aos domingos, a cada vez que minha mãe ia me buscar. Quando Michele conheceu o diretor, os dois se cumprimentaram com muita cordialidade, mas ambos estavam constrangidos. E eu, no meio deles, ria, brincava, dizia tolices nas quais não me reconhecia. Eles se olhavam como dois rivais, embora o diretor jamais tivesse prestado atenção em mim. Mas talvez os incomodasse o pensamento de que, entre eles, eu dividia minha vida, meus dias. Eu pertencia aos dois: a ambos, ainda que por razões diferentes, devia obedecer. Quando enfim Michele e eu fomos embora, eu estava nervosa, excitada. Creio que na época ainda fosse muito jovem, embora já tivesse trinta e cinco anos.

Enquanto estava imersa nessas reflexões, ouvi uma chave girar na fechadura e a porta do escritório se abrir. Fechei depressa a gaveta, levantei num átimo e fui até a entrada. Era o diretor. Ficamos constrangidos, pedimos desculpas recíprocas por estarmos ali, até mesmo ele, que no entanto é o patrão. Apressei-me a lhe dizer que havia ido trabalhar, mencionei uma papelada urgente que deixara interrompida. Ele disse: "Pois eu, não. Agora, a senhora conhece um segredo meu: sempre venho ao escritório nas tardes de sábado, justamente para não fazer nada, apenas descansar. É claro que, se preciso, escrevo algumas cartas. Não conto isso a ninguém porque não ouso confessar que me sinto perdido quando não estou no escritório. O domingo é um suplício. De resto, não acho nada muito interessante lá fora. Em suma, o trabalho é um vício", acrescentou, sorrindo.

Entramos na sala dele, eu lhe garanti que iria embora sem mais tardar, não queria incomodá-lo. Ele se opôs vivamente: "Não, não, por quê? Pelo contrário, fique, será um prazer". Enquanto isso, dirigia-se à sua escrivaninha e, tendo tirado do colete uma chave, abriu a gaveta com um pequeno gesto de satisfação. "Sente-se", disse, "ou melhor, vamos pedir ao bar aqui embaixo que nos traga dois cafés." Sentei como se estivesse de visita. "Em casa", ele continuava, "no sábado há mais movimento do que de costume, os garotos sempre convidam os amigos, fazem estardalhaço. Alego uma reunião no escritório e saio", concluiu, com um sorriso esperto. Michele disse a mesma coisa hoje. Eu também.

Agora me parece que o garçom do bar, quando me entregou a bandeja com as duas xícaras de café, me olhou de maneira ambígua, mas sem dúvida é uma impressão, ele me conhece há anos. Devido aos acontecimentos dos últimos dias, ando tão nervosa que, quando estendi o café ao diretor, minhas mãos tremiam. "Não lhe ofereço cigarros porque sei que a senhora não fuma", ele disse. Surpreendeu-me que ele tivesse notado, mas, no fundo, é natural, todos os dias ficamos juntos por muito tempo. Uma vez Michele me perguntou quantos anos ele tem; menos de cinquenta, sem dúvida, embora seus cabelos já estejam quase todos brancos; quando fui contratada, somente suas têmporas eram levemente grisalhas. Pensei naquilo que Michele havia dito, quanto ao hábito de ele me levar em casa durante a guerra, quando trabalhávamos até tarde. Enquanto isso, o diretor, bebericando o café, abria uma pasta. Eu propus: "Vamos trabalhar?". Ele respondeu: "Não, hoje é sábado". Acrescentei: "O que importa?". Na verdade, ele não queria outra coisa. "O que eu lhe disse?", observou, rindo, "é um vício", mas estávamos contentes.

 Discutíamos sobre novos fornecimentos, eu tomava notas para escrever uma carta a Milão. O escritório estava calmo, acolhedor, eu imaginava as mesinhas organizadas em cada sala, os armários dos arquivos fechados; os telefones não tocavam, não se ouviam os estalidos secos do PBX nem o nervoso tiquetaquear das máquinas de escrever. Tive a impressão de apreciar, pela primeira vez, tudo o que havia no ambiente. Ali, Mirella, a mercearia, os pratos sujos, nada podia me alcançar. Relembrei a frase que Mirella havia dito, com maldade: "Você me faz acreditar que agiria de maneira diferente no meu lugar, assim que se visse sozinha com um homem". Tive uma sensação de aturdimento, quase uma tontura. Olhei o relógio e disse que não podia me demorar muito. O diretor ficou decepcionado, mas depois, talvez pensando que não tinha o direito de me reter no sábado, disse: "Compreendo". Dei-me conta de que não é só por ganhar dinheiro que gosto de trabalhar; à ideia de que uma fortuna repentina, uma herança, não sei, uma loteria, me tire a justificativa de continuar trabalhando, senti um calafrio. Eu me tornaria realmente velha, nesse caso, com todos os rancores, as antipáticas manias dos velhos. "Não preciso ir embora imediatamente", me apressei a acrescentar, "posso ficar mais um pouco." E expliquei que, se ia mais cedo para casa, era porque minha filha não pode mais me ajudar nas tarefas domésticas: a partir de segunda-feira, ela também começa a trabalhar no escritório de um advogado. "Talvez o senhor o conheça", acrescentei timidamente, "é o doutor Barilesi." Ele respondeu que o conhece há anos, é um dos penalistas mais reputados. Queria perguntar quantos anos tem Barilesi, mas não me atrevi; em vez disso, perguntei se ele conhecia "um amigo dos meninos", foi a expressão que usei, "o advogado Cantoni". "Sandro Cantoni? Claro! Excelente advogado, jovem penalista, ele também: é o braço direito de Barilesi." Tive um sobressalto, queria dizer alguma coisa, ou melhor, dizer tudo a ele, mas me limitei a murmurar: "Sim, eu sei". Tenho certeza de que Mirella é amante desse homem, Marina tem razão. "Cantoni é muito rico, não?", perguntei com indiferença, enquanto arrumava uns papéis. "Muito rico, não creio", ele respondeu, "mas sem dúvida já deve ganhar bastante." O diretor é riquíssimo; na verdade, é o proprietário da empresa, ainda que esta figure como sociedade anônima: observei seu terno cinza, elegante, sua cigarreira de ouro. Parece ser um homem muito forte; talvez por isso sempre tenha me transmitido uma sensação de segurança e de paz. Gostaria de conversar com ele sobre Mirella, achava que seria mais fácil falar dela com ele do que com Michele, mas nunca havíamos comentado assuntos estranhos ao trabalho. Por cortesia, eu às vezes me informo sobre a saúde de seus filhos, ou sobre sua mulher, a quem mal conheço porque ela nunca vem ao escritório, limita-se a telefonar pedindo que lhe mandem o automóvel. Entre aquelas paredes, a família dele, e a minha, parecem inventadas, imaginadas.

 Trabalhamos mais uma hora, pelo menos, e no final eu estava mais calma. Saímos juntos, ele se ofereceu para me levar em casa de automóvel. Recusei com tanta firmeza, acrescentando a desculpa de precisar fazer umas compras, que ele, espantado, disse friamente: "Como queira", e parecia suspeitar de mim, como Michele. Quis chamá-lo de volta, mas o carro já partia. Fiquei sozinha na calçada, ventava e eu sentia muito frio.

Agora são duas da manhã: nunca escrevi por tanto tempo, meu pulso dói, me sinto cansada, enregelada, estou escrevendo na cozinha, tinha acendido um pouco de fogo no braseiro mas já se apagou. Tenho à minha frente uma grande cesta cheia de roupas de cama e mesa para consertar: vou esconder o caderno ali embaixo. É um lugar seguro. Mirella certamente nem chega perto dessa cesta.

12 DE FEVEREIRO

Esta noite fui esperar Mirella na saída do escritório. Não queria que ela me visse, por isso fiquei espiando de longe, pronta para desaparecer em uma leiteria. Tinha a impressão de que todos me olhavam, os homens sobretudo, com curiosidade. Finalmente a vi sair, pouco depois das oito, e dirigir-se à parada do bonde; na penumbra, distinguia seu casaco vermelho. Fiquei decepcionada ao vê-la sozinha, mal podia acreditar, e sentia muito medo de que ela pudesse me avistar; por sorte o bonde passou logo, e eu peguei o seguinte.

À mesa, Mirella falava animada de seu primeiro dia no escritório; eu gostaria de acreditar nela, mas não consigo; deveria, porém, me obrigar a fazê-lo, porque é muito fácil associar um gesto ao outro, um dia ao outro, sem pensar. Talvez tenha sido o trabalho que me habituou a organizar as ideias, a refletir, e isso foi um mal. Riccardo, terminada a refeição, começou a falar de política, falava contra o governo, mas era um modo de falar contra a irmã: dizia que os homens não arranjam trabalho e as mulheres arranjam logo. Eu sentia em suas palavras uma insinuação maligna. Mirella, muito calma, aconselhou-o a estudar estenografia, como ela. Ele respondeu que não precisa: vai se formar este ano, e depois partirá para a América do Sul, onde um amigo lhe prometeu emprego numa firma, em Buenos Aires. Esse anúncio me alarmou, e eu disse: "Você enlouqueceu?". Penso que ele ficaria longe por muito tempo, viria nos ver de vez em quando, mas já sem saber nada de nós, da nossa vida, e até se habituaria a falar uma língua estrangeira. "Não quero", afirmei. Já Michele o encorajava. Talvez considere que seria vantajoso para ele, ou talvez não o desagrade ficar sozinho, livre de tantas aflições, tantas responsabilidades. Eu, ao contrário, se penso em viver nesta casa sem os meninos, sinto medo.

14 DE FEVEREIRO

Hoje Clara telefonou: gostei de ouvir sua voz, saber que ela está bem. Queria falar com Michele, precisa pedir uma informação sobre o banco, para o financiamento de um filme. Convidei-a para vir nos ver, e primeiro ela disse que andava muito ocupada, mas por fim aceitou vir domingo para o almoço. Realmente seria necessário que eu começasse a procurar uma empregada, estou muito cansada; falei disso com Michele, que me acusou de mudar de ideia a cada hora.

Esqueci de anotar uma coisa. O diretor, ontem de manhã, quando lhe levei a correspondência, me perguntou, sem me olhar, como haviam sido minhas compras. Espantada, perguntei quais. E ele disse: "Ora, sábado à noite". Hesitei por um momento e depois, rindo, respondi que não eram compras importantes, eu precisava apenas providenciar alguma coisa para o jantar. Ele sorriu, quase incrédulo, e disse: "Ah, bom".

16 DE FEVEREIRO

Apesar da opinião de Michele, não consigo me tranquilizar quanto à conduta de Mirella. No entanto, de alguns dias para cá ela parece mais calma; seu rosto já não tem aquela expressão agressiva, dura, que se lhe adensa entre as sobrancelhas como uma nuvem ameaçadora. Era uma expressão que eu conhecia desde que ela era menina, e por isso havia aprendido a interpretá-la e a me defender dela. Agora não consigo mais me orientar: ela assumiu uma expressão séria, desprovida de ressentimento, que me deixa desconfiada. Acorda cedo de manhã e vai para a universidade; depois do almoço, sai logo para chegar pontualmente ao escritório, ao passo que antes jamais havia sido pontual. Ontem à noite, quando voltou para casa, eu a vi descer do carro de Cantoni e fazer um gesto afetuoso de saudação, antes de desaparecer porta adentro. Ficou em silêncio durante o jantar e foi logo para a cama, dizendo: "Estou cansada", e parecia que essa frase lhe escapara sem que ela percebesse. Pouco depois, quis ir até seu quarto com uma desculpa, mas refleti que era melhor não começar a discutir e voltei atrás, pé ante pé. Por baixo da porta de Riccardo, vi que a luz também estava acesa. Ele me chamou: "Mamãe...". Estava à escrivaninha; de uns dias para cá, estuda muito, preparando a tese de final do curso. Pediu-me uma xícara de café para se manter desperto, e fiquei contente por fazer alguma coisa para ele. Por causa da atitude de Mirella, e mesmo trabalhando o dia todo, tenho a impressão de ter me tornado inútil. Enquanto Riccardo tomava café, passei a mão sobre seus cabelos. Ele tem belos cabelos, macios, se eu fechasse os olhos me parecia que ele ainda era criança. "Lembra", perguntei, "do tempo em que você dizia que, quando crescesse, queria ser maquinista ou condutor de bonde?" Ele sorriu: "Por que está pensando nisso, mamãe?". Respondi: "Não sei, por nada". Mas na verdade acho que é porque muitas vezes me pergunto qual é a vocação do meu filho e não consigo discernir. Temo que sua resolução de ir para a Argentina seja um gesto de desânimo: talvez ele acredite que assim possa evitar suas dificuldades íntimas e sérias, mas penso que, para evitá-las, não basta se mudar para um novo país. Ele trouxe para casa um folheto, propaganda de uma agência de viagens, no qual se veem as montanhas, os lagos da Argentina. Alertei-o que sua viagem não é de recreio, as montanhas e os lagos não têm importância, na Itália também há muitas montanhas, só que ele quer ir do mesmo jeito. Mas Michele me exortou a não dissuadi-lo e, embora eu tenha uma opinião diferente, julgo que essas deliberações cabem ao pai, portanto me calo. Michele e Riccardo muitas vezes folheiam juntos aquele opúsculo e olham as montanhas, entusiasmados. Michele lhe disse: "Se você ficar bem por lá, eu também vou". Objetei: "E nós?". "Você também, é claro", ele acrescentou, "iremos todos." Riccardo disse: "Por lá, a gente enriquece logo".

Ontem à noite ele me perguntou se um dia destes poderia me apresentar Marina. Queria que conversássemos, os três, sozinhos. Respondi que sim, está bem, e sorri. Ele continuou a falar dela enquanto arrumava os livros, antes de recomeçar a estudar; fazia isso com indiferença, mas sem dúvida era um discurso que havia preparado faz algum tempo. Disse que Marina não é feliz na casa dela, a mãe já morreu, o pai arranjou uma segunda mulher, muito jovem. Não quer confessar que está apaixonado, parece querer apenas fazer uma boa ação. Insistiu em sublinhar que Marina é muito diferente de Mirella, não tem os hábitos das moças modernas, mal pinta os lábios, nunca sai com rapazes, a não ser com ele, e que, aliás, ele não lhe permitiria agir de outro modo. "É totalmente dedicada a mim, ela faz o que eu quero, tem um temperamento doce, submisso. Não sei que impressão vai lhe causar", continuava, "é muito tímida, imagine que já está aflita com a ideia de conhecer você", acrescentou com ternura, "mas tenho certeza de que vai lhe agradar, você vai querer bem a ela; se um dia nos casarmos, penso que lhe fará muita companhia." Dessa companhia escolhida por outros, porém, eu desconfio; mas não ousei lhe dizer, me pareceu descortês. Perguntei se Marina era sua colega de universidade. "Não, não", ele respondeu, sorrindo, "ela não gosta de estudar, nem sequer concluiu o liceu. Gosta de sair com as amigas, ir ao cinema. Digo a você: é uma menina." Eu disse que ficarei contente por conhecê-la. Riccardo me sorriu, me pediu que passasse a ferro sua calça cinza para amanhã e voltou a estudar.

Na verdade não tenho o menor desejo de conhecer essa moça: tenho a impressão de que ela não será do meu agrado. Perguntei-me como gostaria que fosse a esposa de meu filho e, depois de pensar um pouco, concluí: "Forte". É por isso, talvez, que muitos pais desejam que a esposa do filho seja rica: no fundo é a mesma coisa. Mas me parece que é necessária uma força ainda mais profunda, que nem o dinheiro consegue dar. Quem é rico teme perder seu dinheiro, e esse temor já é uma fraqueza. No fundo, devo confessar, o que não me agradará em Marina será justamente sua idade, sua juventude, o direito que ela terá de errar, de ser inexperiente. Eu esperaria que ela fosse como são as mulheres da minha idade, embora o que as fez serem como são tenham sido justamente os anos que viveram. É injusto: eu deveria, desde já, querer bem a essa moça que ama tanto meu filho. Estou errada em não mais valorizar o amor; direi até que, quando ouço falar de amor, sinto uma espécie de tédio. Minha mãe sempre me dizia: "Não tenha pressa em casar, desfrute da vida". E eu a olhava espantada, pois achava que casar fosse justamente a melhor maneira de fazer isso. Minha mãe me parecia já velha e eu pensava que ela falava assim porque não tinha outra alegria, outra distração além de mim, tendo seu casamento se tornado, com o tempo, apenas uma convivência monótona. Acreditava que para mim e para Michele seria diferente; nós éramos jovens, assim que nos casássemos partiríamos para Veneza, nos hospedaríamos sobre o Canal Grande. Minha mãe dizia com frequência que precisara lutar muito com seus pais para que aprovassem seu casamento com meu pai; se não o fizessem, estava decidida a fugir com ele. Eu não conseguia levar a sério o que ela dizia, a ideia daquela fuga me fazia rir. Via-os se encontrar à noite, num cupê, ela afobada, levantando a cauda do vestido, papai que a esperava torcendo as pontas do bigode. Mas, naqueles trajes, naqueles gestos, eu os imaginava já velhos, familiarizados e ressentidos um com o outro, como são agora. Como é difícil ver as pessoas que nos circundam diferentes das figuras que, diante de nós, elas são constrangidas a representar!

Eu gostaria muito de falar dessas coisas com Michele; mas, quando tento, não sei por quê, logo me envergonho e finjo estar brincando. Ontem à noite sentei a seu lado enquanto ele lia o jornal e lhe contei que Riccardo pretende se casar logo, antes de ir para a Argentina. Ele disse que Riccardo faria muito mal, porque um homem que se casa já não é livre para conduzir sua vida como quiser, está arruinado. Humilhada, perguntei se, assim sendo, ele também... Mas ele logo me interrompeu, disse que nosso caso é excepcional. Quase brincando, perguntei se ele era feliz. Com uma leve irritação, ele respondeu: "Que perguntas difíceis! Claro que sim, é óbvio, por que não seria? Os meninos são ótimos, são saudáveis. Riccardo fará uma excelente carreira na Argentina, Mirella já trabalha, depois arranjará marido. O que mais poderíamos desejar, mamãe?". Sorriu, batendo afetuosamente sua mão sobre a minha, e voltou a ler.

Eu queria dizer: "E nós dois, Michele?", perguntar se era somente isso que havíamos desejado quando nos casamos. Em seguida pensei que sou uma ingrata: Michele dedicou toda a vida a mim, a nossos filhos. Eu também fiz o mesmo, é verdade, mas me parece mais natural. Ou melhor, embora às vezes creia que fiz mais do que devia, porque trabalhei fora e cuidei da casa e dos filhos, outras vezes penso que poderia ter feito ainda mais, já que hoje não estou realizada. Sinto que há alguma coisa que não fiz, e não consigo perceber o que é. Talvez minha inquietação acabasse se eu estivesse segura quanto a Mirella; Michele tem menos imaginação do que eu, por isso não se preocupa com a filha. Ele disse que é justo dar a Mirella a chave de casa, como ela deseja; devo encomendar uma cópia ao chaveiro, e ainda não consegui fazê-la. Ele não se pergunta por que Mirella apagou a luz tão tarde ontem à noite; eu, ao contrário, não podia dormir por causa daquela luz e circulava pela casa, lutando para não pegar este negro caderno que me sugere negros pensamentos. Imaginei a vida que levaríamos sem nossos filhos, me perguntei se teríamos a possibilidade de fazer aquela viagem a Veneza que penso deve resolver tudo. De todo modo, depois dessa viagem seria bom não voltarmos para esta casa. Quando vou ver meus pais, à noitinha, sinto um calafrio: eles se sentam juntos e cochilam ao lado do aquecedor a óleo, que gorgoleja; o silêncio só é interrompido pelas fragorosas badaladas do relógio de pêndulo. Eu entro e sempre acho que faz frio; eles se espantam, dizem que a casa tem paredes grossas, face sul.

17 DE FEVEREIRO

Hoje tive um dia agradável, talvez porque depois do almoço tenha ido ao cabeleireiro. Quando saio de lá, sempre me sinto mais jovem, me digo que vou voltar toda semana, mas depois não tenho tempo nem, sobretudo, dinheiro para desperdiçar. No entanto, penso que, se fosse ao cabeleireiro a cada oito dias, a semana me pareceria melhor.

Na rua, o ar era estimulante. Eu me sentia tão contente e ativa que pensei em aproveitar meu entusiasmo indo ao escritório para despachar alguns papéis atrasados. Temi haver deixado a chave em casa, mas, sem querer, eu a tinha posto na bolsa. Contudo, sabendo a esta altura que o diretor vai ao escritório todos os sábados, tive um momento de incerteza; me dirigi à parada do bonde, mas depois desisti e voltei. Claro, o diretor está tão habituado a mim que minha presença não o incomodaria. Mas no último sábado, talvez porque não estivéssemos ligados pelas obrigações costumeiras e pelos horários do escritório, ele se revelou sob um novo aspecto. Na realidade, não sei nada dele, não sei como é em casa ou entre amigos, em um salão. Certa vez fui vê-lo porque ele estava doente, mas mesmo assim queria ditar umas cartas. Lembro que ao entrar em seu quarto tive a impressão de me encontrar diante de um desconhecido. Sentia-me pouco à vontade; entre as lapelas do pijama, via seu pescoço mais branco na área habitualmente coberta pelo colarinho. Ele mesmo me tratou como se eu fosse uma visita, com uma voz diferente, quase cerimoniosa; a mesma que ele usou no sábado passado, no escritório.

Fui comprar umas coisas para o almoço de amanhã, quero preparar um doce para Clara. Enquanto fazia isso, temia que o diretor entrasse no estabelecimento por acaso. Eu não ousava me voltar porque me parecia que ele estava atrás de mim, prestes a me perguntar, sorrindo, o que eu estava comprando. Ao sair, tinha até certeza de que o encontraria, e me envergonhava por carregar tantos embrulhos vulgares.

É meia-noite, sou obrigada a esperar que Mirella volte para casa: quando ela saiu, eu queria lhe dar a chave do portão, que mandei fazer, mas estava tão agitada que me confundi e acabei dando a do escritório.

19 DE FEVEREIRO

Ontem Clara veio. O dia tinha começado mal por causa de Mirella. Escutei-a falando ao telefone com Cantoni, uma conversa misteriosa, ela falava baixinho, muitas vezes respondia por monossílabos. Mas ouvi que aludia com insistência a uma carta e mencionava Nova York. Tenho certeza de que ela também resolveu sair de casa, como Riccardo. Quando o telefonema acabou, estava séria, absorta em seus pensamentos, e eu perguntei com gentileza de que carta ela falava ao telefone, e por que havia mencionado Nova York. Ela não quis me responder. Então perdi a paciência e lhe lembrei que, se pretende sair de casa, ainda deve esperar um ano, pois é menor de idade. Ela respondeu apenas: "Fique tranquila, não se trata disso", e, diante da minha insistência, cortou: "Chega, chega, por favor, mamãe". Preparei o doce para Clara aos soluços.

Quando ela chegou, precisei fazer um esforço para fingir desenvoltura e sorrir; pouco depois, porém, me senti de fato mais tranquila. Às vezes é bom ter em casa uma pessoa estranha; isso nos obriga a superar nosso mau humor. Clara me parecia tão jovem, tão segura de si e contente com a vida, que só de olhá-la eu me alegrava. Michele e Mirella também foram conquistados. Riccardo a fitava com hostilidade, e mais tarde me perguntou por que ela pinta os cabelos de amarelo, embora tenha a minha idade. Mas os cabelos dela são louros, dourados. Esbelta, elegante, nos tratava com afetuoso entusiasmo, como parentes que não visse há tempos e dos quais fosse hóspede, por um dia somente, numa antiga cidade de província onde tivesse vivido a infância. Falava de si, informava-se sobre nós, superficialmente, sem esperar a resposta, olhando-nos, tocando-nos com prazer. Sussurrei a Mirella: "Veja que na sua casa você também pode conhecer gente simpática, inteligente". Michele estava animado, falava bastante; Clara o pegava pelo braço, observando-o com provocação galhofeira, e, como de hábito, me alfinetava: "Continua apaixonada por ele? Não se cansou? Você, realmente, nunca pensou em outro? Afinal das contas, o que tem este Michele para que você o ame tanto?". Encabulada, eu indicava os meninos com os olhos. Então Clara disse, rindo: "Estou brincando, Valeria, não percebe que estou brincando?". E acrescentou: "Um dia quero escrever um roteiro sobre você, sobre sua vida: uma vida dedicada sempre às mesmas pessoas, aos mesmos sentimentos. Valeria querida, você é que está certa: é cansativo querer permanecer sempre jovem, é uma canseira tremenda. Eu gostaria de me tornar avó, como você se tornará, mas não tenho filhos. Mirella está noiva?". Mirella respondeu que não, Clara lhe fez uma carícia, fitando-a com um olhar preciso, e concluiu: "Bonita moça, um rosto inteligente, agudo"; em seguida começou a falar de cinema, dos roteiros que escreve, nos contou muitas coisas interessantes que desconhecíamos. Agradava-me observar Clara, e a Mirella também agradava observá-la. Michele a observava como observaria um fruto. Ela falava com graça, fumando, comia com apetite juvenil, gostou muito do doce. E falava dos atores, dos hábitos deles. Riccardo se divertia com aquelas histórias, mas as escutava com despeito, a contragosto. A certa altura Clara mencionou a escassez de bons argumentos. Então Michele disse ter uma ideia para um argumento, uma ideia original. "Pois escreva-o", retrucou Clara com entusiasmo, servindo-se de um pouco mais de doce. "Bote sua ideia no papel, como se me contasse. Com um bom argumento, é possível ganhar milhões." Eu também o encorajei: "É mesmo, Michele, escreva, nunca se sabe". Clara disse que o apresentaria a um produtor seu amigo: "Escreva seu argumento, Michele, e me mande". Ele perguntou: "Quando?". "Quando estiver pronto." Michele hesitou um instante, e depois revelou que já está pronto.

Clara fez um leve gesto de surpresa, quase de desapontamento; talvez temesse haver prometido demais, certa de que Michele falava de brincadeira. Os meninos não disseram nada, continuaram a comer. Com um fio de voz, perguntei: "Ah, parabéns, quando o escreveu, Michele?". Ele se esquivava, hesitando entre me fazer crer que se trata de coisa de pouca monta, que ele escreveu para passar o tempo, e o receio de anular antecipadamente o interesse de Clara. "Mas quando você o escreveu?", insisti, curiosa. "Quando?", ele repetiu, "Deus do céu, não sei, algumas vezes me vi sozinho no escritório e não tinha muito o que fazer. Sábados à tarde, por exemplo."

Michele e Clara marcaram uma conversa para um dos dias da próxima semana. Michele irá vê-la para lhe ler o argumento. Clara falava de um argumento vendido, dias atrás, por dez milhões. "Viu, mamãe?", disse Michele, virando-se para mim: "Seria uma fortuna." É estranho: todos ao meu redor, para me convencerem de suas razões e de seus direitos, invocam motivos financeiros. Talvez me julguem sensível unicamente a esses motivos; mas, se tento ser objetiva, percebo que também faço o mesmo. De fato, ontem, quando Clara, por cortesia, perguntou sobre meu trabalho, eu logo falei das nossas condições econômicas. Com isso queria, na verdade, também justificar a decadência da casa, na qual alguns móveis e quadros de valor presenteados por ocasião de nosso casamento contrastam — de modo mais evidente na presença de estranhos — com a pobreza de tudo aquilo que desde então deveria ter sido renovado. Michele me interrompeu zombeteiro, como se os apertos aos quais eu aludia fossem uma invenção minha.

Quando Clara foi embora, ele me reprovou de novo por ter falado daquele jeito, e os meninos o apoiaram. Depois eles saíram e nós ficamos sozinhos. Eu quis saber a respeito do argumento e ele disse que o tinha escrito do mesmo modo como, muitas vezes, comprou bilhetes de loteria. "É preciso tentar alguma coisa", continuou, "não devemos nos resignar à ideia de continuar nesta miséria, nesta degradação, até o fim dos nossos dias." Perguntei sobre o que era o argumento e ele respondeu evasivamente, dizendo que as histórias de amor são as que mais agradam ao público. Por um momento fiquei tentada a lhe falar do caderno, mas a insistência com que ele sublinhava o aspecto econômico daquilo que havia feito me impedia, já que não podia invocar a mesma justificativa. Ainda assim me sentia alegre, ele também estava alegre, me envolvia os ombros com um braço. "Precisaríamos ver mais gente", dizia, "hoje, por exemplo, foi ótimo que Clara tenha vindo." Resolvemos, se o argumento de Michele for aceito, fazer algumas compras para a casa, e eu disse que gostaria de ir a Veneza. Ele anunciou que, se este der certo, já tem outro em mente. "Você poderia largar o banco, então", propus timidamente. Ele admitiu que gostaria muito, uma vez que nem mesmo sua nova posição é satisfatória como esperava. Depois do jantar, continuamos a conversar sobre todas essas coisas, até tarde.

21 DE FEVEREIRO

O diretor passou dois dias em Milão, voltou hoje de manhã. Fui falar com ele a respeito de algumas providências que precisei deixar em suspenso porque, como ignorava sua partida, não tinha pedido instruções. Ele explicou que imaginava me ver sábado à tarde no escritório e pretendia me avisar naquela ocasião. Apressei-me a lhe dizer que, de fato, eu tinha me disposto a ir, mas depois desistira, temendo incomodá-lo; até acrescentei que havia chegado a ir à parada do bonde. "Que pena!", ele comentou. Estive prestes a lhe assegurar que no próximo sábado irei sem falta, mas achei melhor me calar. O dia inteiro, porém, fiquei relembrando o tom com que ele disse: "Que pena!". Talvez Michele tivesse razão de sentir ciúmes do diretor. Talvez há anos ele vá ao escritório todos os sábados, esperando que eu também vá.

Quando saí do escritório fui ver minha mãe, sentia vontade de conversar com ela. No trajeto, fui relembrando muitos gestos, muitas pequenas atenções do diretor ao longo destes anos: as flores que me manda no Natal, e que eu nunca interpretei como talvez devesse interpretar. Na casa da minha mãe, comecei a falar dele, da gratidão que lhe devo. Afirmei que é um homem diferente dos outros, um homem verdadeiramente excepcional, e, aliás, a carreira que ele desenvolveu é a prova disso. Para continuar falando dele, eu queria que minha mãe me fizesse alguma pergunta; ela, porém, disse: "Não gosto desse homem. Desde o dia em que admitiu você no escritório, embora você não soubesse fazer nada, ele sempre me inspirou desconfiança". Ofendida, repliquei que sou competentíssima no meu trabalho, que hoje desempenho tarefas muito importantes, e que, se um dia eu perdesse esse emprego, muitas outras firmas gostariam de me contratar. Minha mãe balançou a cabeça, dizendo: "Pode ser. Mas é estranho que seja justamente você a encarregada de tarefas importantes e não outros funcionários, homens, talvez até com diploma". Ela falava com dureza e, antes que eu pudesse retrucar, mudou de assunto.

24 DE FEVEREIRO

Hoje fui ao escritório por volta das cinco. Virei a chave na entrada, devagarinho, para não incomodar o diretor, mas imaginando que faria uma surpresa agradável. Só que lá dentro estava tudo escuro; em meio ao silêncio, o telefone tocava. Fiquei em dúvida por um momento, olhando a porta envidraçada da sala do diretor, da qual nenhuma luz transparecia, e depois corri à mesa de PABX. Não tenho prática com teclas e pinos; por isso, enquanto tentava afanosamente atender a ligação, a campainha parou de estrilar.

Minha sala estava arrumada, acolhedora. Ali dentro, aspirando o agradável odor de cera para piso, de madeira, de couro, experimentei uma inefável sensação de felicidade. Tirei as luvas e o chapéu com calma, quase como se chegasse a um hotel para uma longa estada. Quis pedir um café, mas depois achei que seria mais cortês esperar. Sentei-me à escrivaninha, abri uma pasta de correspondência, mas me parecia não poder fazer nada enquanto o diretor não viesse. Em algumas cartas, via a letra dele, suas anotações a lápis vermelho: "Sim, está bem", ou então, "Confira", e, mais frequentemente, "Vamos falar disto". Eram como convites a um diálogo que, em sua ausência, eu não podia acolher. Por isso, impaciente, fiquei atenta a qualquer rumor, a qualquer rangido. Nada. Então me levantei e fui até a sala dele. Acendi a lâmpada sobre a escrivaninha, rearrumei o cortador de papel, o lápis, a caneta, os quais, de resto, estavam em perfeita ordem. Eu olhava sua poltrona vazia e ouvia sua voz dizendo afetuosamente: "Vamos falar disto".

Parecia-me que ele não queria aludir somente à correspondência de negócios. Talvez tivesse compreendido que eu gostaria de lhe falar de Mirella e estivesse me encorajando a fazer isso. Talvez quisesse que eu falasse de mim. Sentei na poltrona em frente à sua, como para uma conversa. Ele é a única pessoa com quem posso falar. Há anos já não tenho mais amizades; minhas antigas colegas de colégio e as jovens esposas que eu frequentava quando recém-casada levam uma vida diferente da minha: levantam-se no final da manhã, vão ao cabeleireiro ou à modista, à tarde jogam cartas, já não temos nada em comum, não podemos conversar. Com as funcionárias do escritório, fico igualmente constrangida porque, ao contrário, não temos em comum nem o passado, nem a condição social, nem a educação ou o modo de expor os fatos. E, de resto, eu não poderia fazer novas amizades; há anos mal tenho tempo para correr de casa para o escritório, do escritório para casa. Imaginava possuir o tempo que investi nos filhos como um capital, mas agora eles o roubam e o levam embora. Na realidade, de meu, só o tempo investido no trabalho; somente quando estou no escritório me sinto livre e não tenho a impressão de mentir. De fato, há em mim a sensação de haver dito uma vez uma mentira, não sei qual, e de estar condenada a me manter fiel a ela. "Vamos falar disto", eu queria dizer ao diretor, "vamos falar disto." Sentia-me como que invadida por uma febre, no entanto minha mente estava clara, límpida. Achei que ele não poderia demorar muito mais, do contrário eu perderia momentos preciosos de uma conversa que para mim era essencial. Na minha idade cada momento é precioso, eu gostaria de dizer a ele.

    O telefone tocou de novo e me sobressaltei, amedrontada. Saltei num átimo, sem saber se atendia naquele aparelho. Parecia-me que, através do fio, alguém me veria na sala do diretor e me julgaria indiscreta; ele mesmo, ao entrar, podia se perguntar o que eu estava fazendo. O telefone insistia, então me sentei em sua poltrona e atendi: "Alô…". Era ele. Meu coração começou a bater com força, ele falava com voz abafada. "Lamento", ele disse, "não posso ir." Fiquei sem fôlego, não tinha me preparado para essa probabilidade, foi como se tudo ao redor desmoronasse. "Oh!…", suspirei. Ele repetiu: "Lamento". "Realmente não sei o que fazer", eu disse, "queria lhe falar." Imediatamente acrescentei: "Era sobre algumas providências". Ele fez uma breve pausa e depois explicou que precisava ficar em casa porque era aniversário do filho. Acrescentou que já havia telefonado duas vezes, mas ninguém atendia. "Imaginei que a senhora teria ido ao escritório, eu tinha esperança de poder me liberar cedo, mas..." Continuou em silêncio, sem encerrar o telefonema. Eu também fiquei em silêncio e depois disse: "Compreendo muito bem, não importa, vou procurar resolver sozinha, falaremos disso na segunda-feira". Pousei o fone, mas não conseguia soltá-lo.

Permaneci mais um pouco sentada à sua escrivaninha, sobre o couro macio da poltrona. Por fim me levantei, apaguei a luz e, já sem olhar ao redor, fechei minha gaveta, vesti o chapéu e saí. Caminhei depressa, não queria voltar para casa, fiquei tentada a me sentar no banco de um jardim público. Nas tardes de sábado a cidade me parece mais bela, mais luminosa e atraente. De algum tempo para cá, um irrazoável desejo de férias se apodera de mim, me sugere escancarar a janela, sentir o ar fresco no rosto, me traz à memória bosques, campos, paisagens marinhas e por fim, sempre, Veneza. Mas basta entrar em casa e esse jubiloso impulso se dispersa. Em casa, não sei por quê, tenho sempre vontade de pedir desculpas. Talvez por saber que negligencio muitas coisas por causa deste caderno. Fico de pé até tarde, e depois estou cansada durante o dia. Hoje, por exemplo, me arrependi de ter ido ao escritório e perdido tempo ali, sem fazer nada: a cozinha ainda estava por arrumar e Michele precisa das camisas que, nas últimas noites, por escrever, não passei. Às vezes, numa afortunada sensação de embriaguez, imagino me abandonar à desordem; deixar as panelas sujas, a roupa sem lavar, as camas desfeitas. Adormeço com este desejo: um desejo violento, voraz, semelhante àquele que, quando estava grávida dos meninos, eu sentia por pão. À noite sonho que devo remediar tamanha desordem mas não consigo, não dá tempo antes de Michele voltar para casa. É um pesadelo.

Talvez minha mãe tenha sido intransigente demais comigo quando eu era criança. "Costure", me dizia sempre, "estude."

Quando cresci um pouco, assim que eu parava de estudar, ela me passava algumas tarefas domésticas. Nunca permitia que eu ficasse à toa, nunca se esquecia de mim. Se, por um momento, não me visse, entrava no meu quarto e perguntava o que eu estava fazendo. "Uma mulher jamais deve permanecer desocupada", ela dizia.

Michele voltou para casa mais tarde esta noite; tinha um aspecto fatigado, cansado. Perguntei se ele havia trabalhado no argumento cinematográfico no escritório. Ele me fitou, detendo-se de chofre, como que surpreendido pela minha pergunta. Mas logo se recuperou e disse: "Não, não, nada de cinema, tive muito o que fazer hoje. Estou com dor de cabeça, vou dormir logo depois do jantar". Repliquei que gostaria de conversar com ele sobre Riccardo e Mirella, já que é difícil saber como me conduzir sem sua orientação, confiando somente no meu critério e, em suma, em mim mesma. Ele disse afetuosamente que me deixa livre para decidir, para agir; que eu posso sempre, em qualquer caso, falar inclusive em seu nome, me assegurou que ninguém pode fazer essas coisas melhor do que eu, com maior tato. Fiquei comovida, até mesmo lisonjeada, e o abracei, precisava de algum conforto, algum calor. Nada me repousa mais do que sentir contra meu rosto o ombro de Michele. Ele me perguntou se Clara deu sinal de vida.

25 DE FEVEREIRO

Hoje de manhã minha mãe telefonou e por uma bobagem me aconteceu atender com impaciência. Ela sempre liga nas manhãs de domingo para perguntar se vou vê-la. Mas hoje eu não estava com vontade e disse que não teria tempo. É verdade, aliás, porque aos domingos, embora eu me levante no horário de sempre, Michele e os meninos acordam tardíssimo, ficam zanzando de robe, e o sol do meio-dia bate nas camas ainda quentes. Michele diz sempre que ninguém poderia lhe tirar esse luxo do sono aos domingos. Algumas vezes fico tentada a me conceder isso também, mas quem cuidaria de tudo o que há para fazer? Então levo o café da manhã para ele na cama e me alegra vê-lo comer com gosto, de bom humor. Minha mãe não compreende essas coisas, desaprova Michele, talvez porque ela sofra de insônia. Afirmou que teria o direito de às vezes me ver, afinal sou sua única filha. Então tive um ataque de nervos e disse que sou também a única esposa e a única mãe e que não aguento mais. Disse inclusive que ontem, sábado, precisei voltar ao escritório. Disse que só eu sei quantos motivos teria de estar preocupada e nervosa. Ela objetou que não compreende por que eu estaria assim, justamente agora que Michele conseguiu um aumento, Riccardo tem um belo futuro na Argentina e Mirella, mesmo ainda estudando, começou a trabalhar. Esse comentário coroou minha irritação. De maneira cortante, eu disse que minha mãe a havia vivido em outros tempos, tinha tido uma vida fácil e não conseguia compreender a minha. Ela se revoltou: "Fácil?!", exclamou, e me lembrou que a família havia sido espoliada por Bertolotti e que precisara lutar dez anos na justiça para recuperar a *villa*, mas no final a perdera. Ouvi falar a vida inteira desse Bertolotti, que foi um péssimo administrador dos bens da minha avó: todas as nossas desgraças lhe são atribuídas, diz-se que dele resultam nossas péssimas condições econômicas. Na infância, quando falavam desse homem, eu silenciava, aterrorizada, como se falassem do diabo. Hoje eu disse que Bertolotti fez bem ao surripiar inclusive a propriedade e a *villa*, pois a esperança de retomá-las foi nossa desgraça, ainda carregamos esse peso, e por isso temos dificuldade em nos adaptar à nossa condição: eu por causa dessa *villa* e Michele por causa dos uniformes militares de seu pai. É por isso que ser pobre sempre pesará sobre nós como uma vergonha. "Não temos um centavo e ainda nos sentimos donos de mansões, de cavalos. Veja os meninos; nunca ouviram falar de Bertolotti e estão ótimos." Minha mãe permanecia em silêncio, do outro lado do fio; sabe que eu digo essas coisas quando estou irritada. Meu modo de falar, segundo ela, é ainda culpa de Bertolotti, e isso a consola. "Afinal, você não vem?", perguntou. "Não", respondi, "não posso."

Mais tarde, na rua, eu me sentia arrependida. O ar do domingo me tranquilizava, dissipando qualquer preocupação ou cansaço. Entrei num bar e telefonei à minha mãe. "Acabei antes do que imaginava", disse, "vou aí daqui a pouco. Quer que eu compre alguma coisa?" "Sim, obrigada", ela respondeu, e o contentamento transparecia da gélida calma de sua voz, "umas frutas boas, para seu pai." Comprei também um ramalhetezinho de violetas; minha mãe e eu temos pudor desses gestos, então eu lhe disse que havia sido obrigada a comprá-lo por uma garotinha insistente que pedia esmola.

26 DE FEVEREIRO

Preciso ir para a cama cedo esta noite. Riccardo disse à mesa que me ouve caminhar pela casa até altas horas. "O que você fica fazendo?", me perguntou. Ao escutar essa frase, Mirella também tirou os olhos do prato e me fitou. Sem um motivo lógico, temi que começassem a procurar o caderno. Respondi que vou acabar sofrendo de insônia, como minha mãe.

Hoje de manhã, mal cheguei e o diretor me chamou. Em sua sala havia outras pessoas; fiquei incomodada pela presença delas, no entanto discorri animadamente para entretê-las. Quando saíram, o diretor começou a folhear a correspondência sem olhar para mim, dizendo que já não tem tempo nem para ler as cartas importantes durante a semana. Parecia cansado, irritado, mas quando enfim me olhou, sorriu. Falou novamente de sábado, suspirando: "A família...", e eu tive uma reação tola: fiquei ruborizada. Depois me perguntou se estarei livre para voltar ao escritório no próximo sábado. Respondi que sim, com demasiado entusiasmo. Ele então ergueu os olhos e me fitou, sem sorrir, com uma doçura grave: "Por volta das quatro?", propôs. Assenti. Minhas mãos estavam frias sobre o vidro da escrivaninha. Por fim me pediu que lhe mostrasse uma carta que eu tinha escrito e, quando voltei, ele era outro. Disse até que a carta não estava boa e que eu deveria refazê-la.

27 DE FEVEREIRO

Hoje, quando voltei para casa na hora do almoço, a zeladora veio ao meu encontro com uma desculpa e, por fim, me disse, sorrindo maliciosamente: "A senhorita sua filha chegou há poucos minutos, trazida pelo noivo". Hesitei por um instante e ela logo aproveitou para me dizer: "Parabéns". Não respondi, continuei sorrindo e assim me afastei, mas fiquei tão confusa com essas palavras dela que subi pela escada, me esquecendo de pegar o elevador.

Mirella estava em seu quarto; falei do comentário da zeladora, ela sorriu e observou: "Que mexeriqueira!", nada mais. Eu me arrependi de ter lhe falado, porque, a esta altura, continuar a discutir, sem tomar nenhuma atitude precisa, só pode enfraquecer minha posição. Olhei ao redor, esperando descobrir alguma coisa: de uns tempos para cá, me parece que o quarto de Mirella esconde um segredo e que, se eu fosse esperta o bastante para descobri-lo, ele me esclareceria tudo sobre ela e me indicaria de que maneira agir. Eu me segurei para lhe dizer: "Pelo menos não se faça acompanhar até o portão". Eu poderia dar esse conselho a uma amiga, mas não à minha filha, mesmo reconhecendo que a intransigência à qual devemos nos constranger, em família, é justamente o que determina a falta de sinceridade. Talvez exista uma amiga que ouça as confidências dela. Sabina, talvez, que de uns tempos para cá telefona mais vezes e frequenta o mesmo curso na universidade. Resolvo falar com ela, sabendo desde já que ela não me dirá nada. Se Mirella ou Riccardo recebem alguns amigos, e eu entro no quarto onde estão reunidos, todos se calam imediatamente e ficam de pé, com aquela postura entre respeitosa e desconfiada que os alunos assumem quando a professora entra na sala. No entanto, eu me mostro afetuosa, jovial, tento ser acolhedora oferecendo-lhes alguma guloseima e café, no verão até desço ao bar da esquina para comprar sorvete. Os jovens me olham relutantes, esforçando-se por adivinhar que artimanha se oculta sob minha solicitude. Às vezes me detenho alguns minutos e converso um pouco, conto alguma historinha que possa diverti-los e, sobretudo, assumo atitudes liberais, esperando me aproximar do modo deles de pensar, da idade deles. Porém, quanto mais me distancio da ideia que eles têm dos pais, da mãe de um seu coetâneo, mais os desconcerto e os intimido. Quando, ao contrário, anuncio severamente que Mirella não pode sair porque já é hora do jantar, ou que não vou dar dinheiro a Riccardo para ele ir ao cinema, sinto-os à vontade.

Sabina, portanto, não me dirá nada. Mas estou decidida a investigar, embora a esta altura Mirella pareça totalmente envolvida com o estudo, com o trabalho, e tenha se fechado em si mesma, não diga mais nada. Hoje telefonei ao escritório para avisar que não me sentia bem, e fiquei em casa revistando as gavetas dela. É a primeira vez que faço isso e minhas mãos tremiam, tinha a sensação de estar roubando. Revistava minuciosamente, pensando: "É necessário", conquanto eu mesma não soubesse o que esperava encontrar. Quase me parecia poder surpreender Cantoni escondido entre os vestidos, os papéis, a roupa de baixo. Mas não havia rastros dele; Mirella havia saído levando consigo a bolsa que ele lhe deu e o relógio. Eu esperava encontrar pelo menos uma fotografia, um bilhete, mas não achava nada. A busca não foi demorada; por esta visita às gavetas dela, às poucas coisas muito gastas, à pouca roupa de baixo que ela possui, constatei mais uma vez que Mirella é uma moça pobre. Parece-me mais indefesa diante da minha acusação, suspeitar dela me parece cruel.

Por fim me lembrei de que seu diário estava fechado à chave na gaveta da escrivaninha. Exultei, vitoriosa; depois, porém, fiquei na dúvida, remoendo tudo o que sempre ensinei a meus filhos no que diz respeito ao segredo alheio. Saí do quarto para resistir à tentação, mas, em vez disso, fui à cozinha e peguei uma faca para arrombar a gaveta. Estava determinada a executar aquele gesto com resoluta impiedade, como se lancetasse um abscesso. Meti a faca entre a gaveta e o tampo da escrivaninha, mas, para minha surpresa, senti que a gaveta cedia logo: não tinha sido trancada. O diário não estava. Não está mais. Na gaveta há somente cartas insignificantes, fotografias antigas. Tampouco ali algum vestígio de Cantoni. Em vez de me tranquilizar, tanta inocência aparente me deixa desconfiada. Não é possível que não haja uma carta dele, talvez sejam cartas comprometedoras que Mirella prefere destruir. O desaparecimento do diário, aliás, demonstra claramente sua culpa. Se tivesse seguido meu impulso, eu teria saído imediatamente, iria procurar Cantoni e dizer a ele: "Sei de tudo". Eu o agrediria, sacudiria, espancaria. Em vez disso, porém, sentada diante da escrivaninha, com a faca na mão, não sabia o que fazer. Pensei que Mirella talvez tivesse levado o diário para o trabalho e me parecia que, com esse gesto, ela havia fugido de casa. Mas talvez o tenha apenas escondido, e resolvi procurá-lo meticulosamente. Vou revistar tudo, eu pensava, se ela o esconde tão bem é porque não quer ser conhecida como a pessoa que de fato é; mas vou revelá-la, vou desmascará-la, e, em pensamento, me via diante dela, batendo a mão sobre a página escrita.

De repente pensei que eu também escondo um caderno e que Mirella, procurando um esconderijo para o dela, pode encontrá-lo. Se o lesse, descobriria que sou diferente de como acredita que eu seja. Conheceria todos os meus segredos, saberia até do diretor, do encontro que combinei para sábado, da ansiedade com que me pergunto se ele está apaixonado por mim. O fato de pensar nele, o temor de que o caderno seja descoberto e a impressão de que um denso mistério envolve cada um de nós não me deixam em paz. Vejo Mirella saindo de casa com seu diário na bolsa, Michele voltando ao banco, no sábado, para escrever em paz o argumento, Riccardo colando na parede de seu quarto a fotografia das montanhas argentinas, e me parece que, mesmo nos querendo tanto bem, nós nos defendemos uns dos outros como inimigos.

28 DE FEVEREIRO

Esta noite, assim que chegou em casa Mirella me chamou a seu quarto. "Veja", me disse, exultante, esvaziando diante dos meus olhos espantados um envelope que continha numerosas cédulas. Eu já estava prestes a perguntar severamente de onde vinha aquele dinheiro quando ela mesma explicou: "É o meu salário". Em seguida recolheu cuidadosamente as cédulas, uma a uma, quase acariciando-as; e enumerava tudo que iria comprar, frivolidades na maioria, coisas que muitas vezes me pediu e que nunca pude lhe dar. Talvez eu esteja sendo injusta, mas tive a impressão de que ela queria me humilhar; então assumi uma atitude quase desdenhosa, disse que enfim ela reconheceria o que sempre fizemos em seu benefício, agora que sabia o quanto é penoso ganhar dinheiro. Ela ia e vinha, do quarto ao banheiro, esfregando vigorosamente o rosto com a toalha. "Quer saber a verdade, mamãe?", perguntou sorrindo. "Pois bem, não achei penoso de modo algum; tinha escutado tantos comentários de vocês a respeito que, ao tomar a decisão de trabalhar, fiquei apreensiva, temendo não dar conta. Na véspera do meu primeiro dia no escritório, quase não consegui dormir à noite: Riccardo sempre tinha me encarado com irônica desconfiança, mostrando duvidar que, em um escritório como o de Barilesi, quisessem uma jovem como eu; e eu mesma estava inclinada a dar razão a ele. Quando cheguei diante da porta, quis recuar, telefonar dizendo que desistia do emprego, que estava me sentindo mal, uma desculpa qualquer. Se não fiz isso, foi por causa de vocês." Arregalei os olhos, perplexa, enquanto ela continuava: "Sim, porque me parecia que vocês ficariam contentes ao verem confirmada a opinião depreciativa que têm a meu respeito". Perguntei se por acaso ela não teria aceitado o emprego só para não decair na opinião daquele advogado, aquele Cantoni. "Não", ela disse, segura, "nem passa pela cabeça dele que eu não consiga fazer alguma coisa, pelo contrário. Mas esse não é o ponto importante. O importante é ter descoberto que trabalhar não é penoso. Eu me divirto bastante. Muitas vezes me sinto cansada, mas é um cansaço diferente de todos os outros que conhecia, não sei explicar, um cansaço que quase me parece fingido, porque na verdade estar cansada depois de ter trabalhado não me desagrada. É divertido usar aquelas palavras que, quando eu as escutava de vocês, me pareciam muito importantes, sei lá: *arquivar, protocolar, nos autos.* Você vai rir se eu lhe confessar que, ao dizê-las, também me sinto importante." Estava tomada por uma alegria infantil, parecia querer zombar afetuosamente de mim. "E também", continuou, "gosto de ouvir pronunciar meu nome como o de alguém que sabe o que faz, em quem se pode confiar. Quando dizem, por exemplo, 'A senhorita Cossati está cuidando disso', me parece que falam de outra pessoa, alguém que eu não imaginava poder ser. Hoje o advogado Barilesi disse: 'Segunda-feira, a senhorita Cossati é que poderia ir ao Juizado'. É para uma informação, uma bobagem, qualquer um saberia fazer isso, e no entanto eu corei de satisfação. A mesma coisa me acontecia na universidade, nos primeiros tempos; nunca falei nada, fingia que era natural, mas sempre ficava lisonjeada por me ver naquelas salas de aula. Só que, na universidade, eu sempre pensava que de bom grado eles prescindiriam de mim. Nesse emprego, ao contrário, me pagam para que eu vá." Falava com vivacidade, escovando o cabelo; me rodeava, rindo, numa feliz excitação que eu não conhecia nela, queria me abraçar: "Diga a verdade, você também se diverte no escritório, e o papai também; por que não querem confessar? Admita, mãezinha, admita, eu lhe dou mil liras se você admitir". Ela segurava a escova de cabelos com uma das mãos e, enquanto tentava me abraçar, a escova, por causa da minha resistência, me golpeou numa sobrancelha. Levei a mão ao olho, soltando um gritinho. Ela disse: "Oh, desculpe...", e ficou sem graça. "Não sei o que você tem esta noite", observei ríspida, esfregando a pálpebra, "está louca. Foi esse pouco dinheiro que a fez enlouquecer. Louca e ingrata. Você deveria considerar uma só coisa: que nós nunca pudemos dispor daquilo que ganhamos para comprar o que nos agrada, como você pode fazer agora. Que tudo, sempre, até o último centavo, é usado para a casa, para Riccardo, para você, para os estudos que agora lhe proporcionam essas satisfações, esses *divertimentos*, como você os chama." Ela ficou mortificada. "Eu sei, é verdade, desculpe. Não falei assim por maldade ou desprezo. Ao contrário. Eu ficaria contente por saber que vocês também se divertem trabalhando, talvez porque me sentiria menos culpada por ter pesado tanto sobre vocês. Veja, perdoe minha sinceridade, mas às vezes os filhos quase sentem vergonha de terem nascido, de precisarem comer, de serem vestidos. Desculpe se lhe digo isso. Meu trabalho me agrada tanto que eu o faria mesmo que não me pagassem." Pensei no passo ligeiro com o qual ultimamente saio de casa pela manhã para ir ao escritório; na alegria que sinto quando o diretor me chama para trabalharmos juntos. Com um calafrio, afastei de mim esses pensamentos e disse a Mirella que seu entusiasmo se deve inteiramente à novidade. "Talvez", ela admitiu, "mas não quero crer nisso, seria uma pena, estes dias são os mais belos da minha vida. Hoje Barilesi defendeu um acusado de homicídio e conseguiu a absolvição. Não fui à universidade, pela manhã, para assistir ao julgamento; ele fez uma defesa belíssima, fiquei comovida, senti muita admiração, muita inveja; é isto, um trabalho como aquele não pode ser penoso para ele, tenho certeza." "Lógico!", exclamei, "com tudo o que ele ganha!" "Você acha que é só por isso? Barilesi já é muito rico, poderia parar de trabalhar, não? No entanto, embora se lamente com frequência, fique nervoso, cansado, continua aceitando causas e quer sempre fazer tudo ele mesmo. Talvez reclame de cansaço porque não quer confessar que seu trabalho o diverte." E ela recomeçava a rir, contente: "Eu gostaria de me tornar uma grande advogada, como ele". Então perguntei se o que a seduz é a ideia de uma carreira brilhante ou, antes, a de agradar a alguém, a Cantoni, por exemplo. "Admitamos que seja também por isso", ela respondeu. Então eu, triunfante, disse que seu objetivo não é a carreira, mas sim casar com uma pessoa rica, eminente, conforme ela declarou desde o primeiro dia. Eu disse que se ilude achando que vai conseguir isso com tais meios e que faria melhor se seguisse meus conselhos, porque ninguém pode aconselhar melhor do que uma mãe. Na realidade, os homens não gostam nem um pouco de mulheres independentes, daquelas que têm uma carreira própria, ou pelo menos não as querem como esposas; aliás, ela mesma, quando tiver nos braços seu primeiro bebê, quando ele chorar e precisar dela para se alimentar, para viver, não ousará negligenciá-lo pela vaidade de um lisonjeiro sucesso nos tribunais. Mirella disse então que suas ideias são diferentes; mesmo que se case e tenha filhos, desejará do mesmo modo se tornar uma advogada célebre. Ficou ruborizada ao pronunciar esse adjetivo. Eu sorri com indulgência, dizendo: "Voltaremos a falar disso", e me dirigi à cozinha. Depois voltei e perguntei onde ela guardava seu diário. Surpreendida pela minha pergunta, ela olhou para a escrivaninha e perguntou se eu havia revistado sua gaveta. Respondi que, quando acho necessário, posso até fazer isso. Ela afirmou que o destruiu há tempos; que era um hábito pueril; e que, de resto, mesmo que eu o tivesse encontrado, não seria útil para minhas investigações porque — acrescentou, rindo —, temendo que eu pudesse lê-lo, só escrevia mentiras.

Fui para a cozinha e comecei a fritar umas batatas e depois uns ovos. Penso que Mirella mentiu e, seja como for, se tiver destruído o diário, fez isso depois de conhecer Cantoni. Dali a pouco ela foi ao meu encontro e perguntou se eu precisava de ajuda. Raramente se oferece, por isso fitei-a com estupor. É mesmo uma bela jovem, ficou bem com os cabelos cortados tão curtinhos. A alegria do dinheiro que ganhou a tornava mais ousada e, no entanto, insolitamente doce. Sorria para mim: "Mamãe, por que você não pode admitir que eu seja feliz à minha maneira?". Respondi que a felicidade, ao menos como ela a imagina, não existe, sei por experiência. Ela objetou: "Mas você só tem a experiência de uma vida, a sua. Por que não quer me deixar pelo menos a esperança?". Respondi que ela pode ter esperança, afinal não custa nada. Depois lhe estendi um prato com ovos fritos e pedi que o levasse ao irmão. Ela perguntou por que ele mesmo não podia vir buscar. "Vou chamá-lo", disse. Eu me virei para ela com dureza: "Obedeça", ordenei, "Riccardo está cansado, estudou o dia inteiro". "E você? Não trabalhou o dia inteiro?", ela retrucou, brusca; "e eu também não trabalhei o dia inteiro?" Mesmo assim foi levar o prato. Quando voltou, disse: "É isso que me revolta, mamãe. Você se crê obrigada a servir a todos, começando por mim. Então, os outros, pouco a pouco, também acabam pensando o mesmo. Você acha que ter alguma satisfação pessoal, fora a casa e a cozinha, é uma culpa para uma mulher, que sua única função é servir. Eu não quero, entende? Não quero". Senti um arrepio me percorrer a espinha, um arrepio gélido do qual ainda não consigo me livrar. Mesmo assim aparentei não dar importância àquilo que ela havia dito. Irônica, perguntei-lhe se é aqui em casa que ela pretende começar a advogar.

2 DE MARÇO

Hoje, depois do almoço, assim que Michele saiu, Riccardo olhou ao redor para se certificar de que estávamos sozinhos, puxou do bolso um jornal e me disse: "Veja".

Era uma reportagem sobre o processo do qual Mirella me havia falado: entre os defensores, além de Barilesi, citava-se o nome de Cantoni. "Eu sei", respondi, "é o braço direito dele." Riccardo confessou que não compreende como eu permito que este escândalo vá adiante, mas que, em todo caso, finalmente fica claro por que Mirella ganha tanto. Eu o fiz notar que entendo de salários e que o valor pago a ela é o mínimo obrigatório para o trabalho que executa. Acrescentei que Mirella parece apaixonada pela profissão e que um dia será uma boa advogada.

É muito difícil falar de Mirella com Riccardo: quando estão juntos, sinto-os sempre inimigos. Talvez tenham sido sempre assim, mas até hoje eu acreditava que se tratasse de implicância entre irmãos. Agora temo que haja algum outro motivo, mais profundo, que não sei definir e me dói profundamente. Não quero pensar que Riccardo não ame a irmã, e sim que desvia para ela uma animosidade dirigida a si mesmo. Hoje me disse que as mulheres se aproveitam do trabalho para fazer o que lhes convém. Lembrei-lhe que eu também trabalho, o que foi uma vantagem para nossa família, inclusive para ele. Riccardo replicou que eu faço isso por necessidade e que, por conseguinte, meu trabalho é uma prova de solidariedade a meu marido; no fundo, uma prova de submissão. Acrescentou que eu, se pudesse, dispensaria esse emprego; e não sei qual obstáculo, talvez o encontro de sábado, me impediu de contradizê-lo. Ele continuava dizendo que as moças de hoje não sentem mais esses deveres, não querem fazer nenhum sacrifício, só dão valor ao dinheiro. "Saem com homens maduros", dizia, "porque são os que têm carro, que as levam para jantar e depois dançar nas casas noturnas mais caras. Como posso competir com eles? Não tenho culpa se meus pais não pertencem a famílias ricas." Magoada, esclareci que já pertencemos a famílias ricas, mas depois tudo foi perdido em consequência de administrações nefastas. "Seja como for, o que eu posso fazer?", ele insistia. "Posso me formar antes dos vinte e dois anos? Diante dessas moças, um homem da minha idade se sente ainda um menino, se vê reduzido ao desespero." Respondi que Mirella, com seu salário, agora pode comprar as próprias roupas, e por isso poderei dispor de um pouco mais de dinheiro para ele. Riccardo ficou em silêncio, olhando pela janela; o céu branco se espelhava na palidez de seu rosto. Pensei nos muitos jovens que se matam num momento de desânimo que suas mães não conseguiram intuir. Prometi-lhe dobrar o valor que seu pai lhe dá toda semana. Ele não disse nada; porém, um pouco mais sereno, aproximou-se da mesa, olhou o jornal aberto e, com um gesto seco, depreciativo, semelhante a um tapa, bateu os dedos sobre a reportagem que falava de Cantoni. "Está vendo o que elas fazem?", disse, "é como se se vendessem. Que graça Mirella pode achar em sair com um homem dessa idade, um velho?" Objetei, sorrindo, que um homem de trinta e quatro anos não é um velho e que Cantoni, ao que todos dizem, é muito inteligente. Ele se virou para mim, melancolicamente, dizendo: "Não as defenda. Você não fez o que elas fazem, mamãe". Então, num impulso, perguntei: "E se eu tiver cometido um erro?". Riccardo arregalou os olhos com tanta angústia que logo acrescentei que tenho sido felicíssima com o pai dele, mas nem todas as mulheres têm o mesmo caráter. Ele disse que sempre imagina a esposa com um caráter semelhante ao meu; que sempre fala de mim com Marina, do afeto que tenho pelo marido, de como sempre soube apoiá-lo com minha confiança, dos sacrifícios que fiz nos primeiros anos de guerra. Realmente, aquele foi um tempo difícil; eu ainda não tinha emprego e me arranjava fazendo doces para as recepções de minhas amigas ricas; depois ficava tão cansada que não conseguia participar do evento para o qual elas sempre me convidavam, de modo que pouco a pouco, mesmo continuando a encomendar os doces, elas não me convidavam mais. "Você não deve falar de mim com Marina", aconselhei Riccardo, "é um erro. Nenhuma jovem pode achar atraente a vida que eu levo. E, também, uma esposa não pode nunca ter o caráter que uma mãe tem." Ele suspirava: "Pois é, eu sei", e me olhava com ternura. "Não", rebati, "não é porque a mãe seja melhor, mas sim porque uma mulher é, com seus filhos, diferente de como é com todas as outras pessoas, inclusive com o marido." Revi mentalmente a grande fotografia da minha sogra que domina nosso quarto: era uma mulher medíocre, mas Michele sempre a aponta como exemplo. Somente depois da morte dela foi que ele começou a me chamar "mamãe". Então falei: "Tenho certeza de que Marina, tal como você a descreveu para mim, é uma moça muito boa". Riccardo me olhou com afetuosa gratidão: "Eu queria justamente lhe falar dela, hoje. Você precisa me ajudar, mamãe". Riccardo ainda tem um quê infantil no desenho dos lábios, e sua voz sempre me provoca uma ternura comovida. "O que é, diga, o que aconteceu?", perguntei, esperando vagamente que Marina o tivesse abandonado. "Nada", ele respondeu. "Eu gostaria de me casar logo, mas não posso levar Marina para Buenos Aires: durante o primeiro ano, serei admitido em experiência com um salário modesto, insuficiente para duas pessoas." Imaginei que, se ele se casasse logo, talvez desistisse de partir; e me perguntei qual dos dois males seria o menor. Então disse: "Você poderia encontrar alguma coisa para fazer aqui mesmo, em caráter provisório, quem sabe. Seu pai diz que este ano vão admitir muitos funcionários no banco". Ele reagiu com firmeza: "Não, no banco não, de modo algum. Mas eu queria noivar oficialmente, antes de partir. Já lhe disse que Marina é muito infeliz em casa e está aflita por sair de lá. Propus a ela nos casarmos logo, depois eu partiria e ela ficaria aqui, poderia se alojar no meu quarto, e acho que faria companhia a você; ela, porém, não quer. Então prometi que voltarei o mais cedo possível, depois de uns dois anos, com uma posição segura, e partiremos juntos. Mas essa longa separação me preocupa. Não porque eu duvide dela; mas agora tudo parece tão incerto, fala-se novamente de guerra. E, claro, quem vai para o front não são esses de trinta e quatro anos", ele disse, batendo de novo a mão sobre o jornal, "quem vai somos nós. Por isso não tenho forças para esperar. Talvez, daqui a uns anos, basta uma bomba, e não terei que esperar mais nada".

Senti um violento desejo de salvá-lo, escondê-lo, vou me plantar na porta, pensei, não conseguirão convocá-lo. Riccardo tinha sete anos quando houve a guerra da África, doze quando explodiu a Segunda Guerra Mundial; durante anos, comeu *caciotta* e doces de *vegetina*.* Seus primeiros cigarros foram dados pelos americanos. "Eu queria que você conversasse com Marina", ele continuava, "nós três sozinhos, na primeira vez. Depois, é claro, eu a apresento a papai. Pode ser no próximo sábado? Papai sempre volta para o banco, mas você fica livre." Eu logo o interrompi: "Sábado não é possível, estarei ocupada no trabalho". Ele objetou: "Sábado também?". Expliquei que, de uns tempos para cá, tenho tido muito o que fazer. Ele insistia: "Mas não pode arranjar uma desculpa? Por favor, mamãe, é muito importante para mim". Repliquei que não podia em absoluto: "Não adianta discutirmos isso". Depois olhei o relógio, era hora de voltar para o escritório.

Fui até o quarto botar o chapéu. Não posso, me repetia, não posso de jeito nenhum. Ao mesmo tempo, não sei por quê, continuava pensando naqueles doces de *vegetina*. "E eu?", rebelei--me com veemência. "E eu, quando era criança, não comi pão de farelo durante a Primeira Guerra?" Disse a mim mesma que dei aos outros toda a minha vida e agora tenho o direito de dispor de um dia. Quanto mais repetia isso, mais alguma coisa dentro de mim, à minha revelia, me respondia que não, alguma coisa que eu sentia internamente como um monótono balançar da cabeça. Ouvi Riccardo entrar no quarto, me voltei para ele, a contragosto: "Sim, está bem", cedi, "diga a ela que venha sábado,

---

* *Caciotta*: pequeno queijo macio, achatado e redondo, difundido na Itália central. *Vegetina*: farinha obtida pela trituração de várias sementes misturadas, tais como tremoço, grão-de-bico, feijão, ervilha, favas, castanhas, bolotas de azinheira. (N. T.)

vou arranjar uma desculpa". Ao me agradecer, ele me abraçou efusivamente. Falei: "Tudo bem, tudo bem", afastei-o de mim com atitude severa, e saí.

Caminhava depressa, envolta em meu velho casaco cinza. Nas vitrines via minha figura refletida e a olhava com antipatia. Tive vontade de me desfazer da minha pessoa, tirá-la de cima de mim com raivoso alívio: era como se eu estivesse cansada de carregar um pesado disfarce. Tendo entrado no escritório, fui logo à sala do diretor, sem sequer tirar o casaco e o chapéu. Ele estava assinando uns cheques. "Oh, senhora Cossati", disse, erguendo a cabeça e sorrindo. Continuou assinando. Eu fiquei de pé diante dele; havia apoiado a bolsa sobre a escrivaninha e a apertava como se quisesse me segurar. O diretor disse estar cansado, cheio de trabalho, hoje nem tinha ido almoçar em casa, tinha se limitado a um sanduíche e um café com leite. Quase como prova, me indicou uma bandeja ali ao lado. Ele dizia que este é um momento duro, é preciso ter os nervos em ordem; por causa desses boatos de guerra, o mercado ficou difícil, restrito. Eu não respondia, esperava que ele acabasse de falar. Finalmente ele fechou o talão de cheques e ergueu os olhos. Eu disse: "Não posso, sábado". Ele não replicou: me perscrutava com um ar desconfiado, talvez se perguntando se a seca firmeza da minha comunicação não expressava uma recusa, mais do que uma efetiva impossibilidade. Eu estava prestes a falar, respondendo ao olhar dele, quando o telefone tocou. Ele conversou rapidamente, sempre me olhando. Quando pousou o fone, levantou-se e veio ao meu encontro. Meu coração começou a bater forte, quase senti medo; jamais o tivera tão próximo, em muitos anos; estou habituada a vê-lo atrás da escrivaninha, ou então fico sentada e ele dita, passeando para lá e para cá. Ele disse que é justo que eu prefira ficar em casa no sábado, ou fazer minhas compras, em vez de voltar ao trabalho. Eu queria dizer que esperava o sábado com ânsia, que não havia feito outra coisa além de pensar nisso. Falei: "Sábado meu filho quer me apresentar a namorada". Ele murmurou: "Ah, compreendo", e voltou para a escrivaninha, dizendo baixinho, "boa sorte". Respondi, também baixinho: "Obrigada". Ele folheava os cheques, desatento, e dizia: "Os deveres de família...". Depois me passou dois cheques, pedindo que os enviasse ao peleteiro de sua mulher e à loja onde havia comprado uma bicicleta para a filha. "Não gosto de mostrar meus cheques pessoais aos empregados", comentou, desculpando-se por me dar esse encargo, "quando se trata de cifras elevadas, acho melhor não...". Prometi fazer logo aqueles envios. Fui até minha sala, tirei chapéu e casaco, me sentei à escrivaninha. Tentei me acalmar, mas pouco a pouco me subia um gélido furor. Li os valores dos cheques, o destinado ao peleteiro era alto. "Ladrões, ladrões assassinos", murmurei. Meus dedos tremiam. "Assassinos", repeti, sem nem saber contra quem. Peguei envelope e papel para redigir as cartas. Mas, em vez disso, de repente cobri o rosto com as mãos e caí no choro.

7 DE MARÇO

Fiquei vários dias sem escrever porque me sentia desligada de mim mesma. Creio que só posso continuar indo adiante sob a condição de me esquecer. Bastaria não refletir muito, me contentar com as explicações que Mirella me fornece, por exemplo, e eu viveria tranquila. Cada vez mais me convenço que a inquietação se apoderou de mim desde o dia em que comprei este caderno: nele parece se esconder um espírito maligno, o diabo. Por isso tento negligenciá-lo, deixá-lo na pasta de trabalho ou em cima do armário, mas não basta. Pelo contrário, quanto mais estou ligada aos meus deveres, quanto mais meu tempo é limitado, mais agudo se torna o desejo de escrever. Domingo fiquei sozinha à tarde: os meninos haviam saído cedo, Michele tinha ido ver Clara para levar o argumento cinematográfico. Eu disporia de tempo para escrever, embora aos domingos tenha sempre muitos afazeres. Não sei se é assim em toda parte ou somente nas casas de gente que trabalha, onde o fato de dormir por mais tempo, o inusitado remanchar na cama, revela quase um desregramento. Aos domingos, há sempre um maior número de pratos para lavar, até o insólito prazer da mesa resulta em fadiga. Contudo, resolvidas essas tarefas, eu tinha à minha frente uma tarde inteira e me dediquei a arrumar minhas gavetas; satisfeita, jogava fora embalagens vazias, papéis inúteis, cartas. Quando recém-casada, volta e meia abria os armários onde a roupa da casa estava disposta, atada por fitas azuis e cor-de-rosa, e ao constatar aquela ordem me sentia tranquilizada. Domingo, sentada diante da gaveta onde guardo velhas bolsas, echarpes, lenços, eu me alegrava por ainda poder contar com aquelas reservas que havia esquecido: e, ao ver as caixas arrumadas, os lenços numa pilha, sentia um prazer quase físico.

Assim, o dia, que de início me parecia longo, transcorreu rápido: em um instante anoiteceu, e era preciso refazer a mesa com os mesmos pratos que eu tinha lavado e guardado pouco antes. Michele havia dito que voltaria cedo, mas estava demorando. Tinha vestido o terno escuro e, de manhã, fora cortar o cabelo. De fato não demonstra a idade, ainda é um belo homem. Agrada-me que Clara o conheça melhor, porque sempre suspeitei que ela não o tem em alta conta. Talvez seja por isso que, de brincadeira, sempre me pergunta se sou fiel a ele. Antes de sair, Michele tirou da gaveta um grande envelope branco; segurava-o com cuidado, como se o envelope contivesse algo frágil. "É o argumento", explicou, "não posso mostrá-lo a você, lamento, já fechei o envelope por medo de precisar deixá-lo com o zelador caso Clara não esteja em casa." Ele havia marcado esse compromisso naquela manhã, portanto não havia dúvida de que a encontraria. Talvez pense que não dou crédito àquilo que escreveu, ou que não aprovo. No entanto, de manhã, ao ouvi-lo falar alegremente com Clara ao telefone, eu tinha dado um suspiro de alívio, uma vez que não raro me acontece temer que ele esteja descontente com sua vida; no domingo, ao contrário, me parecia satisfeito com tudo, com a comida, com os meninos, comigo. Na porta de casa me abraçou, eu o ajudei a vestir o casaco: "Tenhamos esperança, mamãe", disse, e eu respondi: "Vai dar certo, você vai ver". Depois, de repente, levou a mão à carteira e disse que talvez levasse pouco dinheiro, somente mil liras. Voltamos juntos ao quarto, ele pegou uma nota de dez mil: "Nunca se sabe", disse. Compreendi que, assim, ele se sentia mais seguro.

Era hora de providenciar a comida e Michele não voltava; pensei que a demora podia ser um bom sinal, talvez estivessem lendo o argumento, pensei até que aquele produtor amigo de Clara estaria presente e já o teria comprado. Fiquei contente por ele, e também por mim. Desagradava-me que a tarde acabasse, pensei que, se Michele e os meninos não voltassem, eu me dispensaria de cozinhar. De repente o telefone tocou e corri para atender, achando que era Michele confirmando minhas esperanças. Era Mirella, avisando que iria jantar fora com alguns amigos e Sabina. Perguntei a que horas ela voltaria; respondeu: "Cedo", acrescentando que, de qualquer modo, tinha a chave.

À mesa, Michele e Riccardo nem notaram a ausência dela; Michele falava entusiasmado sobre a visita a Clara: não puderam ler o argumento porque outras pessoas apareceram, mas Clara havia prometido que o leria logo e telefonaria em seguida para marcar outra reunião. Estavam ambos satisfeitos, animados; Michele abriu a janela, observaram que lá fora já é primavera, e eu quase me arrependi de ter ficado em casa o dia inteiro. Mostrei a Michele as gavetas que havia arrumado, ele comentou: "Parabéns, parabéns", e depois recomeçou a falar de Clara e dos amigos dela, gente conhecida no mundo do cinema, disse que todos têm carro, um deles até o tinha trazido em casa. Riccardo aproveitou o humor do pai para lhe anunciar que está noivo, que eu sei quem é a moça, e que ele logo vai apresentá-la a ele. Eu temia que Michele se enfurecesse; fiquei aborrecida com Riccardo, que com isso estragava o dia feliz do pai. Mas Michele parece ter mudado de opinião sobre os que se casam muito jovens. Disse também a Riccardo: "Parabéns, parabéns".

Ficamos conversando até meia-noite. De vez em quando eu repetia que Mirella ainda não tinha voltado, mas eles não faziam caso. Quando dei boa-noite a Riccardo, ele me abraçou com força, murmurando: "Estou muito contente, mamãe". No quarto, encontrei Michele ainda vestido, olhando-se no espelho; passava a mão pelos cabelos, ajeitava a gravata. Comentei de novo que Mirella ainda não tinha voltado, e ele me garantiu que os hábitos da juventude mudaram: chegar tarde da noite, para uma moça, já não tem nenhuma importância. Disse que os amigos de Clara vão dormir às quatro, e ela também. Repliquei que deve ser gente que não é obrigada a levantar de manhã cedo, não sei como Clara faz, afinal não é mais uma menina, tem a minha idade. Ele pareceu se espantar, embora sempre tenha sabido; comentou que ela mantém um aspecto jovem e possui uma alegria, um entusiasmo infantis. Perguntei: "Ou seja, você acha que eu devo ficar tranquila em relação a Mirella?". "Sim, claro", ele respondeu, me abraçando. Depois começou a falar do argumento: disse que não tinha tido tempo de lê-lo para mim, mas que, sem falsa modéstia, acha que é digno de nota. Despia-se devagar, remanchando, como se lamentasse encerrar aquele dia; e eu dizia que, se de fato o argumento fosse vendido, Riccardo não precisaria ir para a Argentina. Ele, quase irritado, acrescentou que afinal não se trataria de uma fortuna, e que Riccardo deverá custear sua própria vida de um jeito ou de outro. Tem razão; no entanto não deixo de ponderar que, se Riccardo nos sentisse mais fortes, não pensaria em partir e tampouco em casar tão cedo.

No fundo, não estou certa de que Marina me agrade. É bonita, mas seu rosto tem algo que não atrai, não a torna simpática. Não consigo compreender por que Riccardo deseja ver justamente aquele rosto, diante de si, por toda a vida. Ela é esbelta, alta, loura, e seu olhar é um pouco fixo, apalermado. Sábado à tarde, Riccardo abriu a porta de casa com sua chave e fez Marina entrar primeiro, sozinha, na sala de jantar. Eu não os tinha ouvido chegar, e ela não imaginava que eu já estivesse ali: nos vimos uma diante da outra, despreparadas. Foi somente um instante, e talvez seja apenas impressão minha, mas me parece que nos encaramos sem simpatia e até com uma secreta carga de hostilidade. Penso que nunca mais veremos uma na outra aquele olhar, caso ela de fato case com Riccardo; e, no entanto, somente aquele instante foi sincero. Riccardo entrou logo atrás e já não era mais meu filho. "Esta é Marina", me disse, com voz abafada. Ela nem pestanejava, não se via nenhuma comoção transparecer em seu rosto. Tomei-lhe as mãos afetuosamente, e isso sem ter a impressão de estar sendo hipócrita: me parecia que havia duas pessoas em mim, uma que aceitava esse encontro e até esperava dele algum calor, algum conforto, e outra que, ao contrário, se rebelava, julgando desfavoravelmente o olhar apalermado de Marina, suas mãos inertes, frias. São aquelas mãos que Riccardo deseja apertar, beijar. Ele também estava constrangido: sentara-se numa poltrona, quase deitado, numa posição deselegante. Eu queria repreendê-lo, mas é difícil repreender um homem que lhe apresenta a futura esposa; de resto, aquela atitude me provocava uma grande ternura, eu compreendia que ele agia assim, e até falava de modo pouco usual, afetando descortesia e indiferença, para disfarçar o embaraço. Estive prestes a lhe dizer: "Eu sei, é difícil, vamos mandá-la embora". Mas me dei conta de que Marina também falava do mesmo modo, e minha linguagem precisa, amável, me denunciava como pertencente a outra geração, ou a outro país. Servi-lhes chá com biscoitos e compreendi que Riccardo achava pouco. O rosto de Marina não expressava nada, me pergunto até se é verdade que ela é infeliz em casa, se lhe é possível sê-lo. "Quem é você?", eu gostaria de lhe perguntar. Talvez seja exatamente a impenetrabilidade de seu rosto a atrair Riccardo, o qual conhece pouca gente além de nós, que não lhe oferecemos mais nada de desconhecido; seriam os frios silêncios dela que lhe transmitem o desejo de interrogá-la, sacudi-la. Desde aquela noite contenho o impulso de perguntar a Riccardo: "Você acredita mesmo que Marina está tão apaixonada assim?". Ele falava da Argentina, queria se mostrar seguro de si diante dela, mas sabe que eu o considero ainda um rapazinho, e era esse conflito que o fazia comportar-se de modo nervoso. Falamos muito do futuro. Eu dizia que antes de mais nada ele deveria estudar e se formar em outubro: isso é o mais importante. Depois a Argentina. Não devem se afligir com a espera; Marina sorria quando eu disse que dois anos passam depressa, mas aquele sorriso era semelhante ao olhar que ela exibia quando entrou. "E existe o correio aéreo", acrescentei. Riccardo assentiu calorosamente: "Pois é, existe o correio aéreo", como se eu o tivesse inventado para ajudá-los, e me fitou com gratidão. Falei também que este é o período mais belo da vida deles, depois sobrevirão as aflições, as responsabilidades, mas ambos se mostravam incrédulos porque para todos nós, afortunadamente, o melhor tempo da vida é sempre o vindouro. Riccardo segurava a mão de Marina e ela assentia, sorrindo, fingindo-se convencida por minhas palavras. Quando resolveram se despedir, foi um alívio. Na saída, enquanto Riccardo fitava uma e outra, afetuosamente, como um jovem cão, a porta se abriu e Mirella entrou. Não sabia que Marina viria aqui e, por isso, ao vê-la, primeiro deslizou o olhar sobre o irmão e sobre mim, e depois cumprimentou-a com moderada cortesia. Vestia o casaco vermelho, aquele com o qual Marina disse que a viram sair da casa de Cantoni. Ficamos ainda conversando um pouco e Riccardo aludia ao futuro, ousado, mantendo um braço sobre os ombros de Marina. Mirella puxou os cigarros da bolsa e os ofereceu a Marina. Riccardo disse imediatamente: "Ela não fuma". Mirella acendeu o cigarro, tranquila, mas a chama tremia.

Quando os dois saíram, ela me perguntou: "Gostou dela?". Respondi que Marina é muito bonita. "Sim, mas você gostou dela?", ela insistiu. Acrescentei que ela deve ter um temperamento doce, submisso, vê-se que é uma moça educada corretamente, com sérios princípios. Mirella disparou: "Mas como pode lhe agradar, mamãe?". Então eu disse que ela falava assim por inveja, porque Marina age como ela deveria agir, talvez também porque teve a sorte de conhecer Riccardo, que é um rapaz honesto. "O que esse Cantoni está esperando para aparecer aqui? Por que acompanha você até a entrada como um ladrão, sem se preocupar com sua reputação, com os mexericos? Expõe você até ao julgamento da zeladora." Percebi que Mirella, embora permaneça impassível quando eu a acuso, naquele momento corou violentamente quando acusei Cantoni. "Por que ele não lhe apresenta a mãe dele, como Riccardo fez?" Ela, acendendo outro cigarro, respondeu: "É órfão, por sorte". Chamei-a de cínica, desaforada, e mandei que parasse de fumar um cigarro atrás do outro.

Sem replicar, ela se afastou e se dirigiu ao telefone. Começou a falar baixinho, escutei-a dizer: "Sandro". Era a primeira vez que eu a ouvia pronunciar aquele nome e senti um terrível ímpeto de raiva. Ela, enquanto isso, explicava: "O mesmo de sempre". Eu queria ir até lá, interrompê-la, gritar, a fim de que o outro ouvisse e constatasse que não aceito facilmente o comportamento de minha filha. Mas me contive considerando que, seja ele quem for, e não importa que intenções tenha, nunca ficará do meu lado. Aos poucos, procurando me acalmar, fui à cozinha; no fundo, é bom que todo dia eu deva cozinhar, lavar os pratos, arrumar as camas, porque essas obrigações me ligam à obrigação de seguir adiante como se, a mim, não acontecesse nada do que acontece ao redor. Eu murmurava aqueles dois nomes: "Sandro, Marina", para sentir que som eles tinham, interrogava-os, quase, esperando intuir quem são aqueles que os carregam. A eles meus filhos pertencem, a esta altura, embora Michele trabalhe para sustentá-los e eu lhes prepare o jantar. Mirella havia dito: "É órfão, por sorte". Talvez Marina lamente que eu ainda não seja apenas um retrato na parede. Tudo é sempre igual, há séculos, eu dizia a mim mesma, suspirando, e pensava no retrato de minha sogra, no esforço que fiz para esconder de Michele que não gostava dela e para me habituar a viver com ela. Dei-lhe assistência durante longos anos, fui eu que preparei seu corpo. Michele a fitava, rígida no vestido preto, à luz tremulante das velas. "Era uma santa", dizia, e me beijava as mãos, enternecido pela própria dor: "Você sempre foi muito boa para ela". Talvez seja verdade. A certa altura, não se compreende mais onde está a bondade e onde está a crueldade na vida de uma família.

9 DE MARÇO

Hoje telefonei a Clara, do escritório. Disse-lhe que, desde que foi à casa dela, Michele parece outro; e também lhe repeti todos os comentários lisonjeiros que ele fez sobre ela. Confidenciei-lhe que ele espera ansiosamente sua avaliação e que, todos os dias, ao voltar para casa, pergunta se alguém telefonou. Clara se desculpou por ainda não ter tido tempo de ler o argumento: durante o dia tem muito trabalho, à noite fica fora até tarde e, quando volta para casa, está cansada. Eu disse que compreendia muito bem e até pedi que, se falasse com Michele, não mencionasse meu telefonema. Desculpei-me pelo trabalho que estamos lhe dando, mas ainda assim fui enfática em pedir que nos ajudasse, uma vez que Michele, desde que passou a ter essa esperança, rejuvenesceu. Acrescentei que ele sempre ganhou pouco e que uma boa soma, hoje, não somente resolveria muitos de nossos problemas práticos, como ajudaria Michele a superar aquele momento difícil pelo qual passam todos os homens na idade dele, quando não ficaram ricos nem alcançaram uma posição de destaque. Ela disse que Michele não lhe parecera nem um pouco desalentado, pelo contrário. Então lembrei que ele se irritou quando falei a ela de nossas dificuldades financeiras; talvez ele tema que, sabendo-nos necessitados, paguem pouco pelo argumento. Admiti que se trata de uma impressão minha, sugerida pelo afeto e talvez por meu estado de espírito. Ela me perguntou se não sou feliz. Respondi que, para mim, ser feliz é saber que Michele está satisfeito e que os meninos estão em boa saúde. De novo enfatizei que não dissesse nada a Michele sobre meu telefonema. Quando desliguei, tive a impressão de haver cometido um erro e de ter dito muitas mentiras.

10 DE MARÇO

Esta noite me deitei cedo, mas nada de dormir. O escuro me oprimia; palavras, imagens se atropelavam em minha mente e me mantinham desperta numa indomável inquietude. Temi ficar até de manhã com os olhos arregalados na escuridão, os pensamentos em desordem: por isso levantei com cautela, para não acordar Michele. Peguei robe e chinelos, vesti-os quando já estava no corredor. Meu coração havia disparado, já não recorria a tais subterfúgios desde menina; tive medo de Michele como, outrora, de minha mãe. Depois não conseguia encontrar o caderno, tão cuidadosamente o escondera no armário entre as dobras de um lençol. Quando afinal o achei, apertei-o contra o peito como um tesouro. Mas se Michele se levantar e vier aqui, estou perdida. Não tenho nenhuma desculpa plausível, e a ideia de que ele possa ler o que estou prestes a registrar me aterroriza. Porém, se penso um pouquinho, devo reconhecer que nada de novo aconteceu, talvez eu tenha excessiva imaginação. Repito a mim mesma que é impossível, que ele me conhece há muitos anos, desde que eu era jovem e diziam que eu era bonita, não é possível que isso aconteça justamente agora: no entanto, a esta altura estou convencida de que o diretor me ama.

Hoje ele me esperava com impaciência, tenho certeza. Assim que ouviu a chave na fechadura, deve ter se levantado da escrivaninha para vir a meu encontro, porque, quando fechei a porta, já estava diante de mim, na entrada. Ri baixinho, como se tivesse chegado de uma fuga. Ele também riu, me ajudando a tirar o casaco. Sobre minha escrivaninha, encontrei um ramalhetezinho de acácias-mimosas. Enquanto o olhava, para me certificar, antes de agradecer, de que tivesse sido ele o autor daquela gentileza, ele disse, quase se desculpando: "Temos muitos pés dessa planta em nosso jardim, e todos já estão em flor. Então colhi algumas, mas trouxe-as no bolso e elas murcharam". Eu disse apenas obrigada, não queria dar importância a um gesto que, no fundo, é natural; o buquê tinha um perfume quente, aspirei-o demoradamente e depois o prendi na lapela do vestido. O diretor estava diante de mim, me olhando em silêncio: ergui os olhos para ele, sorrindo, e pela primeira vez pensei que se chama Guido.

Trabalhamos durante duas horas; eu estava muito nervosa. Vi muitas vezes sua assinatura, seu nome no papel timbrado, mas, sempre que ele me olhava, eu pensava "Guido" e, corando, baixava a cabeça sobre o trabalho. Sentia-me embaraçada, comovida: tenho a impressão de que somente a partir de hoje ele me vê como uma criatura humana.

Bem, foi só isso. Não aconteceu mais nada. Adiantamos a correspondência, discutimos problemas urgentes, e por fim ele disse: "Agora chega", e me parecia ter trabalhado por divertimento. "Chega", repeti, como se encerrasse um jogo. Ele perguntou se eu estava cansada e o que fazia aos domingos. Quis mencionar o diário, mas não ousei; respondi que costumava visitar minha mãe e escrever cartas. Ele disse que há anos já não escreve cartas pessoais e que um homem que trabalha muito acaba não tendo mais amigos verdadeiros, apenas conhecidos de negócios, amizades obrigatórias, quase calculadas. "Ficamos sozinhos", disse. Eu lhe lembrei que ele deu vida a um belo empreendimento, e que este lhe resta. Quem criou alguma coisa, eu dizia, nunca está sozinho: um livro, um quadro, uma firma, sei lá, uma fábrica, são coisas que permanecem. "Eu, porém, dediquei toda a minha vida aos filhos", acrescentei com um suspiro, "e os filhos vão embora." Ele balançava a cabeça: "Não vão", corrigiu, "mas, se fossem, de certo modo isso já seria um bem. Ficaríamos sozinhos, mas pelo menos poderíamos desfrutar das vantagens da solidão. Só que não temos nenhuma dessas vantagens e ficamos sozinhos do mesmo jeito". Agradava-me ouvi-lo dizer que é sozinho, embora falasse genericamente, com um leve toque de cinismo. Contudo, balançando também a cabeça, eu insistia em afirmar que ele tem uma grande empresa e a possibilidade de levar uma vida confortável, abastada. Ele replicava que isso também não importa nada; o que importa são outras coisas, dizia; e, num lampejo, pelos meus olhos passava uma visão de Veneza. "Numa determinada idade", o diretor prosseguia, "tudo aquilo que fizemos não nos é mais suficiente; serviu apenas para nos tornar aqueles que somos. E do modo como somos, agora que somos verdadeiramente nós, aqueles que quisemos ou conseguimos ser, gostaríamos de começar a viver de novo, conscientemente, segundo nossos gostos de hoje. E no entanto devemos continuar vivendo a vida que escolhemos quando éramos outros. Trabalhei a vida inteira, foram trinta anos para me tornar quem eu sou. E agora?" Lançou essa pergunta no vazio com enorme amargura. Em seguida, quase arrependido por ter se deixado levar, acrescentou rindo que seria preciso estabelecer uma idade, "quarenta e cinco anos, digamos", além da qual a pessoa tivesse o direito de ficar sozinha no mundo e poder escolher a própria vida a partir do início. "Aliás", observou, "ninguém compreende o que fazemos, a dimensão de nosso esforço, ninguém, exceto aqueles que trabalham conosco." Senti que ele se referia à esposa; talvez Michele também fale de mim desse modo, às vezes. Disse a mim mesma que eu não pedia nada, comprava somente sapatos para os meninos, roupas para os meninos, comida, e não peliças de visom. Perguntei-me, porém, se havia uma diferença; e concluí que sim, mas para minha desvantagem, porque Michele não pode nem acusar. "Entretanto", eu disse com um sorriso malicioso, lembrando do que Mirella falara sobre Barilesi, "se lhe oferecessem renunciar à fadiga que o trabalho lhe custa, o senhor renunciaria?" Enquanto conversávamos, tínhamos nos levantado e nos aproximado da janela; a sombra descia sobre o jardim lá embaixo, um melancólico jardim de palmeiras e oleandros. "Não", ele confessou candidamente. Rimos. "Mas talvez justamente porque não tenho outra coisa", acrescentou, em voz mais baixa. Sua presença me parecia uma presença totalmente nova, mas prazerosa. Ele dizia que até poucos anos atrás ainda precisara lutar a cada minuto, havia dias em que não sabia como enfrentar grandes vencimentos, como pagar os empregados. Comentei que sempre havia percebido isso e temido por ele, que sempre apreciara sua força, sua tenacidade, sua capacidade de mostrar-se sereno em qualquer situação. Não devia se lamentar, eu dizia, pois tinha tido uma vida extraordinária; e, sorrindo, lembrei-lhe que ele começou a trabalhar como contador numa firma de tecidos. Ele rememorou o dia em que entrei para o escritório: dizia que nos primeiros tempos minha atitude mundana o intimidava, sempre que eu entrava em sua sala ele tinha impulsos de ficar de pé como se estivesse numa reunião social, e, quando eu lhe levava a pasta da correspondência, incomodava-o que eu virasse as páginas, que secasse sua assinatura com o mata-borrão. "Eu nunca me dei conta", confessei, sorrindo. "Oh!", exclamou ele, "eu cuidava para a senhora não perceber."

O jardim já estava escuro; meu rosto se refletia no vidro da janela, era o rosto de uma pessoa jovem, talvez porque eu tivesse ido ao cabeleireiro. Comentei: "Está tarde", e ele me ajudou a vestir o casaco. Em seguida observou que dali a dez minutos seu carro chegaria, ele poderia me levar. Recusei cortesmente, mas de chofre. Ele disse que não havia nenhum mal. Repliquei, rindo, que não era por isso. Então ele me acompanhou até a porta como se eu não fosse sua funcionária. "Obrigado por ter vindo", disse, "pudemos trabalhar com calma e, além do mais, falar me fez bem. Nunca falo com ninguém." Estive prestes a dizer: "Eu também não". Mas disse apenas "boa noite", sem sorrir, e saí.

Na rua soprava uma brisa fresca, agradável. Não é possível que seja verdade, eu me dizia, ele me conhece há muitos anos: fala comigo como falaria com qualquer outra pessoa. No entanto, me parecia que tudo ao redor estava melhor, que as luzes dos postes brilhavam alegremente. Por brincadeira, experimentei murmurar: "Guido", e tudo se iluminou em mim também.

14 DE MARÇO

Ninguém se dá conta de que de uns dias para cá eu ando aérea o tempo todo. Não consigo prestar a mínima atenção ao que faço, meus gestos são guiados somente pelo hábito. Tenho vontade de ficar quieta: se pudesse, permaneceria horas e horas deitada na cama, pensando, mesmo sem seguir um pensamento preciso. Gosto de me perder na certeza de estar viva. Sinto sempre uma presença afetuosa no ambiente, um olhar condescendente. Quando estou em casa, vou muitas vezes até a janela como se esperasse avistar alguém passando na absurda esperança de me ver. O ar ao redor tem um vigor novo e as coisas adquiriram novos atrativos a meus olhos; já não estou cansada e, ao contrário, agrada-me que o dia comece, cada dia me parece convidativo. Já me aconteceu sentir-me assim antes, sobretudo aos domingos, algumas vezes que o tempo estava bonito e o verde das árvores vibrava ao sol; mas eram breves instantes, e o dia logo voltava a ser semelhante a todos os outros, pesado.

Contudo, meu jubiloso estado de espírito é perturbado pelo temor de que Michele e os meninos descubram que estou diferente e que, guiados por essa descoberta, encontrem o caderno. Para evitar que me vigiem, eu os vigio continuamente: se escuto Mirella abrir o armário, vou ao encontro dela e lhe dou eu mesma aquilo que busca. Repreendo Michele e Riccardo porque, ao pegarem alguma coisa, deixam tudo desarrumado: "Prefiro que vocês me peçam". Repito que precisaríamos mudar de casa porque esta ficou muito pequena, mas na verdade é porque quero ter um quarto meu. Pela primeira vez vislumbro com alívio a partida de Riccardo para a Argentina, imaginando que poderei usufruir do aposento que ele ocupa. Às vezes, perdida nesses pensamentos, é como se eu não estivesse em casa, e me espanta que não se deem conta. Ocorre-me considerar que se eu tivesse sido sempre assim, distraída, se sempre os tivesse privado de minha participação em suas vidas, eles nem sequer teriam sofrido, e isso me revolta. Não admito que possam abrir mão da minha presença, seria como reconhecer que meus sacrifícios foram inúteis.

Tenho a impressão de que alguma coisa mudou até no meu aspecto físico: estou rejuvenescida, eu diria. Ontem tranquei a porta do quarto e fui me olhar no espelho. Não fazia isso há muito tempo, estou sempre apressada. No entanto, agora consigo tempo para me ver no espelho, para escrever o diário; me pergunto como é que antes eu não conseguia. Examinei longamente meu rosto, os olhos, e minha imagem me comunicava uma sensação de alegria. Por brincadeira experimentei um penteado novo e depois voltei ao habitual, mas tinha a impressão de fazê-lo pela primeira vez. Não via a hora de Michele voltar, só que ele voltou mais tarde do que de costume. Estava cansado, nervoso; logo perguntou se Clara havia telefonado e, quando respondi negativamente, não escondeu seu mau humor. Eu o aconselhei a não se amargurar se, afinal, não conseguir vender o argumento; até agora fomos adiante sem esperanças nos ganhos imprevistos do cinema. Recordei-lhe que ele havia dito que o escrevera como alguém joga na loteria. Queria reanimá-lo, e por isso observei que estamos numa posição privilegiada em comparação a muitas outras famílias; os meninos já estão grandes, tomaram seu próprio rumo, e isso é o que importa; a nós dois, a esta altura, basta pouco. O dinheiro não é a coisa mais importante, eu lhe dizia; mas nunca ousaria lhe dizer o que considero mais importante do que o dinheiro. Contudo, não pude deixar de lhe perguntar sobre o vestido que eu estava usando e que, nestes dias, foi reformado; até Mirella o achou gracioso. Ele respondeu que eu estou sempre muito bem. "Acha mesmo, Michele?", perguntei, olhando-me no espelho, de esguelha. Não consigo evitar certo coquetismo, mas no fundo me envergonho; Michele nunca faz caso disso. Somos casados há muitos anos, nos identificamos a tal ponto um com o outro que, quando estamos juntos, ele fica inteiramente à vontade, como se eu não estivesse ali. Esse pensamento, que sempre me deu um grande consolo, agora, ao contrário, me entristece. Às vezes penso que talvez fosse bom se Michele encontrasse o caderno. Mas se vou dormir com essa ideia, acordo sobressaltada ao mínimo ruído. Ele o achou, penso; e tenho vontade de fugir, não sei para onde, a janela é alta, moramos no terceiro andar. Depois me tranquilizo, mas fico acordada por muito tempo, ouço os sinos baterem as horas em meio ao silêncio.

Bastaria que eu pudesse falar com alguém da existência deste caderno e o sentimento de culpa que me oprime se dissiparia. Às vezes vou visitar minha mãe, determinada a lhe contar. Ela sempre me sugeria anotar minhas impressões cotidianas quando eu era criança. Queria também lhe falar da tarde de sábado. Ou melhor, é disso que eu gostaria de falar, mais ainda que do caderno. Mas, não sei por quê, assim que entro começo a me queixar de Michele, de seu humor, sua indiferença ante os problemas dos meninos. De uns tempos para cá minha mãe o defende, embora até então fizesse sempre o contrário; talvez seja por espírito de contradição. Ela nem me olha: senta-se diante de mim, trabalhando, ereta, impassível, e sua atenção se dirige severamente aos pontos no tecido. A casa é cheia de seus bordados, há inclusive duas grandes poltronas recobertas por um seu trabalho paciente e meticuloso. Ela o fez tempos atrás, eu era criança. Deve ter levado anos, e de fato me lembro amiúde dela trabalhando nisso, bela, ainda jovem, a fronte sombreada pelos cabelos negros. Mantinha sempre a seu lado um cesto cheio de lindas meadas de seda brilhante e multicor que me fascinavam, só que não me era permitido tocá-las. A cada verão ela cobre as duas poltronas, afetuosamente, com forros brancos; a cada outono, volta a descobri-las e lhes tira o pó com cuidado. Sempre conta que, em um dia de trabalho, só conseguia fazer uma folha ou as pétalas de uma flor. As poltronas são muito bonitas, mas nenhum de nós jamais ousou sentar-se nelas, elas nos intimidam. Até hoje ela continua trabalhando, incansável: centros de mesa, almofadas, descansos para copos, sempre me dá alguns de presente e eu já não sei onde guardá-los, fico pensando que seria mais útil se ela fizesse suéteres para os meninos.

Saio da casa de minha mãe com alívio e até um pouco irritada. Talvez porque ela mantenha as venezianas fechadas, e agora que é primavera não me agrada ficar no escuro. Sigo a pé, quase tentando, com isso, esgotar o desejo que sinto de falar do caderno e de sábado. Mesmo se tivesse uma amiga, acho que um persistente senso de orgulho me impediria de me abrir. Apesar de tudo, a única pessoa com a qual eu poderia me abrir é Michele.

Ontem à noite fomos ao cinema. Ele diz que precisaria ir com frequência, para se manter ao corrente, e que aquele era um filme do qual Clara havia falado com entusiasmo. É a história de duas pessoas que se amam, mas, como ele é casado, são obrigadas a se deixar. A certa altura vemos os intérpretes se abraçar, dar um beijo demorado, olhos nos olhos, e voltar a se abraçar, a se beijar longamente. Eu sentia vontade de desviar os olhos da tela e me sentia perturbada como nunca me aconteceu, embora hoje em dia seja comum assistir a essas cenas no cinema. Parecia-me, contudo, que aquela era muito ousada, não deveriam tê-la permitido, preocupava-me sobretudo o efeito que ela pode ter sobre os jovens. Parte da história acontece em Capri: os dois protagonistas velejavam, nadavam e, por fim, seminus, deitavam-se numa grande jangada, ao sol; tinham os cabelos molhados, riam, ele se soerguia num cotovelo e se inclinava sobre ela para beijá-la. Essa cena me provocou um incômodo insuportável. Talvez

Michele também sentisse o mesmo, porque nos olhamos de relance, espiando nossas reações. Eu sorri com leve ironia, balançando a cabeça em sinal de desaprovação, e ele fez um gesto vago com o mesmo significado. Mas depois tive a impressão de haver sido covarde, e essa impressão me deixou numa grande melancolia, houve até um momento em que meus olhos se encheram de lágrimas. No final, quando as luzes se acenderam, me senti constrangida como se estivesse nua. "Bem, não é grande coisa", disse Michele, levantando-se e vestindo o casaco. A sala estava se esvaziando, ouvia-se o deprimente ruído das poltronas sendo levantadas. "Realmente, não é", comentei. Voltamos para casa em silêncio, mas era justamente aquele silêncio que nos embaraçava. De vez em quando o interrompíamos, deliberadamente, mas logo caíamos nele outra vez. Eu perguntei: "Está com a chave?" e, uma vez em casa, nos perguntamos "que horas são?", "deu corda no despertador?". Ambos fingíamos desenvoltura, mas eu sabia quais eram os pensamentos dele e ele também conhecia os meus, eu tinha certeza. Gostaria de lhe falar, de ser franca, mas uma coisa me retinha, praticamente me amordaçava: a desesperadora certeza de que já não bastavam as palavras para superar o silêncio que foi se acumulando entre nós, dia após dia, e que a esta altura é um obstáculo intransponível. "Michele...", comecei, sem saber exatamente o que diria. Por sorte ele me interrompeu de imediato: "O tempo já esquentou", disse, e sua voz estava abafada, "talvez seja bom deixar a janela aberta".

Apagamos a luz pouco depois. Um poste se acendera na rua, um poste solitário que espalhava um bruxuleio turvo e amarelado; ouviam-se raras vozes, passos, e depois o silêncio retornava, angustiante. Eu ansiava pela chegada do sábado. Via-me entrando lépida na sala do diretor, ele já estava à minha espera. Via-me de pé diante de sua escrivaninha, dizendo-lhe, séria: "Sou uma mulher honesta, achava que o senhor tinha compreendido isso, após tantos anos. Eu amo meu marido, amei somente ele, não amarei mais ninguém senão ele, para sempre, somos felicíssimos, nossos filhos já são grandes. Não posso vir no sábado, não virei nunca mais. O senhor certamente interpretou mal minha inocente postura, iludiu-se. Vim para lhe dizer isso, mais nada". Mas me parecia vê-lo espantado com as intenções que eu lhe atribuía; me fitava como se eu fosse vítima de um desequilíbrio mental, de um repentino acesso de demência. Passei a noite inteira numa penosa semivigília, sem conseguir aliviar minha humilhação.

16 DE MARÇO

Riccardo está muito mudado de alguns dias para cá; nestes últimos meses eu o via sempre indeciso, descontente. Agora parece ter adquirido uma força nova, uma nova confiança no futuro e em si mesmo. De manhã canta no banheiro ao fazer a barba, e parece não sentir tanto rancor por Mirella, embora de vez em quando a provoque com sua atitude arrogante. Tudo isso se deve a Marina: fui obrigada a lhe prometer que logo a convidarei para almoçar num domingo, a fim de que seu pai a conheça. Mas acrescentei que será conveniente esperar até que ele tenha uma resposta a respeito do argumento cinematográfico. Riccardo desaprova essa nova iniciativa do pai, diz que não devemos nos preocupar com o futuro, ele logo terá condições de nos mandar dinheiro da Argentina. Michele é muito afetuoso com Riccardo; à noite sentam-se e estudam espanhol juntos. Temo que Michele se canse; emagreceu nestes últimos tempos, está pálido, mas parece contente, diz que ainda existem muitas coisas no mundo que ele quer aprender. Riem juntos, e, naquela familiaridade entre os dois, Riccardo parece um homem maduro. Seus gestos adquiriram certa desinibição viril que me intimida. Marina telefona com frequência, e já aprendi a reconhecer sua voz. Assim que ela telefona, Riccardo se veste para sair. "Você estuda muito pouco", eu lhe digo. Ele me tranquiliza, responde que estuda o suficiente, que sabe tudo, que é facílimo. Depois me abraça e sai, dono do mundo. Não me agrada que tenha sido Marina a lhe proporcionar aquela força que eu não consegui dar em muitos anos; e me pergunto de que modo — com suas escassas palavras, seu rosto imóvel — ela pode ter comunicado a ele tanta segurança benfazeja. Da janela, vejo-o correr atrás do bonde, pegá-lo às pressas na curva, e sinto medo. Michele diz que é sempre assim: a única coisa que pode estimular um homem é o amor de uma mulher, o desejo de ser forte para ela, para conquistá-la.

Eu me calo, ele volta a ler o jornal, a ouvir o rádio. Meus pensamentos ficam leves, ansiosos, animados ante a ideia de que a única coisa que dá força a um homem é o desejo de conquistar o amor de uma mulher. Sento-me, eu também, junto do rádio, em silêncio, e a música chama para junto de mim uma grata presença, sinto um olhar que me envolve. "Sábado", penso, e fecho os olhos no suave vazio da minha mente. Fujo de qualquer pensamento preciso, já que há alguns dias me pergunto se não serei obrigada a deixar o escritório para dar fim à inquietação que me domina. Mas quando imagino não voltar mais àquelas salas, em meio àquelas coisas já familiares, e passar todos os dias fechada aqui dentro, sozinha, fico aterrorizada. Talvez bastasse não ir mais ao escritório aos sábados. Ou ir somente uma vez mais, para falar com ele; é um homem inteligente, logo compreenderá. Poderei continuar a trabalhar com ele, não posso me privar de sua amizade. Noites atrás, à mesa, Riccardo sustentava que entre um homem e uma mulher não pode haver amizade, que os homens não têm nada a dizer às mulheres, porque não existem interesses em comum, exceto alguns interesses determinados, acrescentou, rindo. No começo Mirella afirmava o contrário, com seriedade, trazendo argumentos válidos, como a educação da mulher moderna, sua nova posição na sociedade, mas, quando o ouviu rir com aquela irritante risada masculina, perdeu o controle. Disse que essas opiniões talvez lhe sejam sugeridas pelo tipo de mulheres que frequenta. Riccardo ficou pálido e perguntou duramente: "O que você quer dizer?". Mirella deu de ombros. Ele ficou de pé e repetiu, ameaçador: "O que você quer dizer?". Precisei intervir como quando eles eram crianças, mas, tal como naquela época, eu tinha a impressão de que Mirella era a mais forte; e, por esse único motivo, tive vontade de bater nela.

18 DE MARÇO

Hoje de manhã finalmente Clara telefonou. Fui eu que atendi, e Michele, assim que compreendeu que eu falava com ela, acorreu na hora e quase não me deixou despedir dela, tirou o telefone da minha mão. Clara disse que leu o argumento e quer conversar a respeito. Perguntou quando ele podia ir à sua casa, e Michele, embora estivesse de robe, respondeu: "Agora, se quiser". Marcaram se encontrar à tarde. Depois lhe perguntei que impressão Clara lhe havia transmitido sobre o argumento, e ele não soube dizer; nem tinha pensado nisso, nervoso com o telefonema. De repente sentiu certo desânimo, disse que, se Clara não comentou nada, era sinal de que não tinha gostado, e eu precisei animá-lo. Observei que, pelo contrário, se assim fosse, ela teria preferido dizer por telefone, seria muito mais fácil, ou então teria devolvido o manuscrito acompanhado de uma carta. Ele pareceu se tranquilizar, mas depois teve um súbito ataque de nervos contra Riccardo, que se demorava demais no banheiro;

cantando, ainda por cima, e isso o deixou mais irritado. Pouco depois Riccardo saiu do banheiro, penteado, perfumado, calmíssimo; o pai queria repreendê-lo, mas eu o impedi dizendo que não quero ouvir discussões num domingo. Riccardo estava tão contente por ir almoçar na casa de Marina que até esqueceu de se despedir de mim; quando o procurei para lhe dar um maço de cigarros que lhe havia comprado, ele já havia saído. Seu quarto estava desarrumado e vazio. Michele saiu logo depois do almoço, dizendo somente: "Até logo, estou indo", e me abraçou apressadamente, como se temesse perder um trem.

Fez-se um grande silêncio em casa. Mirella estava no quarto, estudando. Fui me certificar de que ela se encontrava ali, com a porta fechada, e corri ao telefone. "Pronto", pensei alegremente, "agora eu também desfrutarei da liberdade do meu dia." Mas, diante do telefone, titubeei, intimidada. "É natural que eu telefone a ele", dizia a mim mesma, "já fiz isso muitas vezes, ninguém vai suspeitar." Mas agora, ao pensar nele, não sei mais como chamá-lo: se penso "o diretor", parece que estou me referindo a alguém que me era familiar até há pouco tempo e que agora desapareceu do rol das pessoas que conheço. Por outro lado, basta que eu experimente pronunciar seu nome, "Guido", e me vem a impressão de que esse nome não pertence a ninguém, de que eu mesma o inventei, e, justamente pelo mistério que traz em si, me atemoriza. O telefone estava ali na minha frente, mudo. Lembrava que a cada vez que me acontecera lhe telefonar em casa, tinha sentido um invencível constrangimento, talvez por causa das vozes desconhecidas que me atendiam, dos passos que ouvia ressoarem num mundo para mim desconhecido e inalcançável. Eu sabia que hoje ele estava sozinho: tinha visto sobre sua escrivaninha os ingressos para um camarote, e sei que ele nunca vai ao teatro. Queria ter um pretexto para ligar, uma desculpa que não fosse inconsistente. "O que vou dizer?", pensei. Deveria ligar, porém, não podia abrir mão desse telefonema. Ontem à tarde ficamos muito tempo sozinhos no escritório: estávamos sempre prestes a nos dizer alguma coisa urgente, que nos pesava, nos oprimia. Mas, na certeza de que de um momento para outro falaríamos, todo o tempo transcorreu e não dissemos uma só palavra que não fosse necessária ao trabalho. Por fim, essa enervante expectativa nos provocou quase uma leve irritação. Até o momento em que ele me acompanhou à porta, ambos esperávamos começar a falar. Ele me perguntou o que eu faria hoje e ressaltou que estaria livre, ficaria em casa. Depois, ao nos despedirmos, segurou demoradamente minha mão, eu empalideci, temi que ele dissesse alguma coisa, e, embora desejasse isso ardentemente, fugi, rápida, pela escada.

    Fiquei muito tempo diante do telefone, agora há pouco. Parecia-me que ele podia me ver. "Também estou livre", eu queria dizer, "vamos sair." Enquanto pensava essas palavras, olhava pela janela o céu azul, leve, colhia todas as promessas ilusórias da estação. Preciso vê-lo, eu pensava, preciso falar com ele, dizer-lhe uma coisa. "Dizer o quê?", me perguntava, "o quê?", e depois levei as mãos à testa. "Louca", murmurei, balançando a cabeça, "louca", repeti, compondo o número dele no vazio, sem girar o disco do telefone, "tenho muita roupa para passar."

20 DE MARÇO

    Ao escrever a data de hoje, de repente me dou conta de que estamos na véspera da primavera. Hoje de manhã, no escritório, eu tinha deixado a janela aberta e escutei subirem do jardim, no silêncio da manhã ainda álgida, as tímidas vozes dos passarinhos. Como na época no colégio, me perdi nas modulações daquelas vozes como num labirinto de verdor. Precisei fechar a janela para voltar ao trabalho. Minha mãe repete sempre que nosso humor depende da estação. Até agora eu julgava que esses são adágios dos velhos, que não têm outras causas às quais atribuir seu estado de espírito; mas pouco a pouco vou me convencendo de que é verdade. Até Michele está nervoso, distraído; participar de nossas conversas lhe custa um esforço; quase me parece ter em casa um pensionista que paga de bom grado para viver comigo e com os meninos, desde que desfrute de sua legítima liberdade. Clara disse que o argumento é interessante, mas, por vários motivos, de difícil realização — é preciso corrigi-lo antes de apresentá-lo ao produtor. Ela foi muito gentil: ofereceu-se para ajudar Michele a fazer as alterações necessárias. Michele voltou à casa dela ontem, porque era feriado, e voltará de novo na quinta-feira à noite. Eu lhe disse que deveria ficar contente: Clara poderia ter achado ruim o argumento e não voltar a falar disso. Mas não consigo convencê-lo. Com muita frequência, olhando ao redor, ele fala da decoração da casa dela; e eu intuo que não é a casa, mas Clara, que ele admira. Mesmo sabendo estar cometendo um erro, disse que ele não pensava assim algum tempo atrás e que, ao contrário, muitas vezes desaprovara o comportamento dela e sua separação do marido. Michele respondeu que a esta altura nada disso ainda tem importância e começou a falar com desprezo do marido de Clara, embora ele seja seu amigo dos tempos de juventude. Dizia que Clara fez muito bem, jamais poderia se adaptar a uma vida medíocre, a um homem medíocre; citava os sucessos dela e o dinheiro que ganha, enquanto o marido jamais conseguiu sair do empreguinho no qual foi admitido assim que se formou. "Existe um direito", dizia Michele, "que deriva do valor intrínseco de cada um de nós. Então, aquilo que para um pode ser culpa, para outros não é. Há um momento na vida em que é preciso ter consciência da própria condição e afirmá-la; esse é também um dos nossos deveres." Estive prestes a lhe perguntar se havia aprendido tudo isso com Clara, mas o tom em que ele falava me impediu. Ele parecia dizer frases que repetira incontáveis vezes para si mesmo, e que agora via claramente como se estivessem escritas num livro. Levada por um temor instintivo, observei que Clara, se por um lado conquistou a independência, e também a fama e o bem-estar material, por outro perdeu algo mais importante. "Perdeu o quê?", ele perguntou, incrédulo. Com um sorriso que pretendia ser condescendente e que, no entanto, à minha revelia, estava imbuído de soberba, eu disse que as pessoas falam dela como de uma mulher que teve muitos amantes. Michele começou a rir. "E daí?", perguntou; "Clara é uma mulher livre, ainda jovem, não prejudica ninguém." Eu queria replicar que ela prejudica a si mesma, mas sentia que não era um princípio moral que me fazia falar desse modo, e sim uma animosidade mesquinha contra alguma coisa que me parecia injusta na minha vida. Perguntei-me se Michele pensava mesmo aquilo que dizia ou se queria somente defender Clara; suas palavras, porém, me perturbaram e ainda me perturbam profundamente. Não me contive e repeti que Clara tem a minha idade, e disse isso com o doloroso propósito de me ferir. Michele afirmou que o conceito de idade é relativo à atividade que desempenhamos e citou atrizes e homens de Estado. "Entendi", retruquei; "então, se a reputação não importa, e uma mulher de quarenta anos é livre para agir como uma mocinha em busca de marido, se você mesmo aprova tudo isso, significa que eu também poderia..." "O que é que tem a ver?", ele me interrompeu imediatamente, num tom de repriménda irritada. "Como pode comparar seu caso com o de Clara, mamãe? Você tem um marido, dois filhos já grandes... Clara é sozinha, e todos sabemos como é o mundo do cinema..." Mentia como se mente às crianças e, de repente, compreendi que não era a primeira vez que ele me falava assim; é desde sempre, ou pelo menos há tantos anos que já esqueci qualquer outro modo seu de falar. E ao lhe responder docilmente, admitindo que meu caso é diferente, eu também mentia, por temor a ele, a seu julgamento. Ele se aproximou de mim, me fez uma carícia. "Você compreende, não?", perguntou, e eu assenti; mas, talvez pela mentira ou talvez porque confusamente intuía que ele tinha razão, sentia nascer em mim uma irrefreável melancolia. Temo que meu modo de ser já não tenha valor a seus olhos, uma vez que lhe parece natural. Pelo contrário, ele admira Clara, que é muito diferente de mim e com a qual não tenho mais nada em comum, nem mesmo nosso passado de jovens esposas que ela, hoje, com sua vida presente, renega, ridiculariza. Perguntei-me se para Michele eu ainda sou uma mulher viva ou, como sua mãe, já não passo de um retrato na parede. Assim sou para meus filhos, sem dúvida, assim minha mãe é para mim. Desejava desesperadamente fugir ao maligno encantamento daquele retrato. "Estou com medo", estive prestes a dizer, mas Michele, que ignorava meus pensamentos, não poderia compreender.

Talvez eu pense assim porque esteja com ciúme. Queria acreditar nisso, pelo menos. Mas me parece que está em jogo algo mais do que uma rivalidade feminina, para a qual é preciso pelo menos reconhecer-se igual. Envenena-me a dúvida de que a admiração de Michele por Clara seja a prova de que errei em tudo, e não somente quanto a mim mesma, mas em relação a ele. Penso que eu talvez ainda tenha tempo de mudar; penso, aliás, que seria facílimo, digo a mim mesma com raiva, como se quisesse tirar uma desforra. Contudo, pouco a pouco reconheço que poderia, sim, talvez, ser diferente, mas com outro homem, não mais com Michele, e esse pensamento me apavora. Ontem quis perguntar a ele: "Você ainda me ama?". Faz muitos anos que não pergunto, um invencível pudor me reteve sempre. "Você me quer bem, Michele?", perguntei. "De que tem medo, mamãe?", ele disse, com um sorriso; "você já deveria saber." Em tom brincalhão, me perguntou se eu estava com ciúme e eu, corando, respondi que não.

21 DE MARÇO

Não consigo mais encontrar paz. Quando estou em casa, sinto o tempo todo vontade de correr para o escritório, e, quando estou no escritório, o fervor feliz que anima todos os meus gestos me parece culpado, por isso anseio voltar para casa a fim de me sentir em segurança. Estou tentada a aceitar o convite de tia Matilde para passar umas semanas com ela, em Verona. A única coisa que me retém é pensar em Riccardo: ele parece tão forte, agora, que até me dá forças. Chego a pensar que poderia viver com ele na Argentina, e me surpreende que ele nunca tenha me proposto isso. Eu disse a Michele que quero convidar Marina para jantar conosco na noite de Páscoa; ele concordou de imediato, mas não prestava atenção ao que eu falava dela, de sua família. "Você deveria me dizer se a aprova, se gosta dela", reclamei. Michele respondeu que quem deve gostar não é ele, mas Riccardo, e, quando objetei que Marina será a mãe dos filhos deles, retrucou, quase com satisfação: "Serão filhos deles". Está cada vez mais nervoso e, se eu lhe pergunto o motivo, responde que o preocupa a ideia de uma próxima guerra; Clara diz que os produtores cinematográficos não querem assumir compromissos, estão temerosos. Observei que também foi assim na outra vez, mas que na verdade os negócios seguem do mesmo modo. Nasci pouco antes da guerra da Líbia e era pequena quando explodiu a Primeira Guerra Mundial; depois, no colégio, escalávamos as grades das janelas para ver os fascistas que passavam, trajando camisas negras abertas até a cintura, com caveiras desenhadas, e carregando granadas; quando Michele partiu para a Abissínia, estávamos casados havia poucos anos, e, quando ele vestiu novamente o uniforme, em 1940, ainda usava luto por seu irmão morto na Espanha. "De qualquer modo, aprendemos a viver", sustentei com dureza, "esta é uma faculdade que nosso povo tem e que o torna mais forte do que outros povos, aqueles que ainda precisam aprender." Michele se irritou, falou da inconsciência das mulheres, e continuei a rebatê-lo. Não quero que ele diga essas coisas na presença de Riccardo, que repita que hoje em dia tudo é inútil, estudar ou casar ou ter filhos. Reagi com tanta veemência que o constrangi ao silêncio.

Riccardo, felizmente, está apaixonado. Hoje mesmo garantia que não haverá guerra, e sua segurança nos conquistou. O modo como eles falam da guerra é diferente daquele como falávamos. Nossos pais acreditavam de fato que a guerra era necessária e a viam como um doloroso dever que trazia consigo muitas esperanças. Lembro ter visto meu pai limpar seu revólver, sério, meticulosamente, como se a pátria contasse apenas com aquela arma. Meu pai é um homem pacífico: a lembrança daquele gesto ainda me comove. Desde então, ouvimos dizer que a guerra é necessária, se todos quiserem assegurar o bem-estar de seus filhos. Naquela época, os filhos éramos nós, e agora são Riccardo e Mirella; dentro de dois anos poderiam ser os filhos deles. Vai-se adiante com as mesmas palavras, e nada mudou: apenas desapareceu nossa capacidade de acreditar que a guerra melhore alguma coisa. Mirella não dizia nada e nos observava com o olhar decidido que ela tem desde criança e que não me agrada. Escutava o irmão garantir alegremente que não haverá guerra, que ele irá para Buenos Aires e depois voltará para casar. Riccardo citava até um artigo muito tranquilizador que havia lido. Mirella perguntou: "Em que jornal?", e ele respondeu que não lembrava, tinha lido na barbearia. Suspirei: "Esperemos que sim".

Mirella observou que eu me entrego à esperança sem raciocinar: "Você está convencida de que a guerra não servirá para nada", dizia, "e no entanto não se pergunta, não procura compreender por que há sempre guerras e gente que morre". Respondi que são os homens que devem pensar nessas coisas. Riccardo se voltou para a irmã e disse que ela talvez compreenda tudo isso melhor do que ele ou do que seu pai ou do que a pessoa que escreveu o artigo ou até mesmo do que os homens do governo. "Se você sabe, por que não nos explica?", ele perguntou, num tom falsamente cortês. "Eu sei", ela replicou com teimosia infantil, "sei muitíssimo bem: é porque muita gente, como você, se limita a esconjurar a guerra em vez de tentar compreender." Riccardo começou a rir e eu tentei mudar de assunto: os dois são meus filhos, e quando brigam é como se alguma coisa também brigasse dentro de mim, dois tipos opostos do meu sangue. Ademais, muitas vezes Riccardo se encarniça contra Mirella só porque ela é mulher. Perguntou-lhe se é para tentar entender essas coisas que ela frequenta boates de luxo e passeia de carro toda noite. Ela respondeu duramente que sim, que é também por isso e que, de fato, somente fora desta casa começou a sentir vontade de compreender. Então Michele deu um soco na mesa e bradou: "Chega, Mirella, chega! Vá para seu quarto". Por um momento Mirella fitou o pai, hesitante, e depois o irmão, o qual, olhando o vazio, acendia lentamente um cigarro. Ela queria replicar, seus olhos estavam cheios de lágrimas, mas dominou sua violência habitual e saiu.

Caímos num silêncio glacial. Depois Michele também acendeu um cigarro e me pediu: "Mamãe, vá dizer a ela que esta deve ser a última vez, que eu não admito". "Não admite o quê?", perguntei. Michele hesitou um momento diante da minha pergunta precisa e respondeu: "Que não admito esses modos...". "Mirella não disse nada de grave...", objetei timidamente. "Chega!", ele repetiu, severo, "não admito esses modos revolucionários nem o tom condescendente que ela usa para falar comigo. Lembre a ela que eu sou seu pai e tenho cinquenta anos."

Mirella estava sentada no divã, em seu quarto. Quando entrei, nem levantou a cabeça, que estava apoiada nas mãos. Sentei numa cadeira no canto e fiquei olhando-a. Sobre o divã já estava estendida sua camisola, branca, uma camisola de menina. Eu nunca entendi Mirella, ao passo que sempre entendo Riccardo. Às vezes penso que, se ela não fosse minha filha, para mim seria difícil lhe querer bem. Ela não se contenta em se deixar levar pela vida, ser amada, como eu era na idade dela. Talvez seja porque os estudos para as moças eram muito diferentes naquela época. Eu jamais pensaria em ser advogada: estudava literatura, música, história da arte. Só me faziam conhecer aquilo que é belo e doce. Mirella estuda medicina legal. Sabe tudo. Os livros eram uma dificuldade que precisei vencer aos poucos, com o tempo; a ela, porém, dão aquela impiedosa força que nos separa.

"Mirella", eu disse, e ela levantou a cabeça. "Você compreende mesmo alguma coisa, de tudo isso?", perguntei num fio de voz, intimidada. Ela me fitou, absorta; depois balançou a cabeça e voltou a baixá-la entre as mãos. "E então?", insisti. "Nem sei por que agi daquele modo, esta noite", ela respondeu. "Errei, porque não tinha argumentos para responder. Mas sentia exatamente assim, aquilo que falei." "Por que você disse que tudo é diferente quando sai de casa?" Eu estava ansiosa por sua resposta, esperava que servisse para esclarecer também aquilo que sinto. "Porque é verdade, mamãe. Porque antes eu não conhecia outra vida além da nossa. Talvez também porque tenha visto os ricos de perto. E os pobres nunca deveriam ver o dinheiro muito de perto: impressiona muito. Dá medo. Está ali todo o mal, mamãe, o motivo de tudo. O erro está ali. Ali, aquilo que eu queria conseguir ver claramente, que é preciso compreender." Perguntei se ela se referia à guerra. Ela disse que sim, à guerra, e também a muitas outras coisas que estão nela, e em mim e em Riccardo e no pai, todas a consertar.

Eu não sabia a que coisas ela aludia e a olhava com espanto e temor. Contudo, pela primeira vez senti aquilo que muitas outras mães me dizem sentir e que eu nunca havia sentido: o desejo de transferir tudo da própria vida para a vida dos filhos, até as esperanças. E talvez justamente para aqueles diferentes de nós, nos quais não nos reconhecemos. "Veja se consegue compreender", murmurei; "para mim, acho que é tarde demais."

22 DE MARÇO

Esta noite Michele foi à casa de Clara, e Mirella também saiu. Eu havia lhe pedido que ficasse em casa, pois é Quinta-Feira Santa; ela disse que a esta altura não podia adiar. Eu também desejava que ela ficasse porque queria lhe falar. Nunca tive ideias próprias: até hoje me apoiei numa moral aprendida quando criança ou naquilo que meu marido dizia. Agora pareço não saber mais onde está o bem e onde está o mal, não consigo mais compreender os que me circundam e, por isso, aquilo que eu acreditava sólido em mim também perde consistência.

Relembro o dia de hoje, avidamente, procurando interpretar o significado oculto de cada olhar, de cada palavra. Pergunto-me se foi realmente porque desejava trabalhar num memorando urgente que ele pediu à Marcellini e a mim que fôssemos ao escritório, embora seja Quinta-Feira Santa. Marcellini, mesmo sabendo que receberia pelas horas extras, estava furiosa. Trabalhava de má vontade, ao copiar cometia inúmeros erros; ela é muito jovem. Quando o diretor lhe disse que não precisava mais dela, saiu quase sem se despedir.

Eu estava arrumando os papéis quando ele entrou na sala. Então, de repente, pelo seu olhar tive a certeza de que o memorando era um pretexto. Havia intuído desde que, ao liberar Marcellini, ele me pediu cortesmente que ficasse por mais alguns minutos. Como sempre, eu dissera a mim mesma que se de fato ele tivesse algum interesse em mim, já teria me dito, não aguentaria ficar calado. Mas agora compreendo que de algum tempo para cá me tornei outra, e por isso lhe pareço uma pessoa nova. Ao vê-lo entrar fiquei atordoada, peguei o casaco para ir embora. Ele disse: "Espere mais um momento, por favor". E em seguida, depois de uma pausa: "Sábado não poderemos nos ver, é a véspera da Páscoa". Pendurei de volta o casaco e me deixei cair na cadeira, atrás da escrivaninha, como se dissesse: "Aqui estou".

Havia deixado em cima da escrivaninha minha velha bolsa ornada por uma inicial, presente de Michele em um de meus aniversários. Ele sentou diante da escrivaninha, com um suspiro de bem-estar. Ficamos um tempinho em silêncio; desfrutávamos do prazer de estar sozinhos. Ele passava o dedo sobre a inicial do meu nome, como se a desenhasse, e enquanto isso falávamos coisas sem importância. Nem lembro o que dissemos, lembro apenas do gesto de sua mão: era como se me chamasse. Isso me dava arrepios, me parecia que aquela mão estava sobre mim, sobre minha pele, e tive vontade de implorar: "Pare, pare". Ele disse baixinho, como se lesse uma palavra escrita: "Valeria".

Depois houve um silêncio, e o eco do meu nome me embevecia. "O que está acontecendo, Valeria?", ele perguntou, sem me olhar, fitando sempre aquela inicial. Respondi: "Não sei", e baixei os olhos. Ele continuava: "Vamos ser francos? Posso falar?". Eu queria dizer não, pegar outra vez o casaco e ir embora, mas assenti. "Tive medo", ele confessou. Ergui novamente o olhar, espantada, porque sempre havia pensado nele como um homem forte. "Começou uns dois meses atrás, mais ou menos, quando a senhora me disse, lembra?, que as condições econômicas de sua família pareciam estar melhorando. Eu lhe perguntei, quase de brincadeira, se a senhora me abandonaria. Mas a senhora respondeu séria, como se já tivesse refletido sobre essa possibilidade. E disse, lembro bem: 'Por enquanto, não'." Imediatamente expliquei que havia respondido assim sem querer, talvez por instinto, considerando que, sem uma razão econômica, eu não saberia como justificar em casa esta minha atividade pessoal; mas que, ao contrário... Ele me interrompeu: "Sim, sim, compreendo. Aliás, na hora eu mesmo não dei importância a isso. Foi depois: naquele sábado no qual nos vimos sozinhos aqui no escritório, por acaso. De repente, enquanto trabalhávamos e eu experimentava uma desconhecida sensação de contentamento, suas palavras me voltaram à mente. Desde então comecei a ter medo, imaginando chegar aqui, toda manhã, e não encontrá-la. Talvez porque os outros, não viu Marcellini?, trabalham somente para receber o salário e ir embora, trabalham comigo como trabalhariam com qualquer outro. Ou talvez porque a senhora saiba tudo sobre o escritório, e sabe quanta tenacidade, quanto empenho... Ou talvez não seja por isso", acrescentou, baixando a voz. "Em suma, tive medo de voltar a ser sozinho como quando comecei a trabalhar; pior, até, porque hoje não tenho mais aquele entusiasmo, aquela ânsia de chegar que então me sustentava. Não acredito mais em nada, hoje. É isto: compreendi que aqui, sem a senhora, eu estaria sozinho como estou sozinho em casa. No início pensei que fosse um momento de cansaço, de vez em quando gosto de me compadecer de mim mesmo... Mas com o passar dos dias eu compreendia cada vez melhor como seria a minha vida sem a senhora, Valeria. Sentia até um invencível tédio do trabalho, e mesmo um tédio da vida, uma náusea. Compreende?" Murmurei: "Sim, compreendo". E em seguida, após uma pausa: "Seria a mesma coisa para mim também".

Mal pronunciei essas palavras, ele sorriu, trêmulo, emocionado, e experimentei de novo aquela sensação de confiança que só tenho quando estou com ele. Continuamos a falar, e tudo o que ele dizia renovava meu contentamento. Enquanto ele me olhava, eu era jovem, muito mais jovem do que quando entrei no escritório pela primeira vez: jovem como nunca fui, pois tinha a feliz consciência disso, que me faltava aos vinte anos. Permanecemos um diante do outro, com a escrivaninha entre nós; havíamos falado assim durante anos, e parecia impossível estabelecer uma confiança diferente daquela agora tão profunda. Ele me estendeu sua mão, eu lhe dei a minha, a escrivaninha nos unia em vez de nos separar.

Depois eu disse que já era tarde, eu ainda deveria ir à igreja para os *Sepolcri*.* Ele não me reteve: ambos sentíamos dispor de muito tempo, de longas horas, todos os dias, diante de nós. Arrumamos os papéis, fechamos as gavetas, apagamos as luzes como colegas de escola.

"Vai a qual igreja?", me perguntou na saída. Ele me olhava e eu sentia vergonha do velho sapato marrom que uso diariamente. "Aqui perto", respondi, "à San Carlo." Perguntou se podia me acompanhar por um trecho.

Assim que saímos, quando ainda estávamos esperando o elevador, comecei a ficar constrangida. Não sei definir o que me deu, eu estava livre dentro de mim, mas, fora, me sentia atada. Essa impressão durou até quando já estávamos na rua. Fazia muito tempo que eu não caminhava ao lado de um homem; hoje é raro eu sair com Michele. As ruas estavam cheias de gen-

---

* "Sepulcros". Nome que se dá, na Itália, à tradicional cerimônia católica de Transladação do Santíssimo Sacramento. Celebrada após a missa vespertina da Quinta-Feira Santa, consiste numa espécie de procissão durante a qual podem-se percorrer várias igrejas para rezar diante do Tabernáculo. (N. T.)

te que se dirigia indolentemente de uma igreja a outra. Parecia-me sentir, quase como se fosse levado pelas vestes dessas pessoas, o odor de flores apinhadas, de círios, o odor do dia dos *Sepolcri* nas minhas lembranças de colégio. Muitas mulheres usavam preto e tagarelavam excitadas, baixinho, como nos funerais. Evitamos a Via dei Condotti: eu buscava me ajustar ao passo dele, mas é difícil caminhar com uma pessoa muito alta, eu não conseguia conversar. A Via della Croce estava ruidosa e animada como numa festa de padroeiro na província. Tínhamos dificuldade de avançar em meio a tanta gente; quando passava um carro, todos se encostavam às paredes, alguns protestavam, eu ria e sentia muito calor. Parecia-me que estávamos em viagem numa cidade do Sul, alegre e maltrapilha. Eu ria, mas meu desconforto não passava. Até então, só compartiláramos os frios objetos do escritório, os documentos, as máquinas de escrever, os telefones, como se tivéssemos vivido juntos, durante anos, em um mundo desumano. E, em comparação, as bancas cheias de verduras, as vitrines das rotisserias, as luzes ofuscantes, as vozes, tudo me parecia desprovido de pudor. Talvez ele também tivesse a mesma sensação, porque de repente me pegou pelo braço sem considerar que era uma imprudência. Não está habituado a andar a pé. As pessoas o intimidavam: deslocava-se exageradamente para abrir espaço a quem passava. Eu o olhava enternecida, sorrindo, e o guiava pelas ruas que desde sempre são minhas amigas. "Até amanhã de manhã", ele me disse quando, por fim, alcançamos a escadaria da igreja, como uma ilha à qual tivéssemos chegado a salvo. Tirou o chapéu, dando uma rápida olhada ao redor: "Boa noite, Valeria", murmurou. Beijou minha mão. Eu não o reconhecia naquelas palavras, naquele gesto; mas fiquei feliz.

26 DE MARÇO

Acho que a Páscoa dissipou aquela inquietação, aquelas dúvidas com as quais me debato amiúde. Na manhã do Sábado de Aleluia, quando ouvi todos os sinos tocarem em uníssono de repente, pareceu-me que, também em mim, algo que estava preso enfim se desprendia e eu ficava livre. Ocupei-me mais ativamente do que o habitual a fim de preparar um dia agradável para Michele e os meninos; de fato, Riccardo disse nunca haver passado Páscoa tão bonita quanto esta, talvez porque Marina tenha jantado conosco. Na noite da véspera, demorei-me tanto nos preparativos que nem me restou tempo para escrever. Comprei três ovos de chocolate, considerando que agora, todo ano, será preciso acrescentar à dos meninos uma lembrança para Marina; depois pintei os ovos em cores vivas, como fazíamos no colégio; e por toda parte, sobre a mesa, em torno do bolo de Páscoa, dispus goivos brancos que difundiam um odor de açúcar e um ar simpaticamente provinciano. Quando o sacerdote veio abençoar a casa, eu até li em seus olhos uma expressão de agrado.

Foi a primeira vez que não fomos à missa todos juntos na manhã de Páscoa. Riccardo me perguntou se eu me incomodava que ele fosse à missa com Marina. Michele pediu minha opinião sobre a conveniência de enviar um buquê de flores a Clara, que foi tão gentil conosco nos últimos tempos, e eu aprovei com entusiasmo; ele foi ao centro para tal finalidade, garantindo que iria encontrar a mim e a Mirella na igreja, mas acabou se atrasando. Mirella quis ir à missa das onze para estar livre meia hora antes de voltar para casa a fim de me ajudar nos preparativos do almoço. Caminhávamos juntas rumo à igreja e eu sentia orgulho de sair com minha filha. Mirella tem uma boa postura, caminha desenvolta com uma graça nada lânguida; nunca tem aquela displicência característica das moças de sua idade. Tem postura de mulher segura de si. Na igreja eu a observava, ajoelhada a meu lado; ao se persignar, ao rezar, faz os gestos que lhe ensinei quando ela era menina, mas seus pensamentos já não são os meus. Usava um chapéu de palha crua que comprou com seu primeiro salário, a bolsa que Cantoni lhe deu e, no pescoço, uma echarpe cara que, penso, tem a mesma origem. Enquanto ela rezava, eu rezava por ela, para que fosse sempre uma boa filha. O som do órgão me comovia. Perguntei-me se fui uma boa filha e, depois, se sou uma boa mãe e uma boa esposa; mas, tendo feito um breve exame de consciência, precisei admitir que a todas essas perguntas eu poderia responder sim e não com a mesma sinceridade e, creio, com o mesmo fundamento. Então parei de fazê-las e pedi a Deus que ajudasse Mirella e também a mim, porque todos nós precisamos muito disso.

Nos dias de festa minha mãe faz questão de ser pontual como uma convidada de cerimônia. Sei que nessas ocasiões ela dedica muito tempo para se vestir: a escolha do chapéu ou das luvas é feita com minucioso empenho. Era muito elegante quando jovem, e hoje critica as mulheres contemporâneas pelo modo de vestir esportivo e casual. Nunca vem à cozinha; finge não perceber que estou atarefada, como se quisesse ignorar que sua filha não tem empregada. Ontem ficou sentada na sala de jantar, com meu pai e Riccardo, conversando; volta e meia, como por acaso, abria um relojinho de ouro que pendia da lapela de seu tailleur preto, sublinhando, com esse gesto, o desatencioso atraso de Michele. Quando a campainha da porta soou, ela disse: "Finalmente", mas era um mensageiro com uma grande cesta de rosas. Imediatamente adivinhei de quem vinha, ou melhor, me dei conta de ter esperado por isso até aquele momento e de que, nessa expectativa, havia preparado a refeição com um entusiasmo redobrado. Abri o cartão e de fato não sei como ninguém percebeu que minhas mãos tremiam. Comentei: "Ah, é do diretor", e logo acrescentei que no Natal ele fez o mesmo e que, na Páscoa do ano passado, me mandou um ovo de chocolate. Pareceu-me notar um silêncio ao redor, e me senti nervosíssima, estava quase deixando a cesta cair no chão quando Riccardo a tirou de minhas mãos dizendo que à noite Marina iria apreciá-la bastante. Dispunha das flores como se lhe pertencessem, pousando-as, para experimentar, sobre um móvel ou sobre outro, e por fim resolveu deixá-las sobre a cristaleira. Finalmente Michele chegou, esbaforido. Minha mãe olhou de novo o relógio e de repente se levantou do sofá para sentar à mesa. Michele não lhe pediu desculpas pelo atraso, como, na verdade, deveria; enquanto fazia um cumprimento geral, viu a cesta e perguntou: "E esta?", apontando-a como se se tratasse de uma pessoa a quem não conhecesse. Em seguida, virou-se para Mirella, carrancudo. Então, no silêncio, eu disse: "Não, são para mim... O diretor, como sempre". Ele retrucou que o diretor deve ter muito dinheiro para jogar fora. "Jogar fora?", repeti, fingindo-me ofendida, de brincadeira. "Você não está sendo gentil, Michele!" "As flores estão caríssimas nestes dias de festa", ele explicou: "A propósito, eu mesmo precisei levar as flores à casa de Clara, imagine, porque o florista não tinha nenhum entregador disponível. Eu a vi rapidamente, ela lhe manda muitos votos de Feliz Páscoa, pede que você telefone. Por estes dias, é impossível comprar flores", ele repetia, manifestando seu descontentamento. "Rosas: de trezentas a quatrocentas liras cada uma. Estas...", acrescentou, apontando a cesta, "são de quatrocentas. Quantas são?" Contou-as e depois disse: "Vinte e quatro... quatro vezes quatro, dezesseis...: nove mil e seiscentas liras". Todos se voltaram respeitosamente para a cesta, menos minha mãe, que continuava a tomar sua sopa. Riccardo observou, rindo, que teria sido melhor que o diretor nos mandasse o valor em dinheiro. Eu também brincava, mas algo me apertava o estômago, uma angústia insuportável. Servi os outros, abundantemente, alegremente, mas não comi quase nada. Desculpei-me dizendo que isso sempre acontece; quem cozinha não tem vontade de comer.

29 DE MARÇO

Eram rosas amarelas. Eu queria prender uma na lapela do casaquinho, ao voltar ao escritório na terça-feira, mas, apesar dos cuidados que tomei, depois de poucas horas elas estavam murchas. Quando fui agradecer, contei-lhe que havia conservado uma pétala entre as páginas de um caderno, mas sem esclarecer de qual caderno se trata. Todos os anos ele me mandou flores ou doces, para acompanhar os bons votos, mas é como se esta fosse a primeira vez. No entanto, nada mudou entre nós, aparentemente; duvido até que ele tenha dito as palavras que o ouvi dizer na quinta-feira passada. Observo-o, enquanto dita ou telefona, e encontro a mesma expressão que conheço em muitos anos: cortês, mas fria; e sempre, de certo modo, impenetrável. Durante a semana, sinto até certa reserva em escrever sobre ele. Ou talvez preferisse não escrever para fugir à necessidade de me julgar. De uns tempos para cá, me parece que tudo em mim é pecado. Repito a mim mesma que não estou fazendo nada errado, mas não consigo me convencer. De manhã, assim que entra no escritório, ele me telefona e diz: "Estou aqui"; depois escuto sua voz do outro lado da parede que nos separa e, pela primeira vez na vida, tenho a impressão de estar protegida. Hoje de manhã ele me chamou pelo telefone e, ao entrar em sua sala, quando lhe perguntei o que desejava, respondeu: "Vê-la". Rimos. É isso, existe esta novidade em nossas relações: quando estamos juntos, rimos com muita frequência, eu esqueço todo o resto e fico alegre. Um diálogo flui continuamente entre nós por meio do trabalho, e se alguém entra na sala eu me volto, com medo de que outros possam perceber esse nosso modo secreto de falar. É uma possibilidade que me aflige e me atrai. No escritório, desde o momento em que fui admitida, sempre desfrutei de uma posição de prestígio, não só pelas funções que exerço, mas porque as outras são mais jovens, solteiras, e eu, ao contrário, ao exercer essas funções, posso me valer também da minha experiência de mãe de família. Queria que elas me julgassem diferentemente, hoje, e, quem sabe, me temessem um pouco como uma mulher amada intensamente por alguém a quem ela pode impor seus desejos, ainda que iníquos.

30 DE MARÇO

Tenho poucos minutos para escrever, preciso tomar muito cuidado porque hoje de manhã Riccardo queria abrir a gaveta onde agora escondo o caderno para pegar umas fotografias dele quando criança e presenteá-las a Marina. A gaveta estava trancada e até Michele se espantou com isso. Embora, num primeiro momento, eu tivesse dito que não sabia mais onde estava a chave, tive de abri-la, do contrário Riccardo iria forçá-la. Ele perguntou na hora: "O que é este caderno?", e para distrair sua atenção precisei me fingir irritada por ceder a Marina aquelas fotografias.

Hoje Sabina esteve aqui. Mirella já havia saído; Sabina deixou umas apostilas para ela e já ia embora, mas eu a detive na porta. Disse: "Precisamos conversar um momento, Sabina. Eu sei que você sabe tudo sobre Mirella e aquele advogado, aquele Cantoni". Sabina é uma moça alta e curvilínea, de cabelos escuros. É muito inteligente, mas de poucas palavras. Respondeu que não sabe de nada. "Imaginei que essa seria sua resposta", repliquei, "é natural. Mas você sabe tudo, e por isso quero lhe falar mesmo assim. Não posso dar conselhos a Mirella; você, sim. Deve aconselhá-la. Diga-lhe que as pessoas já estão falando, ontem uma amiga me telefonou para perguntar se é verdade que Mirella está noiva. Você lhe quer bem e deve fazê-la refletir." Eu queria acrescentar: "Diga que convém pelo menos que ele a deixe na esquina e que não a espere no portão", mas não podia. Tenho de escolher entre a cumplicidade e a intransigência. "Diga que mais tarde ela vai se arrepender", continuei. Sabina respondeu: "Está bem, senhora". Falava e se aproximava da porta, e sua pressa me incitava. Pousei a mão na maçaneta para impedi-la de fugir de mim. "Você o conhece, não?", perguntei. Ela assentiu. "Como ele é? Diga-me: como ele é?", insisti. Ela hesitou e eu continuei: "Eu me preocupo com Mirella, sabe? Com a felicidade dela". Sabina me olhava em silêncio, me estudava, praticamente; e eu me arrependia de ter-lhe feito aquelas perguntas. Eu jamais tinha sentido Mirella tão estranha a mim como naquele momento; já ia abrindo a porta para Sabina ir embora, quando ela observou: "Mirella nunca poderá ser muito feliz, senhora; é inteligente demais". Eu sorri, dizendo: "Todos são inteligentes aos vinte anos, com o tempo é que fica cada vez mais difícil. Mas, em compensação, talvez se aprenda a ser feliz". Ela me fitava com embaraçada indiferença, sem responder. "Vá, pode ir", falei, "vou dizer a Mirella que você esteve aqui, que lhe telefone. Está bem?" Fechei a porta às suas costas, agastada.

1º DE ABRIL

A esta altura a casa me parece uma gaiola, uma prisão. No entanto gostaria de poder trancar as saídas, as janelas, gostaria de ser obrigada a permanecer dia após dia aqui dentro. Poderia pedir uma breve licença no escritório, talvez fosse bom. Michele queria sair, ir ao cinema, e eu disse que preferia que ficássemos sozinhos um pouco, juntos. Ele se aborreceu, mas mesmo assim logo cedeu ao meu desejo. Se tivesse me perguntado o que eu tinha, por que estava tão nervosa, talvez eu tivesse confessado tudo e lhe pedido ajuda. Os dois nos sentamos ao lado do rádio. Não sou uma conhecedora de música, como Michele, mas hoje Wagner me proporcionou uma grave comoção. Ao escutá-lo, me sentia forte, heroica até, disposta a extremas rebeliões ou sacrifícios.

Ontem ainda voltei ao escritório, à tarde. Fiz mal: a solidão ao nosso redor já não era acolhedora, mas insidiosa. Ele me beijava as mãos, murmurando: "Valeria... Valeria...", e era o som do meu nome que me perturbava. Os dias já se tornaram longos, o sol se comprimia contra as janelas. Eu disse: "É melhor que eu não venha mais, Guido".

Conversamos por duas horas, e justamente por insistir em não querer revê-lo no próximo sábado, involuntariamente eu confessava como estas horas são importantes para mim. Mas estou irremovível; por isso decidimos nos encontrar terça-feira numa cafeteria, depois do expediente, como se fôssemos nos despedir às vésperas de uma viagem. Ele me levou até em casa de carro e eu aceitei porque temia ofendê-lo. Ele guiava em marcha lenta e de vez em quando se voltava para me fitar, como se quisesse reter na memória uma imagem que dali a pouco desapareceria. Eu me deixava fitar. Antes de entrar aqui na rua, ele me interrogou com os olhos, incerto quanto a continuar ou parar. Acenei-lhe que seguisse adiante, até porque seria somente por uma vez. Depois desci depressa e resisti à tentação de seguir com o olhar o automóvel escuro que se afastava.

Subi a escada correndo e, tendo fechado a porta, respirei. Todos já estavam em casa e fiquei feliz por encontrá-los como quando, criança, revia minha mãe de volta da confissão. Pedi a

Mirella que não saísse, disse-lhe que não me sentia muito bem. Ela respondeu que já havia resolvido ficar em casa. Michele estava silencioso, distraído. Enquanto ele não souber alguma coisa sobre o argumento, é natural agir assim; eu o encorajei dizendo-lhe que sentia que tudo se resolveria da melhor maneira.

2 DE ABRIL

Telefonei a Clara, disse que quero vê-la, e ela me convidou para almoçar, mas não marcamos o dia. Expressei meu agradecimento pelo que está fazendo por nós, repeti: "Estou torcendo". Clara respondeu que na realidade não tem muitas esperanças, mas que eu não desencorajasse Michele, porque ela ainda vai tentar muitos caminhos. "O argumento tem um ponto de partida interessante, você não acha?" Respondi vagamente, seria desagradável confessar que não sei nada a respeito. "Sim, claro." Clara continuava: "Seria bom reescrevê-lo todo, mas, tal como foi corrigido, pode funcionar. O enredo, sem dúvida, é muito obscuro, muito complicado". Eu dizia: "Pois é... pois é...". "Esta é também a sua força, seu atrativo, não nego", ela observava; "aquele homem que a cada mulher afirma ser uma pessoa diferente é um sucesso. E também, quando ele segue pela rua mal-afamada, e a cena seguinte, quando volta para casa e encontra a esposa, que lhe diz: 'Mantive aquecida sua sopa'... Há ideias belíssimas, poderia dar um filme e tanto. Mas temo que não funcione, que nenhum produtor seja corajoso o bastante. Aconselhei Michele a aliviá-lo, ele diz que não é possível e, no fundo, não está errado: a força do argumento está justamente naquela febre, naquela obsessão sexual." Por fim ela disse: "É pena", acrescentando que Michele teria muitas aptidões para o cinema; e repetiu, "é pena".

Quando Michele voltou para casa, não lhe contei que havia falado com Clara.

3 DE ABRIL

Hoje, no final da tarde, Marcellini passou diante de mim com a pasta da correspondência e me disse, descontente: "O diretor já quer ir embora e os documentos ainda estão por assinar, como eu podia saber?". Não disse nada e baixei os olhos para minha papelada: temia dar a entender que ele sairia mais cedo do que de costume para se encontrar comigo. Parecia-me que todos os colegas sabiam, em cada frase que me era dirigida eu vislumbrava um significado alusivo. Fingia tomar notas, me mostrava ocupadíssima, distribuía ordens totalmente supérfluas só porque queria sublinhar que não tinha pressa, e que provavelmente sairia do escritório muito tarde. Esperava, aliás, que o diretor viesse falar comigo para fazer alguma última recomendação, como é seu hábito quando sai. Eu estava determinada a dizer a ele: "Não vou", e essa decisão me tranquilizava. Fiquei atenta ao som de seus passos atrás de mim, esperando ouvir a porta se abrir. Nada. Fui até a sala dele e a encontrei deserta, a luz apagada. Perguntei ao contínuo se o diretor já havia saído e o rapaz respondeu que sim, no tom distraído que sempre tem no final do expediente. Então, invadida por uma pressa repentina, também deixei o escritório, temerosa de fazê-lo esperar.

Ele estava sentado a uma mesinha apartada. E, enquanto avançava em sua direção, encabulada, parecendo-me que todos os espelhos me refletiam, que todas as luzes e todos os olhares estavam voltados para mim, eu o via tão calmo e seguro que me perguntei quantas outras vezes ele havia esperado por uma mulher numa cafeteria. Eu, até hoje, jamais tinha entrado numa cafeteria para me encontrar com um homem.

É uma cafeteria decorada com gosto moderno: cetins, estátuas, tapetes macios. Eu me sentia lisonjeada por estar ali, mas, por causa do meu vestido, um tanto constrangida. Fazia anos que eu não entrava num lugar como aquele, pensei com desgosto, e Guido, ao contrário, estava ali como em casa: pediu um complicado aperitivo, dando instruções precisas ao garçom. Eu pedi um vermute, mas o deixei intacto. Disse a Guido que não posso vê-lo fora do escritório, nem mesmo aos sábados, nunca mais. Depois de um silêncio durante o qual ele parecia se interrogar, Guido me perguntou se no sábado passado havia dito ou feito alguma coisa que tivesse me desagradado. Respondi que não. Ele ergueu os olhos para mim, como se dissesse: "E então?". Repeti: "É impossível", e balançava a cabeça; mas, na realidade, eu mesma não sabia por quê. Sabia apenas que havia um motivo, embora naquele momento não conseguisse explicar qual. Pensei em Michele, nos meninos, mas não sentia nenhum remorso, estava calmíssima. Guido segurou minha mão e repetiu que não pode abdicar de mim.

Ele falava, e suas palavras, doces e convincentes, chegavam a mim como através de um vidro. Um vidro me separava de tudo, àquela altura. Olhei-me num espelho que ficava ao lado e pensei: "Talvez seja a idade". Mas me contradizia a íntima segurança que tenho de estar jovem, apesar de tudo, às vésperas de um período feliz. Guido discorria sobre si com argumentos semelhantes aos que eu usaria para falar de mim. Eu me perguntava se ele era sincero, e se eu mesma o era. Depois lembrei do argumento que Michele escreveu, mas já não sentia, em relação a ele, a hostilidade que senti ontem depois do telefonema a Clara. Ou talvez mascarasse a hostilidade por trás de um sentimento de desaprovação que eu queria manifestar, justamente, com a minha renúncia. "Não é possível", repeti, esperando vagamente que Guido me demonstrasse o contrário.

Saímos juntos e, sem sequer me perguntar se podia me acompanhar, ele me conduziu a seu automóvel, estacionado ali perto, numa rua secundária. Novamente notei que, quando caminhamos juntos, de vez em quando ele olha ao redor. Quanto a mim, parecia-me que ser descoberta em sua companhia não me importava em nada. Eu quase desejava isso, não sei se como uma libertação ou um castigo. No carro, me senti muito bem, estava contente: me perguntava, aliás, por que desejava renunciar à única coisa doce da minha vida, isso me parecia um capricho. Ele guiava devagar, em direção à minha casa, mas primeiro margeando o rio e depois se delongando em um longo giro pela periferia. As rodas deslizavam com facilidade sobre o asfalto liso das ruas, o motor mal respirava. Eu me sentia protegida por sua presença, agradava-me estar instalada num assento amplo e macio, diante dos mostradores iluminados no painel do carro novo, e meus nervos estavam tão relaxados que eu quase poderia dormir. Realmente me custava admitir que não é possível. Numa rua solitária, ele parou o carro e desligou o motor. Ficamos um longo momento sem nos olhar nem falar, apenas de mãos dadas. No silêncio eu ouvia a voz dos grilos; parecia-me ter voltado ao tempo em que íamos ao Vêneto, no verão; eu era uma menina pequena, ainda possuíamos a *villa*. Desde aquela época não lembro ter experimentado a mesma sensação de paz e segurança. Ele disse: "Não é justo, Valeria, não é justo". Depois acrescentou: "Não acha que nós também temos algum direito?". Eu o olhava e murmurava "sim", mas desesperada. Não queria voltar para casa, mas, ao ver a hora indicada pelas verdes esferas do relógio luminoso, sentia uma pressa habitual me dominar. Não sabia para quem devia voltar à minha casa nem para o quê; mas sabia que era preciso voltar, e esse dever implacável, absurdo, me causava enorme amargura. "Dê-me tempo de me habituar à ideia de ficar novamente só, de não ter mais nada. Vamos nos ver sábado ainda, pelo menos." Ele dizia que pouco a pouco iria compreender. Eu concedi: "Está bem". E me parecia que uma lei misteriosa me obrigava a me defender, a renunciar, me impunha a representação de uma personagem justamente com ele, a única pessoa com a qual sentia que podia ser sincera.

Assim que entrei em casa, fui diretamente ao quarto de Mirella, ainda com a chave na mão. Temia, irracionalmente, que ela tivesse me visto descer do automóvel.

Estava disposta a responder que uma mulher honesta age como eu agi; aceita um encontro, mas só para dizer: "Chega", para dizer "não é possível", ainda que sofra, ainda que tivesse direito de agir diferentemente, ainda que tenha dado toda a vida pelos outros. "Por você", eu diria a ela. E essa consciência se azedava em mim, tornava-se maldade. "Não vai sair?", perguntei. Debruçada sobre os livros, ela estudava passando a mão entre os cabelos, como é seu hábito; estava toda despenteada. "Não", respondeu. Eu tinha percebido que ela não saía fazia várias noites. "Talvez você tenha compreendido", insinuei, para instigá-la a falar, "convenceu-se de que certas coisas não são possíveis." "Não", ela respondeu, resoluta, "não é por isso." E explicou: "Sandro está em Nova York". "Melhor assim", exclamei. Depois a intimei a não pronunciar aquele nome em minha presença como se fosse de um noivo ou marido. Ela me interrompeu, firmemente, com voz enérgica: "Mamãe, por favor, não diga nada contra ele esta noite, peço o favor. Ele chega amanhã. Já está voando. Está sobre o oceano a esta hora". Depois confessou, baixinho: "Tenho medo".

Ficamos caladas. Vi que ela mantinha a seu lado um cinzeiro cheio de guimbas e, diante de si, firme sobre a pulseira dobrada, seu velho relógio de estudante. Fui até a janela; através das vidraças, olhei lá fora. "Não é possível", me repetia, pensando em Guido. Poderia varar a noite atrás da janela observando o céu por ela, se me pedisse. Era uma noite calma, estrelada, daquelas em que vemos os aviões passarem piscando alegremente os faróis, como olhos maliciosos. "Fique tranquila", murmurei, "o tempo está sereno."

6 DE ABRIL

De algum tempo para cá, com frequência me acontece relembrar o passado. Releio velhas cartas, poemas que escrevi no colégio, e negligencio o caderno, talvez porque não tenha coragem de enfrentar o presente. À noite, quando os outros dormem, releio as cartas que Michele e eu trocávamos durante o noivado ou que ele me escrevia da África. Reli todas, e no entanto, não sei por quê, me parece que não foram escritas por Michele, mas por uma pessoa com a qual eu não tenho a familiaridade que tenho com ele. Por Guido, por exemplo. Na verdade, enquanto as leio, converso com Guido, amargamente o faço constatar a fragilidade do amor, como se tivesse dividido com ele, e não com Michele, as antigas ilusões que não se transformaram em realidade.

Pouco a pouco, todos foram se habituando à ideia de que à noite eu fique acordada até altas horas. Talvez conjecturem que, com a idade, todo mundo adquire pequenas manias. Sou eu que deliberadamente não ouso aproveitar da minha liberdade, digo que preciso ficar de pé para trabalhar ou passar roupa, e com frequência o faço de fato, quase me regozijando por sacrificar o diário. Às vezes permaneço muito tempo à toa, sentada numa cadeira desconfortável, imaginando viagens que gostaria de fazer, palavras que desejaria dizer. Tenho raras oportunidades de conversar; gostaria de falar com Michele, confessar tudo e fazê-lo compreender que, se hoje à tarde eu aceitei me encontrar de novo com Guido, na mesma cafeteria, foi somente porque precisava falar com alguém; falar dos conflitos, dos sentimentos que ele agita em mim, mas o único que se interessa pela minha vida íntima é justamente ele, aquele que eu deveria combater. Michele está sempre nervoso e à noite vai frequentemente à casa de Clara, ainda espera uma resposta definitiva; Riccardo também parece ter perdido o bom humor, anda distraído, explode por qualquer bobagem, e Mirella, desde que aquele homem retornou, não fica mais em casa nem por um momento. Nos primeiros anos do casamento, tinha a impressão de não conseguir dar tudo o que os outros me pediam; talvez eu fosse menos rica de sentimentos ou menos disposta a dar. Agora, quando a casa fica vazia e silenciosa, penso em minha mãe, que transcorre horas sentada, bordando, absorta nas recordações do passado. Sempre acreditei que isso fosse próprio dos velhos, que não têm a cumprir nenhuma ação tão viva quanto seu pensamento, mas talvez não seja assim. Então me sacudo, vou para a cama e, para me aquecer, me encosto em Michele, que dorme.

 Quase todas as cartas que ele me escreveu da África estão impregnadas de reprovação. Não lembrava disso e fiquei surpresa. Talvez por causa da distância de casa e da família, ele reclamava que eu o negligenciava, me acusava de não ser afetuosa. Eu atribuía tal desalento ao estado de espírito de todos os combatentes, que, para mascarar o temor da morte, expressam o medo do fim dos sentimentos mais caros. De fato, nas minhas cartas eu sempre o criticava jovialmente quanto a isso; recordava-lhe as aflições que sofria por ele, minhas dificuldades materiais, a vida cansativa que eu era obrigada a levar. Mas, no final, sempre o tranquilizava quanto à minha tenacidade, quanto à nossa boa saúde e, para alegrá-lo, contava-lhe vagamente tudo o que as crianças diziam e faziam, ao passo que ele falava somente de si. Agora notei que, com frequência, aludia a um perigo que nos ameaçava e que ele estava decidido a afastar. Eu lhe respondia que bastava seu retorno para afastar qualquer perigo, as crianças estariam novamente em segurança, não devíamos nos preocupar com nada. Em uma carta, ele dizia: "Quero reencontrá-la, minha Valeria. Às vezes já não consigo vê-la: você se escondeu entre os filhos". Enquanto lia essas palavras, ontem à noite, senti um calafrio, precisei me levantar, buscar um xale e cobrir os ombros. Depois recomecei a ler avidamente. Muitas vezes, Michele fazia planos para o retorno: propunha uma pequena viagem, falava até de matricular Riccardo num internato a fim de que eu tivesse tempo para dedicar a ele. Dizia que iríamos juntos a concertos, faríamos uma assinatura no teatro, e que todo domingo, no verão que se aproximava, iríamos à praia, iríamos nadar, ficaríamos alegres. As mesmas coisas que havíamos planejado quando noivos e que depois não tínhamos podido concretizar porque eram caras e, sobretudo, porque eu não me sentia tranquila quando deixava as crianças. As últimas cartas eram tão ardentes que eu ficava ruborizada só de pensar que fora Michele a escrevê-las.

    Tentei lembrar como foi o seu retorno. Fui à estação com meus pais, o pai dele e as crianças. Ele estava com o rosto muito queimado de sol, mais magro, parecia outro. Retomamos a vida de antes, cada vez mais difícil. Eu tinha muito o que fazer em casa e Michele era bondoso comigo, nunca reclamava de nada. Já que ele tinha voltado, lembro que, com uma sensação de alívio, atei suas cartas com uma fita e as guardei, entre as outras, numa maleta. Agora tenho uma estranha impressão ao revê-las todas juntas: como se nossas primeiras cartas, durante o noivado, tivessem sido escritas por duas pessoas diferentes daquelas que éramos quando ele estava na África e, em todo caso, diferentes daquelas que somos hoje. Já não nos escrevemos cartas. Acostumamo-nos a nos envergonhar dos nossos sentimentos amorosos como de pecados; de modo que, pouco a pouco, eles se tornaram verdadeiramente tais. Michele, de resto, me julga fria, pouco afetuosa, e conservou a mania de se queixar zombeteiramente disso na presença dos meninos ou de amigos. No começo isso me deixava constrangida, mas depois acabei me habituando a achar graça. Houve, porém, um episódio que talvez eu nunca devesse ter esquecido. Foi uma coisa de muitos anos atrás. Na época eu costumava ficar muito tempo no quarto dos meninos, à noite, para que Mirella adormecesse; desde bem pequena ela já era teimosa e havia adquirido o hábito de bater com violência na grade de metal do berço se eu não lhe fizesse companhia. Michele sempre permanecia sozinho na sala, lendo, e uma noite, quando afinal fui a seu encontro, ele me repreendeu duramente. Eu tinha saído do quarto que já estava escuro a fim de que as crianças pegassem no sono; sua repreensão se acrescentou ao meu cansaço sonolento e fiquei magoada. Meus nervos deviam estar muito abalados, porque lembro que respondi com violência, acusando-o de não valorizar a prova de amor que eu lhe dava, cuidando de seus filhos. Ele disse que não era amor, que eu me enganava, disse que havia casado comigo para que eu fosse sua companheira, e não uma babá; essas palavras me ofenderam, e caí no choro. Ao ver meu pranto, Michele se aproximou ternamente, me abraçou, me consolou. Dizia: "Desculpe", e passava a mão na testa como se quisesse voltar a si. Isso foi antes de ele partir para a África, mas eu sempre me lembrei claramente daquela noite, embora sempre a empurrasse para o fundo da memória, como as cartas na maleta.

 É estranho: de um tempo para cá, me sinto culpada em relação a Michele de uma coisa que sempre registrara orgulhosamente a meu favor. Sinto isso sobretudo se estou sozinha à noite, ou quando, no escritório, Guido fala comigo e eu repito que não é possível. Reli as cartas justamente com o objetivo de saber melhor por que não é possível; e cometi um erro. Na maleta, junto com as cartas, estão guardadas algumas lembranças dos meninos que sempre despertaram em mim muito enternecimento. Mas, hoje, o urso com o qual Mirella brincava quando criança, ou os primeiros sapatinhos de Riccardo, me parecem coisas inúteis, não me tocam mais, são ninhos de poeira. Somente as cartas de Michele ainda estão vivas, embora endereçadas a uma mulher que não se assemelha a mim, na qual não me reconheço. Mas, justamente por relê-las, perdi toda a esperança de compreender por que não é possível, e aliás tenho a impressão de que amanhã, quando estiver com Guido, não poderei mais lhe repetir isso sem mentir.

8 DE ABRIL

Entender-me com meus filhos me é cada vez mais difícil. Ontem Riccardo veio até a cozinha com um lápis e uma folha de papel e me perguntou quais são as despesas mensais de uma pequena família. Desconfiada, perguntei-lhe por que queria saber. Ele respondeu que, só por brincadeira, queria calcular se poderia casar antes de ir para Buenos Aires. Eu ando muito nervosa por estes dias; então lhe disse que tratasse de estudar, que era raro vê-lo à escrivaninha e que, se continuasse assim, ele nem sequer conseguiria o diploma. Alguma palavra contra Marina me escapuliu e Riccardo se afastou dizendo que nunca tenho tempo ou vontade de dar atenção a ele, a seus problemas. Foi tão injusto que, depois, quando eu estava saindo, ele se aproximou e me ajudou a vestir o casaco para se fazer perdoar.

Quando cheguei ao escritório, me sentei à escrivaninha diante de Guido e disse: "Estou cansada". Eu devia estar com uma expressão angustiada, porque ele me olhou com ternura e perguntou, pressuroso: "O que eu posso fazer? Tem alguma coisa que eu possa fazer?". Falava com voz calorosa, de amigo devotado. A sala estava acolhedora: a luz vespertina passava através das jovens folhas da trepadeira que emoldura a janela, a lâmpada é verde, verde o couro das poltronas, eu me sentia numa ilha verde. "Nada", respondi sorrindo, tranquilizada: "Obrigada. Estou bem aqui". Muitas vezes fico tentada a falar do futuro de Riccardo, e de Mirella e Cantoni, a lhe pedir conselho. Mas não quero fazer isso; não quero me tornar, também aqui, aquela que sou em casa. Quero que ele me veja diferente.

Pergunto-me como é que Mirella me enxerga. Por alguns instantes, nos vemos unidas numa confiança absoluta: quando nos esquecemos de ser mãe e filha. Mas depois ela se afastava de novo, como se temesse um contágio. Hoje me perguntou: "O que você disse a Sabina?". Falava como se fosse eu a mais jovem, aquela que pode errar, e muitas vezes me parece de fato que é assim. Respondi que tenho o dever de zelar por sua conduta e que ela, enquanto morar aqui em casa, deve respeitar minha autoridade. "Enquanto eu morar aqui...", ela repetiu, "mas então o que conta? Sobre o que se baseia essa autoridade que precisa do nome de uma rua, do número de um prédio?" Mirella sempre faz discursos difíceis, é sua forma de arrogância comigo. Eu disse que basta o casamento para liberá-la dessa autoridade; mas que a nova não será mais leve. Ela, balançando a cabeça, reclamava que é impossível nos entendermos. "Você só reconhece a autoridade familiar", ela dizia: "É a única que a ensinaram a respeitar, sem julgá-la, mediante o castigo e o medo". "E você, ao contrário, respeita o quê?", perguntei ironicamente. Ela respondeu, séria: "No momento, a mim mesma". Disse que eu estou presa a preconceitos nos quais talvez nem acredite. Retruquei que, em todo caso, sempre paguei o que devia por esses preconceitos. "Justamente", ela disse, "eu não quero pagar pelo que não aprovo. Falávamos disso hoje com papai à mesa, você não ouviu?

Não discordávamos." É verdade: eles diziam coisas que às vezes eu também penso, mas que, quando as escuto, não ouso aprovar. Michele, por exemplo, sempre soube qual é a sua consciência de homem: durante toda a vida demonstrou sabê-lo. Hoje, porém, dizia que é preciso aceitar o tormento de buscar uma consciência nova e, buscando-a, criá-la. Deve ser alguma coisa que ele ouviu de Clara. Não vejo a hora em que ele saberá a sorte do argumento e deixará de ir com tanta frequência à casa dela. Quando Michele fala assim, me dá medo; Mirella também me dá medo. Às vezes penso que só Riccardo e eu somos duas pessoas normais.

10 DE ABRIL

Sinto-me tão transtornada que não tenho sequer a possibilidade de juntar as ideias. Estou esperando Mirella, é meia-noite; toda hora vou à janela, não consigo ficar parada. Voltei do escritório de táxi, acreditando chegar a tempo de falar com ela antes que os outros voltassem para casa; mas Riccardo já tinha chegado e me disse que ela havia telefonado para avisar que não viria jantar. Desnorteada, estive prestes a lhe revelar o que eu soube. Consegui me conter e tive forças para não dizer a Michele. Quero ouvir a própria Mirella, antes de tomar qualquer providência.

Hoje eu estava na sala de Guido e ele falava ao telefone; dizia a alguém que, para tomar determinada decisão, queria saber a opinião de Barilesi, que não está em Roma. "E Cantoni também não está", comentou. Eu lhe fiz um aceno, mas ele não compreendeu. Quando desligou, eu lhe disse, com certo constrangimento, que Cantoni já estava de volta. "Ah, ainda bem", ele disse, e acrescentou: "parece que foi a Nova York para se separar da mulher".

Dei um grito dentro de mim, mas fiquei petrificada. "Sabia disso?", ele perguntou, e eu fingi estar distraída, mantive o lápis sobre o papel como se pensasse em alguma coisa que devia escrever. Perguntei-me se não era o momento de lhe contar tudo, de pedir sua ajuda. Mas havia algo que me impedia: a presença de uma grande fotografia sobre a escrivaninha na qual Guido e eu trabalhamos juntos. Mostra uma mulher, ainda jovem, com um fio de pérolas no pescoço, e duas crianças, uma de um lado, uma de outro, às quais ela se apoia ao abraçá-las. O retrato está ali há tantos anos que eu já não prestava mais atenção a ele.

12 DE ABRIL

Ontem não escrevi, embora me teria sido proveitoso, ao menos para refletir com mais calma. Durante todo o dia me perguntei qual deve ser minha atitude perante Mirella; me perguntava, sobretudo, se seria conveniente lhe apresentar uma alternativa que não deixe margem para dúvida, dizer: "Ou você interrompe qualquer relação com aquele homem, ou sai de casa". Se não lhe disse isso logo, terça-feira à noite, foi porque temia que ela fosse embora sem pestanejar. Aliás, ela mesma se ofereceu a ir. O advogado Barilesi lhe propôs trabalhar no escritório dele em período integral e não somente à tarde, como agora; se ela aceitasse, ganharia mais de cinquenta mil liras por mês. Mal lhe bastariam para viver; mas sei que Mirella é capaz de qualquer sacrifício para não ceder. Essa consideração me impediu confrontá-la com uma escolha que temo já saber qual seria. Pelo mesmo motivo, não mencionei o assunto a Michele. Avaliei até a possibilidade de pedir a minha mãe para conversar com ela; depois me convenci de que isso serviria apenas para agastá-la. Somente alguém que não tivesse um interesse direto, um amigo, poderia lhe falar. É triste ter dado tanto de nós mesmos aos filhos para no fim reconhecer que as únicas pessoas nas quais eles não têm confiança somos justamente nós. Sabina é a única que ela escutaria; mas me parece humilhante recorrer a uma jovem daquela idade, e mais: duvido que ela esteja disposta a me ajudar. Esgotada por tantas incertezas, ainda abalada pela informação recebida e pela conversa com Mirella, ontem à noite fui dominada por uma invencível vontade de dormir longamente para adiar a solução desse problema. Antes do jantar, disse a Mirella: "Esta noite você não sai, entendeu?, não sai de jeito nenhum". Esperava que ela se rebelasse e que, desse modo, os acontecimentos tomassem o rumo natural, inevitável. Só que ela respondeu: "Está bem, mamãe", e foi telefonar para desmarcar o compromisso. Mas é justo essa condescendência, tão insólita nela, que me preocupa, já que a facilidade com a qual renuncia a um breve encontro demonstra o quanto seu vínculo com aquele homem é sólido e duradouro.

    Sua calma me afligiu desde o primeiro momento, terça-feira à noite, e me tirou a possibilidade de agir com igual calma; eu a via abrindo a porta, cautelosamente, e, não sei por quê, imaginava-a pálida, com os cabelos desalinhados, os lábios descorados. Contudo ela voltou pouco depois da meia-noite e estava fresca, arrumada, como quando havia saído. Fechou a porta de casa tranquilamente e, ao me ver na soleira da sala de jantar, sorriu; mas a expressão do meu rosto a congelou. Parou com a mão na maçaneta e me olhou, me interrogando. "Entre", ordenei, baixinho. Ao passar diante de mim, mesmo se fingindo tranquila, ela se afastou como se temesse apanhar. Foi seu temor que me instigou: me aproximei e lhe dei um tapa. Sobressaltada, ela arregalou os olhos, sem protestar. "Você sabia que ele é casado? Sabia?", perguntei. Ela me encarava aterrorizada, de modo que me iludi imaginando que ignorasse a verdade. "Sabia?", insisti, triunfante e maligna. Ainda com a mão sobre a face avermelhada pelo tapa, e sem tirar os olhos de mim, Mirella assentiu. Então agarrei-a pelo braço e a sacudi com violência. "E não tem vergonha? Me diga, você não se envergonha de confessar isso?", eu repetia, continuando a sacudi-la. Ela tremia, eu sentia a fragilidade de seu corpo sob minha mão, e isso confirmava sua culpa. "Ah, chega, agora chega", eu dizia, "não admito, tenha vergonha, tenha vergonha." Eu estava desesperada, sentia que falava como Michele, que pronunciava palavras praticamente desprovidas de sentido, mas eram as únicas que me socorriam naquele momento. "Diga-me ao menos que ele a enganou, diga alguma coisa. Quando você soube?" "Desde sempre", foi a resposta. Soltei seu braço e desabei numa cadeira junto à mesa. Fui me acalmando pouco a pouco, mas, em vez da ira, fui tomada por um doloroso desânimo. "Venha cá, Mirella, sente-se", pedi.

Então nos vimos uma diante da outra, tal como costumamos nos sentar à mesa; eu a vi crescer, me alcançar, ela já é mais alta do que eu; é uma mulher. "Você não pensa em nós, às vezes?", perguntei. Ela nada dizia. "Em todos os sacrifícios, todas as renúncias que fiz por você, tantas que você nem imagina." Eu pensava em Guido, naquele momento, e achava que ela deveria compreender, pelo tom da minha voz, que se tratava de uma renúncia importante. "Sim", ela respondeu, após uma pausa, "desde o primeiro dia eu lhe disse que, se você quisesse, eu iria embora daqui." Falava num tom sério e amargurado que me desarmava. "Para onde você iria?", perguntei com ternura, balançando a cabeça. Sem olhar para mim, ela continuou: "Não se preocupe comigo. Diga apenas se quer que eu vá embora". Estava pálida, via-se que sentia medo. "Você ficaria feliz, Mirella?", perguntei, evitando instintivamente responder a ela. "Sem nós, sem sua mãe, sem tudo o que tem sido sua vida até agora? Diga, ficaria feliz?" Ela hesitou um pouco e depois afirmou, quase num sopro: "Não sei. Eu lamentaria muito deixar vocês". Ao ouvi-la dizer somente "eu lamentaria", senti um arrepio de revolta. "Mas talvez me adaptasse facilmente", ela continuou, "decida você o que quer que eu faça. Não pense em mim. Pense somente em vocês, no papai." Eu não podia tomar uma decisão, e ela percebia; temi, aliás, que apostasse nisso e que sua calma resultasse de um cálculo. Perguntei afetuosamente: "Você diz isso por acreditar que não pode agir de outro modo? Que não tem escolha? Mas não é assim, sempre se pode remediar tudo, ao menos evitando um dano maior. Você se tornou amante dele, não?". Ela corou violentamente e respondeu: "Isso só interessa a mim". Então, perdi de novo o controle: "Descarada!", exclamei. "Não tem vergonha de falar assim?" "Não", ela respondeu, peremptória. "E, de qualquer modo, fosse qual fosse a minha resposta, não mudaria nada. Você pode me impor sua vontade, por uns poucos meses ainda; pode me trancar num convento ou me expulsar de casa. Você tem pleno direito de fazer isso e eu vou obedecer. Essas são as relações entre nós duas. O resto só interessa a mim." Aniquilada por tanta frieza, retruquei: "Então a moral não tem importância para você?". Ela ficou um momento em silêncio e depois disse, em voz baixa: "Oh, eu reflito muito, acredite, me pergunto continuamente o que é o bem e o que é o mal. Você sempre me acusa de ser cínica, fria; mas não é assim. Não é verdade. Sou diferente de você, só isso. Já lhe repeti muitas vezes: você tem a possibilidade de confiar nos modelos convencionais do bem e do mal. Tem mais sorte. Eu, porém, preciso revê-los segundo o meu juízo, antes de aceitá-los". "Mas qual pode ser o seu juízo, aos vinte anos?", exclamei com raiva. "Você deve confiar naqueles que já têm experiência, recorrer a eles." Ela sorriu: "Se fosse assim, nada jamais mudaria, tudo se transmitiria intacto de geração a geração, sem melhorar; ainda se venderiam escravos em praça pública, não acha? É justamente agora que eu posso me rebelar; aos quarenta anos, quando já serei velha, não vou mais poder fazer muita coisa, vou preferir ficar sossegada". Estive prestes a dizer que, pelo contrário, é justamente aos quarenta anos que a pessoa se rebela, mas não sei se é verdade, e também Mirella é muito mais culta do que eu, vive citando nomes e livros que me desmentem. Então preferi perguntar: "Você não é religiosa, Mirella?".

Ela hesitou um momento antes de responder e depois disse: "Acho que sou. Pelo menos tenho sido até agora. Mas não sei explicar... Bem, agora vou saber se minha fé é mais forte do que algumas das minhas ideias, alguns dos propósitos que a religião condena. Compreende? Em suma, hoje eu devo aceitar conscientemente a religião que vocês me impuseram quando eu era menina. Até o momento, era fácil ser religiosa. Agora... agora é muito diferente, se quisermos considerar a religião como um compromisso sério, que deve regular nossas ações, e se não nos contentarmos com ir à missa do meio-dia aos domingos, talvez com um chapéu novo". "E então?", perguntei ansiosamente. Parecia-me que a partir de sua resposta eu compreenderia se ela é ou não amante de Cantoni. "Isso também só interessa a mim, mamãe. Neste particular, realmente não se pode seguir o exemplo dos outros sem convicção." O fato de ela não parar de refletir me dá medo e, sobretudo, me inspira piedade. É inútil pensar muito, os dias seguem igualmente seu curso, com indiferença; Mirella parece presa numa máquina cruel que a esmagará. Ainda tentei fazê-la reconhecer seu erro, aconselhei-a a escrever uma carta àquele homem anunciando sua intenção de não o ver mais. "Depois você ficará mais contente, acredite." Eu me revia na cafeteria, dizendo a Guido que não é possível, e me perguntava se, depois, havia de fato me sentido mais contente.

"Quer que eu fale com ele em seu nome?", me ofereci. "Você nunca terá coragem, é natural, basta ser mulher para compreender isso. Quer? Pensei muitas vezes em ir eu mesma avisá--lo, para ajudar você." "Ele não acreditaria", ela objetou com um sorriso, "e, de qualquer modo, eu a desmentiria um instante depois." Estávamos de pé, àquela altura, e ela me pedia que a deixasse ir dormir porque estava cansada. "Já pensou que nunca poderá ter uma família sua, seus próprios filhos?", insisti: "Que está destruindo seu futuro por uma coisa que vai acabar logo?, vai acabar de qualquer modo. Você nunca será feliz". "E você? É feliz?", ela me perguntou, com dureza. Eu tinha lágrimas nos olhos, porque aquela conversa havia me abalado, me esgotado. "Claro", respondi com ênfase, "sou feliz, sempre fui feliz, felicíssima." Ela me fitava ternamente, com um olhar que me dava vontade de baixar o meu. "Como você é corajosa, mamãe!", exclamou. Então me deu boa-noite com um rápido abraço e eu a segui pelo corredor como uma mendiga: "Por que você prefere ser tão dura, tão amarga, Mirella?", murmurei. Ouvi-a fechar a porta e voltei para a sala de jantar. Abatida, despenquei numa cadeira, apoiando a cabeça nos braços cruzados sobre a mesa. Imaginei ir até o telefone, chamar Guido, pedir-lhe que viesse imediatamente. Imaginei ir falar com Cantoni. Esperava ansiosa o amanhecer, para poder agir. Quase me parecia que, mantendo--me acordada, o dia chegaria mais cedo. No entanto, sentia em mim uma espécie de náusea, de recusa a qualquer ação. Sem me dar conta, adormeci e, quando despertei, já era a alvorada.

13 DE ABRIL

Hoje de manhã eu havia decidido pedir ajuda a Guido, já que ele conhece bem Cantoni; queria lhe pedir que o convencesse a se afastar de Mirella, que ela ainda é jovem demais para avaliar o peso de seus atos. Entrei duas ou três vezes na sala dele, determinada a fazer isso, mas depois postergava; fui a última a ir embora e ainda não lhe havia dito nada. Parecia-me que ele iria me perguntar que tipo de mãe eu sou, que educação dei a Mirella, e sentia que a posição da minha filha enfraqueceria aquela que para mim já é difícil manter.

Preciso falar do assunto com Michele, mas não ouso. Ultimamente ele anda sombrio, taciturno; não creio que ainda tenha muita esperança de vender o argumento. Hoje disse que, no fundo, Clara não fez o que poderia fazer, que talvez o considere um postulante tedioso; por fim, como se lhe custasse um grande esforço, me confidenciou haver intuído que ela até se negou a atender ao telefone ontem. Já faz algum tempo que Michele está sempre pálido, parece não estar bem. Comentei que, se Clara tivesse podido ajudá-lo, certamente o teria feito, porque é minha amiga de infância e gosta dos meninos, conhece-os desde crianças. Depois de uma longa pausa, ele pediu: "Telefone você para ela. Vá vê-la, quem sabe, escute o que lhe diz, pergunte inclusive sobre sua vida, como por acaso, pergunte por que ela é tão ocupada". Encarei Michele, surpresa por aquela curiosidade insólita; e, talvez por causa de sua palidez, pela primeira vez me pareceu ver nele o ancião que será dentro de poucos anos. "Michele, o que você tem?", perguntei. Ele respondeu: "Eu? Nada", e tive a impressão de que seus lábios tremiam. Depois Riccardo entrou, dizendo não sei o que contra os professores da universidade, e não pudemos mais conversar. Riccardo falava e falava, irritado, e eu não conseguia me interessar nem um pouco pelo que ele dizia. Estava tão preocupada com Michele que cheguei ao ponto de me perguntar se ele não está apaixonado por Clara. Quando espera um telefonema dela, pergunta a hora de poucos em poucos minutos, exatamente como faz Riccardo quando espera um telefonema de Marina. Fiquei pensando no argumento complicado que ele escreveu, eu não tinha mais conseguido pensar nisso, distraída por tudo o que sempre tenho a fazer, e por Mirella. Mas logo me tranquilizei, considerando que escrever ou falar sobre certas coisas é típico das pessoas que já não são jovens. Imaginei Michele perto de Clara: não o via no papel de apaixonado, e sorri da minha suspeita. Ando tão perturbada por estes dias que vejo sombras por toda parte. "Está bem, irei ver Clara", prometi. E ele me perguntou ansiosamente: "Quando? Por que não vai esta noite?". Telefonei a Clara, só que ela disse que à noite está sempre ocupada: irei na próxima quarta-feira, para almoçar. Michele queria saber o que Clara havia dito a seu respeito; ela, porém, não o tinha mencionado, não tinha sequer dito "saudações a Michele". A insistência de Michele me tranquilizou em definitivo: se houvesse algo entre os dois, ele jamais pediria à própria esposa que fosse à casa da outra. Eu lhe disse que não importa se ele não vender o argumento: temos umas prestações que não sei bem como pagaremos, mas, quando terminarmos de pagá-las, estaremos tranquilos, concluí, embora não acredite nisso: hoje sei por experiência que, encerrada uma aflição, logo se apresenta outra. Mas também sei que se vai adiante, seja como for. Michele me parecia tão deprimido que não ousei lhe falar de Mirella. Para reanimá-lo, comentei alegremente que agora seria nossa vez de descansar, de nos aposentar, Riccardo nos mandará muito dinheiro da Argentina. Mas Michele se ressentiu, disse que não tem nem cinquenta anos, e por isso ainda está longe do momento de se aposentar. Ficou mesmo ofendido, não compreendeu que eu estava brincando: quando me aproximei para abraçá-lo jovialmente, me repeliu com um gesto brusco da mão. Com frequência, diante do mau humor dos homens, eu me pergunto o que eles fariam se, além do simples trabalho de escritório, tivessem, como toda mulher, muitos problemas diferentes para enfrentar e resolver.

16 DE ABRIL

Hoje de manhã, por volta das onze, o contínuo veio à minha sala com um cartão de visita no qual se lia: Alessandro Cantoni, advogado. Tive um sobressalto e meu coração disparou, enquanto eu me perguntava se devia recebê-lo assim, de repente. O contínuo esperava. Eu disse: "Mande entrar", mas depois o chamei de volta. "Mande entrar daqui a alguns minutos." Queria organizar meus pensamentos, mas nada me ocorria. Levantei-me, dei uns passos para lá e para cá, irrequieta, voltei apressada à escrivaninha, peguei na gaveta o pente e o estojo de pó de arroz, me olhei, me ajeitei. Havia acabado de fechar a gaveta quando ouvi a voz do contínuo: "Fique à vontade", e Cantoni entrou.

É um homem alto, bem bonito, elegante, de expressão resoluta, mas com olhos azuis e afetuosos, como logo notei. Cumprimentou-me com uma inclinação cortês. Fiz um aceno gélido para convidá-lo a se sentar, e uma força repentina me sugeriu tomar a iniciativa. "Fez bem em vir", comecei. "Eu tinha decidido lhe telefonar para nos encontrarmos, hoje ou amanhã. Suponho que Mirella lhe falou de nossa conversa, do contrário eu não compreenderia o motivo de sua visita." Ele assentiu, enquanto eu continuava: "Mirella é uma menina. Tenho certeza de que o senhor refletiu e veio me anunciar que está decidido a se afastar, a não perturbá-la mais. Não é assim?", interroguei-o, num tom decidido que só admitia confirmação. "Não", ele respondeu, calmo e com igual determinação, "pelo contrário. Eu vim para dizer à senhora que nunca deixarei Mirella."

Eu previa que a conversa não seria fácil, mas não imaginava me defrontar com firmeza tão serena e gentil. Tinha-o imaginado diferente: cínico, talvez arrogante. Perguntava-me quem ele realmente era e, sobretudo, quais vínculos o ligavam à minha filha. Essa incógnita me tornou de novo agressiva: "O senhor *deve* se afastar para que Mirella recupere sua calma. Mirella é jovem; bastará que o senhor se mantenha longe por um mês, dois meses, digamos", acrescentei para feri-lo. Ele balançava a cabeça, olhando para mim, com um sorriso confiante que me agastava: "Não, minha senhora, eu pensei muito, refleti muito, eu não tenho a idade de Mirella, tenho quase trinta e cinco anos. E me convenci de que meu dever é justamente ficar com ela". "Por quê?", perguntei, suspeitosa, ao ouvi-lo aludir a um dever. "Porque eu amo Mirella, Mirella me ama, queremos trabalhar juntos, temos um programa comum a desenvolver, creio que juntos poderemos ser não somente felizes, mas úteis. Não sorria", acrescentou, congelando em meu rosto uma expressão de incredulidade, "eu sei, quando falamos dessas coisas, de sentimentos, de propósitos, somos obrigados a usar palavras que, mal são ditas, parecem inadequadas, retóricas, ridículas. Mas é a verdade. Eu não valia grande coisa, antes; quanto a Mirella, ela era uma moça inteligente, bonita, só isso. É como se tivéssemos crescido de repente, ao nos conhecermos. Agora, juntos, somos uma força. E temos o dever de não a desperdiçar. Quando digo que queremos trabalhar juntos, não me refiro somente à nossa profissão: esta, sozinha, seria uma justificação insuficiente, embora eu fique feliz ao ver que ela ama seu trabalho e não o considera, ao contrário de muitas outras mulheres, apenas uma necessidade. Eu mesmo, antes de conhecê-la, levava uma vida muito diferente. Mas sempre senti que alguma coisa me oprimia, sobretudo depois que a guerra terminou. Não sei explicar, mas era como se minha vida, tudo o que eu fazia, fosse precário. É difícil falar dessas coisas, elas estão no ar, não têm uma definição precisa... Estou entediando a senhora?" Acenei que não. Observava-o, queria saber onde ele iria parar; estava atenta ao que ele dizia, mas desconfiada. "Mirella poderia lhe explicar essas coisas melhor do que eu", Cantoni continuava, "ela as sente melhor do que eu, porque é mais jovem. Muitos fatos, muitas condições novas cavaram um abismo entre a geração de Mirella e a minha. Eu consigo preenchê-lo por meio do amor. Talvez para a senhora seja difícil compreender Mirella porque..." Ficou hesitante e eu o encorajei: "Porque sou vinte anos mais velha do que ela, é o que o senhor quer dizer?". "Não, porque uma mãe não pode admitir que muitas coisas nas quais ela acreditou não importam mais para sua filha. Ao passo que outras, novas..." Interrompi-o dizendo que sempre foi assim: os jovens sempre acreditaram poder renovar o mundo. Mas ele negava, dizia que os acontecimentos aos quais assistimos alguns anos atrás já não nos permitirão viver como antes. "Quem compreende isso está vivo", disse; "quem não compreende é como se já estivesse morto."

Surpreendi-me discorrendo prazerosamente com aquele que talvez seja o amante da minha filha. Eu queria encerrar a conversa observando que, afinal, esse não era o objetivo de sua visita, mas ele continuava: "Eu amo Mirella inclusive pelo tempo que ela traz em si e que suas coetâneas também trazem, naturalmente, embora a maior parte delas não o saiba. Creio que poderíamos ter ido embora juntos na própria noite de Natal, quando nos conhecemos, na casa dos Caprelli; ficamos conversando até o amanhecer enquanto os outros dançavam. Já estava tudo decidido desde aquela noite".

Eu tinha somente mais uma carta e a joguei: "Nunca pensou que Mirella possa ter sido atraída por seu dinheiro?". "Meu dinheiro?", ele exclamou, apontando o peito. Em seguida, riu: seu riso transmitia confiança, era muito jovem. "Não tenho dinheiro", disse, "eu trabalho, precisei trabalhar desde estudante, como Mirella. Um advogado deve vender dia após dia seu trabalho como uma mercadoria. Ricos não são os donos do próprio trabalho: são os donos de coisas. Eu tenho palavras, as palavras são um capital fluido. Bastam-me poucos erros para voltar a ser pobre. Mirella e eu vamos trabalhar." Então eu perguntei: "E sua esposa, o que pensa do dever que o senhor sente de viver com Mirella?". Após uma pausa, ele respondeu: "Eu vim para lhe falar disso também. O que lhe direi não é importante para Mirella nem para mim, mas sei que servirá para tranquilizar a senhora. Explico. Conheci Evelyn, minha esposa, em Roma, em 1946. Fizemos muitas viagens juntos; ela me atraía porque é americana e representava um mundo diferente do meu. Parece ingratidão que eu diga somente isso sobre ela, mas é a verdade. Depois fui encontrá-la na América. Achei que juntos ainda nos divertíamos, ela ri bastante, é arguta, vivaz, e eu não sabia que existia uma moça como Mirella. Nós nos casamos. Mas, quando voltamos a Roma, as únicas coisas que tínhamos em comum, viajar, beber, nos divertir, logo se consumiram. Evelyn até começou a falar italiano…", acrescentou sorrindo: "Entre nós permanecia apenas o que tínhamos de diferente. Foi um ano dificílimo: por fim, ela partiu dizendo que voltaria depois de alguns meses. Sempre que escrevia adiava sua vinda; eu sempre temia que anunciasse seu retorno; passaram-se cerca de três anos e ela não voltou. Depois conheci Mirella. Descobri Mirella. É difícil fazer uma mãe compreender que sua filha é uma criatura extraordinária. Mas por intermédio dela descobri a mim mesmo, minhas possibilidades, minha vida. Eu não acreditava que fosse possível conversar com uma mulher como se conversa com um amigo, de igual para igual. É realmente toda a vida contida no âmbito de duas pessoas. Não mais somente uma brincadeira com uma bela jovem, como havia sido com Evelyn. Então decidi ir à América para me divorciar".

Num impulso de contentamento, perguntei se Mirella sabia disso. Ele respondeu que Mirella sabe tudo sobre ele. "Fui a Richmond duas semanas atrás, Mirella temia que eu não voltasse, estava desesperada no aeroporto." Constatei que não tinha percebido o momento difícil que minha filha havia atravessado. "Fiquei lá somente por alguns dias", continuava Cantoni, "para pedir a Evelyn que solicitasse o divórcio. É claro que ela concordou; e, livres daquele vínculo que nos condenaria à solidão ou à infelicidade, nos despedimos como bons amigos. Ali, em Richmond, compreendi a diferença profunda entre Mirella e Evelyn; uma das muitas, mas é a que talvez resuma todas: a saber, Evelyn se expressa por meio de coisas, e Mirella por meio de ideias. Durante aqueles dias, me parecia haver perdido para sempre o prazer de conversar que Mirella e eu temos em comum; quando voltei, era como se eu não tivesse respirado em nenhum momento, bebido em nenhum momento, por todos aqueles dias." Ele ria e eu sorria, olhando-o; eu tinha uma sensação de absoluto bem-estar, de paz. Perguntei quanto tempo levariam esses trâmites, quando eles se casariam. "Não sei", ele respondeu, "honestamente, devo lhe dizer que na Itália é difícil obter a homologação de um divórcio concedido nos Estados Unidos. Aqui as pessoas são obrigadas a permanecer acorrentadas, condenadas. A vida que nos seria adequada, que nos tornaria melhores, está ali, pronta, e aqueles que não têm coragem suficiente para superar os convencionalismos estão fadados a renunciar a ela, a ficar no escuro, na solidão, naquilo que para eles é o pecado. Por isso, inclusive, que Mirella e eu queremos trabalhar: para criar..." Interrompi-o intuindo que ele também, como Michele, como Mirella, pronunciaria palavras desprovidas de sentido diante dos fatos, da vida de todos os dias, dos filhos: "Para criar uma consciência nova, não é?", completei, com um sorriso irônico, maldoso. Ele assentiu, embora sem entender meu tom. Então lhe perguntei por que ele tinha vindo, por que havia solicitado essa conversa. Sem notar a irritação de minha voz, ele respondeu, calmo, quase com doçura: "Para ajudá-la a compreender Mirella, e também a mim. Não me agrada o retrato com o qual a senhora me representa em sua imaginação: o homem casado, rico, que seduz a mocinha de vinte anos. Tudo é bem diferente, acredite. Nós acabaremos nos casando, um dia, talvez; mas isso não é muito importante. Importante é meu total comprometimento com Mirella e ela comigo, aquilo que, juntos, queremos ser e fazer. Para nós, o casamento não é o objetivo, não queremos ser obrigados a nos amar; a cada dia escolhemos livremente nos amar. A senhora compreende, não?". Respondi peremptória: "Não".

Então ele concluiu: "Pena. Seja como for, vir falar com a senhora era meu dever. E achava que minhas palavras poderiam convencê-la. Sou um mau advogado. Pena", repetiu, "eu esperava que a senhora compreendesse". Eu me levantei porque desejava encerrar aquela conversa que me perturbava. Ele também se levantou e ficou me fitando, como se me interrogasse; seus olhos expressavam um afetuoso pesar. "Talvez Mirella tenha razão quando diz que a senhora compreende mas tem medo de confessar. Eu gostaria que pelo menos não fosse nossa inimiga", acrescentou. Estávamos junto da janela aberta e nos detivemos ali por um momento, em silêncio. Eu o fitava com os olhos de Mirella. "Que dia bonito", ele disse, e compreendia-se que está enamorado. Enquanto se despedia, nossos olhares se cruzaram por um instante, com amizade. Depois, prontamente, fechei a porta atrás dele, como para resistir a uma tentação.

17 DE ABRIL

A cada vez que abro este caderno me voltam à mente as aflições que sentia quando comecei a escrever nele. Era perseguida por remorsos que envenenavam todo o meu dia. Vivia com medo de que ele fosse descoberto, ainda que naquela época não contivesse nada que pudesse me incriminar. Mas agora é diferente: registrei a crônica destes últimos tempos, o modo pelo qual, pouco a pouco, me deixei arrastar para ações condenáveis e das quais, porém, assim como deste caderno, acredito não poder mais abrir mão. Já adquiri o hábito de mentir; o gesto de esconder o caderno me é familiar, tornei-me muito hábil em conseguir tempo para escrever; acabei por me acostumar a coisas que, em princípio, julgava inaceitáveis. Jamais teria imaginado poder conversar tranquilamente com Cantoni. Havia até pensado em tratar com ele por meio de um advogado, e ontem, no entanto, acompanhei-o até a porta e me surpreendi estendendo-lhe a mão para me despedir, como faria a um amigo. Depois, ao voltar a minha sala, ao rever a poltrona onde ele sentara, o cinzeiro com as guimbas dos cigarros que ele havia fumado, um indomável aturdimento me invadiu, e eu não sabia se devia atribuí-lo às intenções de Cantoni e Mirella ou, antes, a muitas outras coisas que ele havia dito e que diziam respeito a minha vida, tanto quanto à de minha filha. Corri à sala de Guido, estava vazia. Como todos os dias, o contínuo havia fechado as venezianas para que o sol não desbotasse as belas poltronas verdes, e o aposento, na penumbra, mostrava-se triste, desolado. Não conseguia me conformar que Guido tivesse saído sem se despedir de mim; talvez tivesse me procurado e sabido que eu estava com visita. Mas esse pensamento não conseguia aplacar minha melancolia: imaginava-o sentado para almoçar entre as pessoas de sua família, pessoas que mal conheço, muito diferentes de mim. Do cabide pendia um impermeável dele; acariciei-o, abracei-o buscando algum conforto. Estava gelado e sequer emanava o bom odor de lavanda que Guido traz consigo quando chega ao escritório e que, há anos, é para mim o próprio odor da manhã, o início do dia de trabalho. Aninhei a cabeça naquele frio impermeável, como se o fizesse no côncavo de um ombro. Não consigo mais ficar sozinha. Desde quando decidi que não é possível, me esforço para não notar os olhares afetuosos de Guido, suas atenções. Finjo esperar que sua atitude em relação a mim volte a ser aquela amigável de antes, que ele esqueça tudo o que me disse, e me convenço de jamais tê-lo feito compreender meus sentimentos para além do limite de uma momentânea comoção. Ontem, porém, o abandono em que me encontrava, depois da difícil conversa com Cantoni, me amedrontava. Temia que, ouvindo a meus apelos, Guido tivesse realmente me esquecido. Senti medo de voltar para casa, queria escapar às tarefas que me esperavam, me parecia não poder enfrentá-las com o equilíbrio necessário. Não tinha vontade de encontrar Michele, que exige por parte de todos o respeito a seu mau humor, nem Riccardo, que voltou a ficar descontente e culpa a nós e ao governo pela escassez de seu dinheiro, que ele, com relutância, se propõe a remediar. Não tinha vontade de ver Mirella, sobretudo: não poderia deixar de lhe falar de Cantoni e não conseguia compreender muito bem o que aquela visita significava. Gostaria de dizer a ela: "Faça o que quiser, deixe-me em paz, estou muito cansada".

 Sentei na poltrona de Guido e telefonei para casa a fim de avisar que não voltaria para o almoço, pois tinha muito trabalho. Mirella atendeu, e sua voz traía uma contrariedade; talvez quisesse que eu falasse da conversa com Cantoni, mas eu não disse nada, além de: "Até mais tarde". A liberdade conquistada me deu um súbito contentamento, perguntei-me de que modo eu poderia aproveitá-la. Imaginei sair, ir a uma *trattoria*, almoçar com gosto, finalmente livre da obrigação de cozinhar e lavar os pratos. Mas a ideia de ir sozinha me intimidava; na realidade, eu tinha um só desejo, obsessivo, e não ousava formulá-lo. Fui até a recepção, disse ao contínuo que ficaria no escritório para agilizar umas providências urgentes. Com alívio, ouvi a porta se fechar atrás dele. Voltei à escrivaninha de Guido e, célere, disquei seu número de telefone. Atendeu um empregado lacônico e, por um momento, temi que ele não quisesse avisar sobre minha ligação. Então ouvi os passos de Guido, pareciam ansiosos. Eu disse: "Alô... O senhor precisa voltar logo ao escritório. Estou aqui, sozinha. Gostaria de lhe lembrar que o senhor tem um compromisso". Ele titubeou por um instante mas logo se recuperou e respondeu: "Entendi. Está bem. Termino de almoçar e vou imediatamente".

Continuei sentada em sua poltrona, esperando. Certas palavras de Cantoni me perseguiam; revia seu rosto enquanto ria, dizendo que não é rico, que só tem a seu trabalho; ou quando, hesitante, dissera que não posso compreender Mirella. Irritava-me o tom seguro com o qual pronunciava o nome "Mirella", como se o tivesse inventado, como se lhe pertencesse. Então abandonava tais pensamentos e fechava os olhos, descansando.

Quando ouvi o ruído da fechadura, me levantei num átimo, ansiosa. Procurei um motivo plausível para justificar a urgência do meu telefonema. Não queria confessar que simplesmente precisava vê-lo, estar em sua companhia. Ele entrou depressa, decidido; de início, quase não me viu, porque seus olhos estavam ofuscados pela luz externa; a sala estava na penumbra, e eu tinha me refugiado no vão da janela: "O que foi, Valeria?", perguntou, vindo em minha direção. Enquanto isso, guardava as chaves no bolso, e esse gesto familiar me comoveu. "Não é possível", murmurei, enquanto ele me beijava as mãos, "tenho que deixar o escritório, me afastar, aqui é difícil demais. Já não sei onde me refugiar. Preciso de uma licença, quinze, vinte dias de licença, vou tirar minhas férias de verão agora. Decidi ir para a casa de uma irmã de minha mãe, em Verona, para me desligar daqui, me acalmar."

Até então, eu não havia pensado seriamente nisso, no entanto, de repente aquela partida me parecia a única via de libertação, a salvação. Mas meu anúncio pareceu alegrar Guido. "Quando?", ele perguntou, depois de uma pausa. Respondi: "Não sei. Queria ir logo, mas temo não poder deixar a casa de repente, os meninos. Dentro de uns quinze dias". Ele se afastou para folhear seu calendário na escrivaninha. Quando voltou para junto de mim, segurou de novo minhas mãos e, me fitando amorosamente nos olhos, disse: "Daqui a duas semanas eu devo estar em Trieste. Só preciso ficar um dia em Trieste. Na volta, posso parar em Veneza. Três dias, até cinco, Verona fica muito perto". E acrescentou, baixinho: "Cinco dias em Veneza".

Desde o momento em que ele pronunciou essas palavras, não tive mais paz. A culpa é minha. Não deveria ter chegado a esse ponto, não deveria ter lhe telefonado, fazê-lo ir ao meu encontro no escritório, onde eu estava sozinha. Desabei na poltrona ao lado: pensava que ele havia dito Veneza porque é muito próxima a Verona, mas poderia ter dito Pádua ou Vicenza; me parecia que ele havia lido meus pensamentos, que conhecia aquele desejo que me consumia, e senti já não ter como fugir. Eu dizia: "Não, não", com o rosto tenso, aterrorizada por suas palavras. Ele me pedia que eu não respondesse logo, suplicava que não fizesse isso, dizia que tenho tempo para pensar, ele fará o que eu quiser, sem insistir. Disse também que devo ter confiança nele, em sua afeição, e enquanto isso me abraçava ternamente, aflorava minhas têmporas com os lábios, murmurava que não podemos renunciar ao amor, à felicidade, temos direito a ela. "Pleno direito", repetia. Sentia que, com essas palavras, ele aludia a alguma coisa de sua vida que eu não conhecia. Pensava: "Chega de Mirella, chega de Riccardo, oh, chega, chega". Quando o contínuo voltou, nos surpreendeu próximos, na penumbra; mas eu estava tão absorta que seu olhar espantado sequer me alcançou. Àquela altura eu acreditava já estar no trem.

Em casa, Mirella, ao me ver pensativa, me puxou à parte e perguntou: "É culpa minha, mamãe?". Acenei que sim com a cabeça. Ela acrescentou, nervosa: "Foi Sandro quem insistiu em lhe falar. Eu sabia o que isso significaria para você". Discutimos um pouco, mas, no fundo, aquilo não me importava em nada. Ela confirmou o que Cantoni havia dito, e notei que os dois usavam as mesmas palavras. "Vou falar com seu pai", avisei; "mas hoje não tenho forças para isso. Ele decidirá. Talvez seja bom que você vá embora, mais adiante. Estamos habituados a viver segundo certos princípios, podem ser falsos e antiquados, como você diz, mas não podemos mudar." Mais uma vez eu me espantava por vê-la agir com frieza, sem pedir perdão e sem invocar, como desculpa, a cegueira da paixão. Quando éramos noivos, eu pecava com Michele, mas fingia fazê-lo de má vontade, arrastada por ele, sem consentir. Foi assim inclusive em nossa noite de núpcias, e depois, sempre que ele me procurava à noite. Se eu fosse a Veneza, talvez chegasse lá fingindo não saber por que fui nem aquilo que fatalmente aconteceria. Essa é a diferença entre Mirella e eu; me parece que, aceitando conscientemente certas situações, ela se libertou para sempre do pecado. Gostaria de lhe perguntar se tem a consciência em paz, tranquilidade de espírito. Mas não podemos continuar a conversa porque Michele voltou e eu tive de preparar o jantar, enquanto ele me cercava explicando tudo o que devo dizer a Clara amanhã; teme que eu não me lembre. Respondi que estou ansiosa por ter notícia sobre o argumento, porque se conseguir uma licença no escritório gostaria de passar uns dias em Verona, com a tia Matilde. Achei que Michele compreenderia logo de que se trata, esperei que me proibisse de partir. Longe disso: ele comentou que a viagem me faria bem. Então acrescentei que, de Verona, eu tinha a intenção de ir até Veneza. Ele assentiu: "É uma boa ideia, você pensa nisso há muito tempo, deseja muito". Compreendi que qualquer coisa que eu dissesse não mudaria nada, àquela altura. Mesmo que eu confessasse que o diretor também irá a Veneza, ele acharia natural. Lembrei a noite em que ele mencionou o que sentia quando o diretor me trazia em casa, e ele, da janela, me via descer do automóvel. Agora não vê mais nada, não me vê mais; há os filhos entre nós, e Marina, e Cantoni, e todas as montanhas de pratos que lavei, e as horas que ele passou no escritório e as que eu passei no escritório, e todas as sopas que servi, como fiz ontem à noite, enquanto o vapor me embaçava a vista. Ao mesmo tempo, pensei que não viajo há muito, só tenho uma velha mala de papelão; vou precisar usar a grande, de couro, a de Michele.

18 DE ABRIL

Hoje fui almoçar na casa de Clara. Nos vimos sozinhas como quando éramos muito jovens, e tive a impressão de estar de férias. Ela comprou uma cobertura num prediozinho novo, no Parioli. Do alto do terraço vê-se um panorama vasto, alegre; prados, pinheiros e casas brancas. O terraço já está florido, ficamos um pouco ao ar livre e nos sentimos muito bem, sentadas na espreguiçadeira onde Clara se deita para tomar sol; ela diz que, para conservar um aspecto jovem, é preciso estar sempre um pouco bronzeada, todas as atrizes de cinema sabem disso. No banheiro, pouco antes, eu havia observado os cosméticos que ela usa, mas são muitos, não sei quais eu deveria comprar e não me atrevi a perguntar. Não há dúvida de que a vida de Clara mudou desde que ela não vive mais com o marido, Michele tem toda razão. A casa é decorada com um gosto que eu não conhecia nela; eu antes nem supunha que ela fosse muito inteligente: era assanhada, vivia falando de homens. Perguntei-lhe se, como sempre, estava apaixonada, e ela me olhou com reserva. "Não, não", apressou-se a responder, mas não acredito. Clara sempre disse que não poderia viver sem amor. Talvez já não tenha intimidade comigo. Eu, porém, nunca tive, como hoje, tanta vontade de falar desse assunto. "É necessário muito tempo para o amor", Clara dizia, "porque na verdade o amor não existe: é preciso inventá-lo a cada dia, a cada momento, e estar sempre à altura da própria invenção. É difícil...", ela concluiu com um sorriso cínico, forçado. Disse que dispõe de pouco tempo e, enquanto eu tentava saber, como Michele me havia sugerido, por que ela é tão ocupada, ela mesma me falava disso. "Roteiros", dizia de forma evasiva, "pessoas que devo receber, tenho muitos compromissos. Queria ter visto Michele com mais frequência. Ele gostaria de mudar de vida, de deixar o banco para se dedicar ao cinema. Mas você também deve dissuadi-lo, Valeria. Talvez não tenha sido bom eu ter ido almoçar com vocês naquele domingo. Nunca é bom que dois mundos tão distantes um do outro se encontrem. Seria melhor que cada um sempre permanecesse no próprio. Mas só compreendemos isso depois. O mundo onde vivo é diferente demais do de vocês; se melhor ou pior, não sei, mas diferente. Eles não teriam confiança em um homem como Michele, que passou a vida toda num banco. Sempre o julgariam um diletante; e de fato seria isto mesmo, não poderia ser de outro modo. No início, Michele me surpreendeu; eu o imaginara diferente, segundo o que você me dizia. De fato, esperava que o argumento pudesse ser vendido, fiz o que pude, mas por enquanto não tive êxito." Clara disse que havia conversado longamente com ele, e que se ele soubesse traduzir por escrito todas as ideias que tem, as coisas que fala, faria fortuna. "Michele gostaria de trabalhar comigo, mas não é possível, eu preciso estar livre. Aliás, só poderia prejudicá-lo, e disse isso a ele. Certa ocasião conversamos até o amanhecer." Eu não tinha percebido, talvez estivesse dormindo quando Michele voltou, e ele não me disse nada na manhã seguinte. Olhei a grande sala de estar forrada de estantes, os belos e confortáveis sofás, o vestido elegante de Clara; é evidente que Michele gostaria de se ver rodeado por aquele conforto que em casa jamais tivemos. "Ele pareceu convencido a retomar seu caminho", continuava Clara, "mudar de rumo agora, eu disse, seria um erro. Ou melhor, seria impossível." Ela falava com dureza, e eu me sentia constrangida, porque nesse ínterim a copeira zanzava por lá, tirando a mesa. O almoço tinha sido leve, mas excelente: fazia muito tempo que eu não comia pratos preparados com tanto capricho, a pressa me obriga sempre a fazer espaguete, ovos e salada, aos domingos um assado. Clara fumava cigarros americanos, me oferecia uns chocolatinhos de uma caixa cara que decerto lhe havia sido presenteada. Sentia certa irritação por ela querer empurrar Michele de volta a uma vida que ela mesma julga medíocre e sem esperança. Sugeri aquilo que ele próprio me dissera para lhe perguntar como se fosse ideia minha: "Você não poderia fazê-lo trabalhar com você, ao menos uma vez, em um roteiro?". "Não é possível", ela retrucou, "justamente para o bem dele, compreende? É preciso que ele não pense mais nisso, que siga como tem ido até agora." Estava impaciente, repetia que não tem tempo, que sua vida é uma luta contínua porque, para uma mulher, é muito difícil abrir caminho: dizia que precisou adquirir uma espécie de dureza. Havia alguma coisa que me escapava em seu discurso. De novo me veio a suspeita de que Michele esteja apaixonado por Clara, mas por ele ter pedido a mim, sua esposa, que falasse com ela, e a humilhação à qual se submeteu, insistindo que o ajudasse, logo a dissiparam. "Uma mulher que trabalha", continuava Clara, "sobretudo uma mulher da nossa idade, sempre carrega a luta entre a mulher tradicional que foi ensinada a ser e aquela independente que ela escolheu se tornar. Existe nela um conflito contínuo. Resolvê-lo, superá-lo, é árduo, sobretudo em relação aos homens. Você talvez não possa compreender isso. Tem outro temperamento, e no fundo teve tudo o que se propôs, casando-se: você foi afortunada." Perguntei se ela de fato pensava assim. "Oh, sem dúvida!", exclamou, e prosseguiu, "eu sempre me sentia fraca diante de você, justamente porque você nunca ficava dividida. Levava a vida que havia escolhido e eu a admirava por ser sempre coerente consigo mesma, estar sempre serena. Lembro de quando você tricotava ou fazia doces para ganhar algum dinheiro. E agora tem tudo sobre seus ombros, sei bem disso, a casa, o escritório. Não sei como consegue. Eu não conseguiria ser assim tão forte. Ou talvez jamais consigamos ser fortes quando estamos sós; saber que somos necessários aos outros nos obriga a ser fortes. Seja como for, é preciso ter a sua saúde para conseguir." Respondi que estou de acordo no que se refere à saúde, mas tentei mencionar muitas outras fraquezas minhas, e Clara me interrompeu: "Não, não, você acredita que as teve, mas engana-se. É inútil tentar me convencer, você sempre foi fortíssima". Ria com um riso arguto, jovem. Eu queria contar tudo a ela, falar-lhe de Guido e de Veneza; ao chegar à sua casa, havia até pensado em lhe pedir emprestada uma mala; e também um de seus robes e um par de suas pantufas douradas, as minhas são de felpa vermelha, pesadas. Com frequência sinto o desejo de trocar confidências com uma pessoa viva, e não só com este caderno. Mas nunca pude; mais forte que o desejo de me abrir era o temor de destruir algo que fui construindo dia após dia, em vinte anos, e que é o único bem que possuo. Clara me falava com ardor: "É preciso ter sempre um objetivo na vida. Você tem os filhos. Quem tem um objetivo não precisa da felicidade miúda de todo dia; persegue aquele objetivo e adia sempre a oportunidade de ser feliz. Mesmo que não o alcance, naquela tentativa já estão o objetivo da vida dessa pessoa e a felicidade.

No fundo, foi por isso que comecei a trabalhar, mais ainda do que pelo ganho. Porque estava cansada de esperar ser feliz por causa de um determinado homem, ou de um outro. É essa esperança de felicidade que desgasta uma mulher, dia após dia, que a destrói. Você, esperando que os meninos crescessem, tinha a possibilidade de se esquecer disso. Esperava que eles aprendessem a andar, que fossem para a escola, que fizessem a primeira comunhão, e agora espera que se formem, que se casem, não?, e enquanto isso o tempo passa". "Pois é", repeti, "o tempo passa." Meu tom de voz, a expressão do meu rosto devem ter parecido estranhas, porque Clara me perguntou o que eu tinha. Gostaria de lhe dizer que os meninos já são grandes, não tenho mais nada a esperar. Em vez disso, levantando-me para ir embora, respondi, com um sorriso: "Nada. Eu estava pensando, justamente, que o tempo passa".

24 DE ABRIL

Fiquei vários dias sem escrever. Percebi que, depois de escrever longamente, me sinto mais abatida, mais fraca. Talvez precise de ar livre ou de alguma distração. Não me faz bem ficar acordada até tarde, durmo muito pouco e, de manhã, o sono perdido me deixa num inevitável desconforto. Pensei em levar o caderno para o escritório; lá, o pouco tempo disponível me obrigaria a registrar rapidamente minhas impressões sem entrar em tantos detalhes que me entristecem. Mas se no escritório notassem que mantenho um diário, eu perderia todo o prestígio; os colegas iriam rir de mim, tenho certeza. É estranho: nossa vida íntima é o que mais importa para cada um de nós, e no entanto devemos sempre fingir vivê-la quase sem nos dar conta, com desumana segurança. Além disso, se eu tirasse o caderno daqui, me pareceria não encontrar mais nada de meu em casa, quando volto. Clara diz que uma pessoa é forte somente pelos outros e talvez tenha razão, mas a esta altura como posso acreditar ser ainda necessária a Mirella, que se defende até da fraqueza de me querer bem? Riccardo, ao contrário, às vezes o sinto precisar de mim ainda. Ontem estávamos na cozinha, eu ajeitava as coisas e ele me fazia companhia. Percebi que queria falar comigo, mas estava esmagado por uma daquelas crises de desânimo que, faz algum tempo, lhe têm sido tão frequentes. Tenho pena dele porque é homem. Ninguém nunca espera nada de uma moça de vinte anos, ao passo que um homem, na mesma idade, já deve começar a medir forças com a vida. "O que você tem?", pergunto nesses momentos, pois preferiria que seu estado de espírito se devesse a um motivo preciso. Ele responde sempre: "Nada". Ontem, porém, disse: "Estou com medo". Não perguntei de que, porque talvez ele não saiba precisamente e pense que eu compreendo mesmo assim. Se não estivesse com as mãos metidas na água engordurada da pia, teria lhe acariciado a fronte como quando ele tinha febre na infância. Mas me dou conta de que, agora, se estivesse doente, ele chamaria Marina, que não saberia lhe fazer nada. Ele tem muito ciúme de Marina; quando fica em casa, estudando, telefona sempre para controlar onde ela está, se é verdade que foi à casa de uma amiga. Mas sempre a encontra; ela deve ser uma boa moça, dócil, não muito inteligente. Quando vem à nossa casa, fala pouquíssimo. Riccardo a trata mal, às vezes lhe responde bruscamente, e eu não compreendo por quê, amando-a, ele se finge tão autoritário, até prepotente. Marina nunca reage; e isso é bom, porque no casamento deve haver sempre um que manda e um que obedece. Contudo, vendo Riccardo agir, muitas vezes me pergunto se quem manda tem razão: ele se tornou desconfiado de tudo, pensa sempre que se está falando dele às suas costas, volta e meia acusa a irmã de lhe ter surrupiado alguns livros, que no entanto ele mesmo emprestou a um amigo, ou um maço de cigarros que depois encontra no bolso. Parece querer descobrir por toda parte um mal que não existe, uma trapaça que a vida lhe faria e que ele, pela força ou pela esperteza, gostaria de neutralizar. De mim nunca suspeita; e é por isso que não posso fazer nada por ele. Somente as coisas e as pessoas das quais tem medo podem lhe infundir segurança.

O único a quem, talvez, eu ainda poderia ser útil é Michele; mas ele deveria se dar conta de que não sou mais a jovem com quem se casou há vinte e três anos. Nós nos distanciamos tanto um do outro que já nem conseguimos nos enxergar; e vamos adiante, sozinhos. Refleti muito sobre as confidências que ele fez a Clara e que nunca faz a mim. Prefere falar com Mirella, e, quando eu entro, os dois mudam de assunto; algumas noites atrás, por exemplo, Michele, ao me ver, concluiu de repente: "Assim é a vida", e me segurou a mão quando eu ia passando, quase para me demonstrar que estava dizendo coisas sem importância. Mas a expressão atenta de Mirella testemunhava o contrário.

Eu me pergunto se a esta altura saberia conversar com ele, dizer-lhe muitas coisas que penso. Coisas que são minhas e não mais nossas como no tempo em que nos casamos e como depois, com o nosso silêncio, acabamos fingindo que continuaram sendo nossas. Com frequência me pergunto que relações existem entre nós de uns anos para cá. Sinto que deveria me interrogar e escrever longamente, mas seria um esforço demasiado grande e por isso acabo desistindo. Mas essa pergunta me reaparece com insistência desde que me dei conta de que, embora o pensamento em outro homem ocupe sempre a minha mente, ainda posso dizer com sinceridade: "Amo meu marido". Ao pronunciar essa frase, não sinto nenhum embaraço. Muitas vezes eu a disse inclusive a Guido. Ao dizê-la, me sinto defendida; me parece, aliás, que ela me permite escutar tudo o que Guido diz sobre Veneza, não me rebelar contra seus primeiros e tímidos beijos, e não o repreender quando, como ocorreu há dois dias, ele me trata por você. Eu lhe respondo sempre de forma indireta porque não quero ofendê-lo, mas tampouco encorajo esta nossa nova intimidade. Ontem à noite, eu disse a Mirella: "Sempre amei seu pai, ainda o amo", e não tive a impressão de estar mentindo. Mas agora começo a me perguntar o que significa para mim a palavra "amor" em relação a Michele, e afinal a quais sentimentos quero aludir quando digo: "Amo meu marido".

Que angústia. Eu faria bem se parasse de escrever: temo que o cansaço me impeça de ser objetiva. Às vezes penso que há muitos anos já não amo Michele e que continuo a repetir essa frase por hábito, sem perceber que os sentimentos amorosos não existem mais entre nós e foram substituídos por outros, talvez válidos em igual medida, mas totalmente diferentes. Relembro a ansiedade com a qual esperava Michele quando éramos noivos, o desejo que sentíamos de ficar sozinhos para conversar, o tempo que passava rápido, ao sabor dos olhares e das palavras, e o tédio que agora desaba sobre nós quando estamos apenas nós dois, sem que nenhuma distração externa, o rádio ou o cinema, venha nos socorrer. No entanto, houve um tempo em que eu até desejei que os meninos casassem cedo para que pudéssemos ficar sozinhos como antes; acreditava que tudo ainda estava intacto. Se nossos filhos houvessem permanecido sempre crianças, talvez eu nunca tivesse percebido essa mudança. Ou se Guido nunca tivesse falado comigo, ou eu nunca tivesse ouvido Cantoni. Estava de fato convencida de que ainda se tratava de amor e, até o momento em que Mirella me confessou temer que sua vida se assemelhe à minha, também estava convencida de haver sido feliz. Talvez ainda o seja, na verdade, mas a felicidade que experimento quando estou com Michele é gélida, muito diferente da que sinto quando Guido fala comigo ou segura minha mão. Esses cândidos gestos são amor, ao passo que os gestos dirigidos a Michele são apenas de afeto ou solidariedade ou hábito; nem mesmo aqueles raros, mais íntimos, são amor: são mais piedade, compaixão pelas fraquezas humanas. Parece-me ter compreendido tudo isso de repente. Talvez Michele já o tenha compreendido há tempos, ele é muito mais inteligente do que eu, sobretudo para essas coisas. E também ouvi de Clara que o amor deve ser inventado dia após dia. Não sei o que isso significa na prática, mas intuo que nunca soube inventá-lo.

26 DE ABRIL

Esta noite me sinto sob o peso de uma grave humilhação. Talvez por ter feito uma coisa que até agora eu jamais tinha ousado fazer; ou melhor, não havia sequer imaginado poder fazer. Estávamos sentados na sala de jantar e Michele escutava o rádio; uma música que me fazia sentir leve, sonhadora, me comovia. Não sei que coisa me impeliu a falar; encontrava-me sob o influxo de uma força mais poderosa do que eu, à qual não podia, ou talvez não quisesse, resistir. Aproximei-me de Michele e baixei o volume do rádio; o aposento estava na penumbra. Ele abriu os olhos e me fitou como se acordasse. "Michele…", eu disse, sentando no braço da poltrona: "Por que não somos mais aqueles que éramos quando recém-casados?". Ele se mostrou surpreendido por essa pergunta, então respondeu que continuamos os mesmos. Segurei sua mão, beijei-a, acariciei-lhe o braço, abracei-o com fervor. "Sabe, Michele", insisti, me esquivando de seus olhos; depois reuni minhas forças para fitá-lo, séria e afetuosa: "Quero dizer… à noite. Você não me adormece mais em seus braços. Lembra?", acrescentei, corando, "você me dizia: 'Venha aqui para descansar'. E me puxava para perto, depois me abraçava, e nós não descansávamos". Ele começou a rir, fez um gesto evasivo: "Eram coisas de uma outra idade, você fica remoendo! Aos poucos perde-se o hábito de certas coisas e, por fim, não se pensa mais nisso". "Pois é", eu insistia, "você acha mesmo que não se pensa mais nisso? Ou, quem sabe, já não ousamos ser sinceros como naquele tempo?" "Quantos anos tínhamos, na época?", ele disse; "sabia que eu tenho quase cinquenta anos? Já não somos…" "Não é verdade", interrompi. "Se você quer dizer que já não somos jovens, eu lhe digo que está enganado. Eu sei, somos jovens, e basta não nos compararmos com nossos filhos para constatar que somos muito jovens." "Mas como podemos não nos comparar com eles?", Michele insistia, sempre com o mesmo sorriso fugidio; via-se que estava ansioso para pegar o jornal, ou melhor, abandonar aquele assunto. Eu me perdia em minhas próprias frases, gostaria de manter a conversa num tom genérico, não falar de mim, e a vergonha de não conseguir me dava vontade de chorar. Ele repetiu, como para me convencer: "Não se pensa mais nessas coisas, ou, quando se pensa…". Parou, incerto, e eu queria lhe sugerir: "Você quer dizer que se pensa com uma outra pessoa, não?". Queria ter a coragem de pronunciar essas palavras, queria tê-la a todo custo; mas algo me impedia, uma prudência natural, extrema. "Leia nos jornais", sugeri então, "veja as estrelas de cinema, essa gente de quem falam. Não param de casar, e de casar novamente aos quarenta anos, aos cinquenta…" Ele disse que se trata de gente que é obrigada a manter aceso o interesse do público com suas extravagâncias e esquisitices. "Além do mais, casar não importa", completou, "é sempre questão de idade. Nós dois não somos casados? E no entanto… Casar não significa agir como dois jovenzinhos de vinte anos." "Não pode estar tudo acabado", eu insistia, "não é verdade que acabou. Todos dizem que os últimos anos são os mais importantes. Dizem que não se deve perdê-los, jogá-los fora. Que são como uma segunda juventude, nova, maravilhosa... Michele... Depois tudo estará realmente acabado, será tarde... Muita gente se apaixona pela primeira vez aos cinquenta anos, inclusive pessoas que até poderiam estar satisfeitas com a posição que alcançaram. Mas dizem que nem mesmo a posição importa, e tampouco o dinheiro." Nesse momento, com essas palavras temi haver confessado tudo a meu respeito, e então de repente disse: "Veja Clara". Ele logo perguntou: "Clara está apaixonada? Ela falou alguma coisa?". "Sei lá, não agora, ela sempre diz que está apaixonada." Deslizei sobre os joelhos dele, acariciei-lhe os cabelos, busquei seus olhos, que se escondiam numa mirada evasiva. Então, me inclinando, beijei-o, beijei seus lábios fechados. Então ouvimos um ruído no quarto de Riccardo. Michele pulou, ajeitando os cabelos, passando o dorso da mão pelos lábios: "Os meninos poderiam entrar", disse baixinho, irritado.

Enquanto isso, olhava a porta, esperando ver alguém; eu também olhava, como se esperasse um castigo, mas ninguém entrou. Talvez Riccardo, no quarto dele, tivesse arrastado uma cadeira. Compreendi o absurdo daquilo que eu havia feito, considerei que de fato um dos meninos poderia nos ter surpreendido, escutado minhas palavras; e, ao imaginar isso, uma profunda humilhação se apoderou de mim. "Desculpe", murmurei. Michele me acariciou no ombro. "Nada disso, claro que não", respondeu. "Bem vejo que você anda nervosa faz algum tempo. Você deveria mesmo pedir um mês de licença e ir a Verona: eles a exploram naquele escritório, fazem você mourejar desde a manhã até a noite." À menção de Verona, comecei a chorar e Michele me enxugava as lágrimas com seu lenço. Depois pegou o jornal e começou a ler; fui para o quarto.

Enquanto me despia, me olhava no espelho; procurava me ver velha, humilhada inclusive quanto ao aspecto exterior, e não conseguia. Pelo contrário, voltei a chorar porque me via jovem:

minha pele era bronzeada e lisa sobre o desenho enxuto dos ombros, a cintura fina, o busto cheio. Contive os soluços com dificuldade: Mirella dormia logo do outro lado da parede e eu temia que ela pudesse me ouvir. Talvez seja isso que há muitos anos nos impede de ser como quando éramos ainda recém-casados, ou quando os meninos eram pequenos e não compreendiam nada: é a presença deles do outro lado da parede. É preciso esperar que saiam, é preciso ter certeza de que não seremos surpreendidos; e os filhos estão por toda parte numa casa. À noite é preciso recorrer ao escuro, ao silêncio, conter qualquer palavra, qualquer gemido, e de manhã não lembrar mais o que aconteceu, no temor de que eles possam ler em nossos olhos a recordação daquilo. Com filhos em casa, já aos trinta anos é preciso fingir não mais ser jovem, exceto para brincar, rir com eles; é preciso fingir ser apenas um pai e uma mãe; e à força de fingir, à força de esperar que eles saiam, que não escutem, não imaginem, acaba-se por realmente não mais ser jovem. Quando além da porta se escutam as vozes dos filhos, os abraços entre marido e mulher num quarto fechado à chave, onde afirmaram ter entrado para dormir, soam uma coisa indecorosa, suja, um pecado maior do que o cometido por aqueles que, não casados entre si, ou até mesmo casados com outras pessoas, se encontram clandestinamente em quartos de aluguel, hotéis, apartamentos de solteiros. Se os meninos nos surpreendessem, torceriam a boca numa careta de repulsa; e eu, só de imaginar essa careta, sinto um calafrio. Diante dos próprios filhos, uma mãe deve sempre mostrar não haver jamais conhecido essas coisas, jamais ter desfrutado delas. É essa falsidade que nos faz murchar. São eles os culpados, eles. Quando os filhos estão presentes, o marido, ainda que ache a esposa bonita, não pode olhá-la com desejo; se um gesto dela, uma atitude o atrai, ele não pode abraçá-la, beijá-la; e assim pouco a pouco ele não a vê mais. Nem Michele nem os meninos me consideram jovem; no entanto, noites atrás, Riccardo contava de um amigo que se apaixonou loucamente por uma mulher de quarenta anos, uma mulher lindíssima. "Se desse certo", dizia, "seria um homem de muita sorte."

Pronto, de repente creio ter compreendido aquilo que nos faz temer que os filhos se deem conta de uma vida secreta nossa, aquilo que nos torna tão relutantes em nos entregar a ela: é porque sentimos que marido e mulher, que se unem numa relação encoberta, silenciosa, depois de terem falado o dia inteiro de questões domésticas, de dinheiro, depois de terem fritado ovos, lavado pratos sujos, já não obedecem a um feliz e jubiloso desejo de amor, mas a um instinto primário como sede, fome, um instinto que se satisfaz no escuro, rapidamente, de olhos fechados. Que horror. Envergonho-me até deste caderno, de mim mesma, não ouso mais escrever, assim como na outra noite não ousava mais me olhar: me aproximei do espelho para me fundir com a casta imagem ali refletida, enquanto murmurava "Guido".

27 DE ABRIL

Tenho a impressão de que no escritório começam a suspeitar da nova natureza das minhas relações com Guido. Talvez o contínuo tenha contado que nos viu próximos, sozinhos, na penumbra; ou talvez todos tenham percebido em mim uma segurança incomum e se perguntem a que ela se deve. Fui pontualíssima durante anos e agora chego sempre atrasada. Sei que não corro nenhum risco de ser repreendida e muito menos de perder o emprego. Remanchar na cama já não me parece uma culpa, mas um prazer que devo a Guido e do qual é doce aproveitar. Michele observou que de uns tempos para cá meu rosto está menos cansado. Disse isso na presença de Mirella, o que me agradou. Ela nunca se pergunta se eu estou cansada. Creio que é egoísta e calculista, embora eu ainda não consiga compreender bem quais são seus objetivos. São suas atitudes que me revoltam; entre nós, os papéis parecem invertidos, como se ela fosse a mãe e eu, a filha.

Falei sobre isso com minha mãe e ela disse que, a partir de certa idade, se quiserem viver tranquilos os pais devem fingir que não são inteligentes. Disse que os filhos se vangloriam do tempo em que vivem como se este fosse um mérito deles, sem compreender que o novo tempo não importa nada aos pais, que já se cansaram de ter se havido com o tempo deles. Falei-lhe de Cantoni e ela não se mostrou surpreendida nem indignada; disse que a culpa é minha porque mandei Mirella para escolas públicas e depois para a universidade, e nunca tomei o cuidado de acompanhá-la quando sai. Repliquei que não poderia ter feito isso, às voltas com o escritório e a casa, e ela acrescentou que, querendo, uma pessoa consegue fazer muito mais do que parece possível. Sua inclemência me feriu; no entanto, quando ela fala assim, sempre tento convencê-la, fazê-la compreender que hoje certas relações estão mudadas. Ela balança a cabeça e diz que as relações entre pais e filhos, entre mulher e homem, não mudam nunca.

Às vezes até acho que seu comportamento exprime uma hostilidade proposital. Dias atrás, por exemplo, ela telefonou a Michele para dizer que logo lhe mandaria alguns dos famosos *tortellini* que ele adora, e que os prepararia com as próprias mãos. Michele gostou muito desse desvelo e declarou que as mulheres do tempo de sua mãe e da minha eram extraordinárias. Ofendida, observei que a minha, embora prepare os *tortellini*, nunca seria capaz de ganhar um salário para ajudar o marido. Michele replicou que eram justamente as virtudes caseiras a torná-las mulheres extraordinárias. Não me contive e fui até o quarto de Mirella desabafar sobre essa história dos *tortellini*. A ela também, como à minha mãe, tentei explicar que eu não tinha tempo para fazer mais do que já faço. Mirella me interrompeu, perguntando: "E daí, qual a importância desses *tortellini*?".

No entanto, assim é: me sinto culpada em relação a Michele por não preparar os *tortellini*, mas não por sair de carro com Guido. Quando estou com ele, o único remorso de que sofro é roubar tempo à família, à casa, o mesmo que sinto quando escrevo este diário. As mulheres ricas, aquelas com cozinheira, talvez nunca sintam remorso algum. Ontem Michele deixou a carne no prato dizendo que estava dura, e Riccardo fez o mesmo, e os dois me perguntaram onde eu a tinha comprado, quase me acusando de uma escolha ruim. Aquela carne no prato me apertava o coração. Parecia-me que Guido era o culpado pela fome que Riccardo e Michele não tinham saciado. Imaginei a geladeira da casa dele, lotada de comidas boas, e senti nascer em mim a consciência do pecado. Talvez Mirella não esteja errada quando diz que o dinheiro corrompe tudo. Comecei a compreender isso desde que saio de carro com Guido; nossas relações mudaram a partir do momento em que já não nos vemos somente no escritório. Naqueles momentos, a riqueza dele era para mim uma questão de cifras abstratas cuja realidade eu não podia sequer imaginar, e que por conseguinte não me atraía nem me feria. Agora é diferente. Senti isso sobretudo este fim de tarde. Saímos cedo do escritório, nos encontramos na esquina, no carro, e Guido tomou rapidamente a direção de Monte Mario. Chegando ali, entramos num estabelecimento ao ar livre muito cheio à noite, mas deserto àquela hora. Por toda parte havia canteiros de flores, a pista reservada aos dançarinos era azul como um espelho d'água, e eu me sentia humilhada com meu velho tailleur: me imaginava num vaporoso vestido de tule branco, Guido de fraque, jantaríamos e depois dançaríamos uma valsa. Eu tinha bebido dois vermutes, me sentia animada por um efervescente contentamento e ria. Compreendia por que Mirella se apaixonou por Cantoni: é para viver num mundo rico e despreocupado como aquele, e não pelos outros motivos que ele supõe. Em grandes mesas forradas de branco, eu via doces, os primeiros frutos da estação, pratos refinados de galantinas. Guido falava comigo, me segurava a mão, e eu não conseguia prestar atenção como no escritório. Tinha fome, uma fome violenta que jamais havia sofrido, sentia nos lábios o sabor daqueles alimentos refinados. Queria que Riccardo também os experimentasse, que se saciasse junto comigo, e Michele também, que eles não deplorassem a carne deixada no prato. Olhava Guido, que me falava, indiferente, brincando com o isqueiro, e sentia por ele um arrebatamento apaixonado, mesclado de rancor. Sentia um desejo maldoso de vê-lo gastar muito dinheiro comigo, imaginava-o contando cédulas e cédulas de mil, e o temor de que ele pudesse ler meus pensamentos me incitava a ir embora daquele lugar, voltar para casa. Parecia-me que até o sonho de ir a Veneza, acarinhado por tanto tempo, na realidade era simplesmente fome.

Tomamos o rumo da cidade, lentamente; nós a víamos estender-se lá embaixo, com todas as luzes acesas nas ruas. Eu pensava que havia muitos anos não tinha estado em Monte Mario. Na última vez, tinha ido visitar no hospital uma velha empregada de minha mãe, me lembrava de um longo e cansativo percurso de bonde. Guido segurava o volante com uma das mãos, com a outra me envolvia os ombros, e o prazer daquele abraço me dava vontade de chorar. Parecia-me que ele queria saciar uma fome maldosa como aquela que eu experimentara pouco antes, diante da comida. Tentei me afastar, ficar à parte, talvez por sentir que era a diferente qualidade de nossa fome a nos entregar um ao outro e a nos dividir. "Não", eu murmurava, enquanto ele, me puxando para si, buscava minha boca. Seus lábios tentavam vencer os meus, a defesa dos meus dentes cerrados. Se eu cedesse, iria beijá-lo com violência, talvez o mordesse. Consegui me desvencilhar, ávida e trêmula. "Eu lhe suplico, Guido, eu lhe suplico", repetia. Ele não insistiu; me beijou a mão e começou a dirigir velozmente rumo à minha casa porque estava tarde.

29 DE ABRIL

Pode acontecer que eu morra de repente, sem ter tido tempo de destruir este caderno. Michele ou meus filhos o descobririam ao arrumar a casa, como sempre ocorre depois das tragédias. A ideia de o acharem depois da minha morte me aterroriza. Ontem à noite, quando estávamos à mesa, todos juntos porque era meu onomástico, eu olhava Mirella pensando que, caso o encontrasse, ela iria destruí-lo sem ler nada.

Minha mãe não estava porque nunca sai à noite; havia mandado os *tortellini*. Hoje lhe telefonei para agradecer e contei que infelizmente Michele não fez muito caso deles porque, como iria à casa de Clara depois do jantar para notícias sobre o argumento, estava distraído e de mau humor. Marina não comeu nada e, à minha reiterada insistência, respondia balançando a cabeça. Sem dúvida é a ideia da iminente partida de Riccardo que a perturba; aliás, ele mesmo, talvez por atenção a ela, sequer menciona o assunto. Ontem à noite chegou a dizer: "Quem sabe se algum dia irei mesmo para a Argentina…". Marina o fitava com seu olhar apalermado e implorante. "Teríamos que esperar muito tempo, antes de nos casar", ele acrescentou. Senti que desejavam entabular uma conversa para ter a minha aprovação; fingi não compreender e disse que não via outra solução mais rápida. Marina não dizia nada. Riccardo concluiu: "Veremos, Deus proverá".

Mais tarde, depois que Michele saiu, nos sentamos em torno do rádio: eu tricotava, relembrando tudo o que Riccardo havia dito pouco antes. Levantei os olhos e o fitei. Ele estava sentado ao lado de Marina, e ambos pareciam magros, descarnados. Riccardo havia perdido aquela segurança que o amor lhe dava nos primeiros tempos: diante das graves decisões que deve tomar, vacila, tem medo. Como no primeiro dia em que ela entrou aqui em casa, tive vontade de dizer a ele: "Vamos mandá-la embora". Depois medi com o olhar os ombros franzinos de Marina e disse a mim mesma: "Riccardo nunca poderá abrir mão de mim", e voltei os olhos para as agulhas, recomeçando a tricotar.

30 DE ABRIL

Ontem, quando parei de escrever, faltava pouco para uma da manhã; Mirella dormia fazia tempo, Riccardo tinha voltado, depois de levar Marina em casa, e sem dúvida também dormia. Guardei o caderno, arrumei a sala de jantar e depois fui até a janela porque Michele não voltava e eu estava preocupada.

A noite estava fresca, mas doce. Em vez de ver se, na pouca luz da rua, eu discernia Michele, fiquei observando o céu, as vívidas estrelas. "Cinco dias em Veneza", pensava, e planejava escrever logo à tia Matilde anunciando minha visita. Imaginei-me debruçada à janela de sua casa, que fica numa daquelas velhas ruas de Verona, escuras e muito estreitas. Levarei o caderno, pensei. Via-me alojando-o na mala em meio à roupa de baixo, fechando a valise, tomando o trem e não voltando mais.

Permaneci muito tempo à janela e, ao entrar, sentia frio. Era noite alta, e nada de Michele. Fui me deitar e, quando despertei, sobressaltada ao ouvir o estalido da maçaneta, já amanhecia.

Michele se despia devagar; eu o observava por trás das pálpebras semicerradas, fingindo dormir. Espiava seus movimentos cautelosos, não os reconhecia, e meu coração palpitava. Quando ele entrou na cama e se deitou, pareceu-me sentir seu cansaço em meus membros. "Michele...", chamei baixinho. Na luz fria que vinha da janela, sobre o assento da cadeira eu via o grande envelope branco que ele havia trazido de volta. No espaldar, repousava o paletó de seu terno escuro; os ombros se abandonavam vazios, exaustos. "Não é possível", ele disse. "Um diretor francês disse que gostaria muitíssimo de fazer o filme, mas os produtores julgam um argumento arriscado, não querem se comprometer. Têm medo da guerra." "Não há mais esperanças, então?", perguntei. E ele, depois de uma breve pausa, murmurou: "Não. Mais nenhuma". Observei como é injusto que a vida, o futuro de um homem, dependam sempre de causas externas, de pessoas mais fortes que ele. "Até minha mãe", acrescentei, "diz sempre que, se não fosse pela guerra, aquele Bertolotti não teria feito tudo o que fez em 1917. Estaríamos bem." Michele repetiu: "Pois é, estaríamos bem". Eu me aproximei dele, o sono me pegava de novo, e apoiei a cabeça em seu ombro. "Escute, mamãe", ele disse, "eu preferiria não contar nada aos meninos." "Claro", tranquilizei-o. "Não vamos contar nada. O que os meninos têm a ver? São assuntos nossos, Michele."

4 DE MAIO

Tivemos dois dias de folga esta semana: quarta e quinta-feira. Na quarta de manhã, Michele telefonou ao banco e avisou que não estava bem; ficou na cama até a hora do almoço, no escuro. Eu o apoiei, disse que trabalha demais pelo salário que recebe. Mas com frequência, ao falar, obtenho um efeito contrário àquele que pretendia: Michele anda muito irritável desde que perdeu a esperança de vender o argumento. Sobressalta-se a cada toque do telefone, talvez ainda espere uma boa notícia, uma mudança de ideia. Mas agora o telefone só toca para os meninos, e isso o aborrece. Reclama porque o telefone está sempre ocupado; eu, ao contrário, me alegro por eles terem muitas amizades. Lembro muito bem que, quando eram crianças e algum colega os chamava ao telefone, eu, ao ouvir, na outra ponta do fio, uma voz tímida pronunciar seus nomes, quase me espantava que fossem conhecidos por outras pessoas além de mim. Aproximavam-se do telefone encabulados, conversavam de maneira apressada, irritadiça, e esse seu modo de se comportar me enternecia.

Por estes dias Michele não suporta os meninos. Precisei recomendar-lhes, como quando eram crianças, que caminhem com cuidado e não falem em voz alta, porque, só de ouvi-los passar pelo corredor, Michele explode: "O que foi? O que estão fazendo? O que querem?". Ele deveria pedir uns dias de licença, descansar. Dei-lhe esse conselho e ele respondeu, brusco, que está muitíssimo bem. Senta-se perto da janela aberta e olha lá fora, ainda que o panorama não seja muito atraente: casas, terraços e roupas estendidas. No crepúsculo, as casas e os terraços ficam ainda mais tristes e cinzentos, os andorinhões gritam desesperados. Acho que Michele está errado em permanecer tanto tempo ali. Eu, a essa hora, tenho sempre vontade de pegar o caderno e escrever.

Em vez disso, às vezes sento a seu lado. Agora que compreendemos muitas coisas, talvez pudéssemos começar a viver juntos de verdade, se não nos envergonhássemos de confessar o que sentimos. Eu me pergunto se a reserva que, com o tempo, acaba por afastar os cônjuges é um mal ou uma defesa. Quando estamos sozinhos, perto da janela, e as horas se arrastam em nossa breve folga de funcionários, sinto que, no fundo, até poderia lhe falar de Guido e do conforto que sinto ao ver que ele me considera uma mulher jovem e atraente. É absurdo, na verdade, vivermos como irmãos e sermos obrigados àquela fidelidade que é natural nos apaixonados. Quando olho para Michele, lamento não mais desejar ir a Veneza com ele. Tudo seria fácil, simples, claro, e eu não me debateria entre tantos sentimentos contrastantes. Mas, se fôssemos juntos, eu não sentiria aquela felicidade pela qual estou sedenta. Nós nos sentaríamos a uma cafeteria na Piazza San Marco, silenciosos, escutando a música, distraindo-nos com o rosto dos transeuntes, como às vezes fazemos em agosto, quando Roma fica deserta e vamos nos sentar à cafeteria da pracinha perto daqui, onde há uma pequena orquestra que com frequência toca "Il Sogno", da ópera *Ratcliff*. Talvez recuperássemos certo entusiasmo à mesa de uma *trattoria* onde se come bem; mas não gosto de ir a esses lugares com Michele: no final, ao ver as cédulas que, depois de contar duas vezes, ele deixa sobre a conta, penso sempre que não valeu a pena.

Ontem, ao anoitecer, propus: "Vamos sair?". Uma vez lá fora, não sabíamos aonde ir; Michele não queria ir ao café nem ao cinema, ficamos passeando, e ele escolhia sempre as vias secundárias porque não gosta do modo como as pessoas caminham pela rua aos domingos. É preciso tratá-lo com muita paciência, e faço isso de bom grado, porque intuo o que se passa na mente de um homem que tem quase cinquenta anos e nunca saiu de uma vida difícil e obscura. Muitas vezes considero que, embora me afadigue muito mais, sou mais afortunada, porque uma mulher, não importa o que faça, nunca pode se distanciar da vida dos filhos. Além disso, uma mulher que não é rica tem sempre pouco tempo para pensar. Com o passar dos anos, percebo que minha mãe, quando falava da vida da mulher e dizia coisas que me irritavam, no fundo tinha sempre razão. Dizia que uma mulher não deve nunca ter tempo, não deve jamais ficar ociosa, porque do contrário logo começa a pensar no amor.

Na verdade, sempre sou forte na presença de Guido; mas quando estou sozinha, e sobretudo com Michele e os meninos, pensar nele se torna uma obsessão e não tento me defender. Nossos encontros mais íntimos são quando eu abro este caderno, à noite. Quando estamos perto um do outro, sinto o pesar de não conseguir aceitá-lo na minha vida como o aceito em pensamento. Talvez também porque ele me pareça uma pessoa totalmente nova, à qual não posso atribuir aqueles direitos que, no entanto, nosso longo hábito de trabalhar juntos deveria lhe conferir. Lembro da primeira vez que ele disse que fora do escritório não sabe mais viver. Desde então, sinto que espera de mim uma segurança que nem o dinheiro consegue lhe dar. Sinto que algo mudou entre nós: talvez eu não devesse jamais ter aceitado sair com ele, às escondidas, separar-nos na esquina, ter sobressaltos ao ver cada desconhecido que entra na cafeteria onde já adquirimos o hábito de nos encontrar. É como se tudo isso fosse menos belo do que aquilo que nos ligava quando tínhamos em comum somente a linguagem do trabalho, a sala onde labutamos juntos por tantos anos e que é nosso refúgio, todo sábado. No entanto, creio que justamente essa possibilidade de sermos diferentes de como somos no escritório é o que nos atrai; queremos nos encontrar numa vida diferente daquela que ambos levamos.

Devo ser sincera e registrar aqui um desejo que existia há tempos em mim, antes de conhecer Guido. Escrevo com grande temor, me sobressalto a cada rangido; nestas últimas noites Michele tem sono leve. É o seguinte: às vezes, antes de adormecer, eu me divertia imaginando ser uma daquelas mulheres jovens, bonitas, elegantes, que vivem viajando, vão de um hotel a outro nas grandes estâncias turísticas, e sobre as quais se diz: "São aventureiras". Eu imaginava ser uma delas ao menos por um dia, uma noite; e poder me encontrar com um homem que não soubesse de onde eu vinha nem meu nome, nada. Pouco a pouco, incitada por esse jogo, sentia muitos desejos que, de outro modo, jamais ousaria reconhecer em mim. Agradava-me acreditar que tinha muito dinheiro, muitas roupas, peliças, joias, que podia viajar a países distantes que eu sequer sabia imaginar; e, sobretudo, ser amada por um homem diferente de Michele, de um modo diferente de como Michele me amou, de como eu conheço o amor. Pensava que na manhã seguinte poderia ir embora, voltar para cá, para casa, onde ninguém ainda havia percebido minha fuga: voltar era um grande alívio.

Agora, às vezes imagino as mesmas coisas, mas com Guido; me vejo muito elegante, alegre, espirituosa, como é Clara, e como eu nunca fui. Talvez ele também gostasse que eu fosse assim. Mas seria necessário que não soubesse muita coisa a meu respeito; não soubesse que para viver preciso das sessenta mil liras mensais que agora recebo ruborizada das mãos do contador. Sexta-feira passada, em Monte Mario, eu me sentia nervosa também porque o envelope com o salário estava na minha bolsa, e quando Guido queria me beijar me parecia que, por causa daquele dinheiro, eu não podia recusar. Além disso, me envergonho de minhas roupas modestas. Um dia destes, de manhã, ele ia saindo do carro e me viu descer do bonde em frente ao escritório; entrou depressa pela portaria, fingindo não me ver. Parece-me que, além de seu amor, o que me impele para ele é justamente sua força de homem rico, bem-sucedido, com uma vida melhor do que a minha. Quando penso essas coisas, tenho a sensação de estar verdadeiramente traindo Michele, embora a certeza de responder sempre "não, não", quando falamos de Veneza, me tranquilize. Sempre que Guido entra no escritório de manhã, fresco, cheirando a lavanda, com sua camisa de seda, os ternos novos com lapelas ainda arredondadas, me acontece pensar nos trajes de Michele. Não sei explicar, mas me parece que, por meu intermédio, Guido lhe rouba a possibilidade de ele também se vestir com elegância, e até o sucesso que ele obteria com aquelas roupas que não pode ter. Contudo, no escritório, vejo em Guido um homem que trabalha tanto quanto eu, tanto quanto Michele, e que é mais competente do que nós, por isso ganha mais. Fora, ao contrário, ele é somente um homem rico. Noites atrás, no carro, notei que seu olhar se detinha sobre minha meia cerzida. Foi como se por essa meia ele pudesse descobrir todas as minhas fraquezas. Falávamos de Riccardo, lembro muito bem: ele disse que, se meu filho não pudesse ir para a Argentina, cuidaria de lhe arranjar um bom emprego. "Você não deve se preocupar", ele dizia, me puxando para si. Sempre pensei que, se fosse casada com Guido, gostaria igualmente de trabalhar com ele, como faço hoje, de ajudá-lo, ser sua colaboradora mais fiel; mas de uns tempos para cá, quando estou muito cansada, me pergunto se teria de fato forças para isso, ou se, ao contrário, ficaria em casa, como a esposa dele, comprando peliças de visom. Não sei, não compreendo mais nada, não sei julgar. Estou cansada, estou escrevendo há duas horas. Sinto, porém, que é justamente essa vitória de Guido, na luta em que Michele foi derrotado, que me faz sentir mais vivo o desejo de ir embora desta casa, de partir com ele para Veneza, despreocupada e feliz.

5 DE MAIO

Quero dizer a verdade, confessar que, desde o primeiro momento em que Guido me convidou para ir a Veneza, eu estava decidida a aceitar. Jamais tive a franqueza de admitir isso, nem mesmo neste diário. Porque, de outro modo, deveria reconhecer que o esforço para esquecer a mim mesma durante vinte anos foi inútil. Esse esforço deu resultado até o momento em que eu trouxe para casa, escondido sob o casaco, este caderno negro e luzidio como uma sanguessuga. Foi então que tudo começou; no fundo, até a mudança em relação a Guido teve início no dia em que admiti poder esconder alguma coisa de meu marido, ainda que fosse apenas um caderno. Eu queria estar sozinha para escrever; e quem deseja se fechar na própria solidão, em família, traz sempre consigo o germe do pecado. De fato, através destas páginas, tudo parece diferente, inclusive o sentimento que tenho por Guido. Eu culpo o dinheiro dele pelas fraquezas que não sei vencer ou aceitar. Quero me iludir acreditando que somente uma força estranha me impele a trair meus deveres, não ouso confessar que o amo. Na verdade, creio que o sentimento mais forte em mim é a covardia.

Estou decidida a viajar com Guido. Mas na volta não o verei mais. Não poderia levar uma vida de subterfúgios, de mentiras. Ele vai compreender, vai me ajudar a conseguir outro emprego; em casa, ninguém fará objeções se o salário for melhor. Mas agora quero viajar. Já escrevi à tia Matilde: assim que receber a resposta, tomarei o trem no mesmo dia. Em Verona, comprarei um robe novo. Não é possível que esteja tudo acabado, na minha idade: os dias são monótonos, as noites, solitárias. Não faz muito tempo, Riccardo queria que eu me deitasse a seu lado, na cama, para fazê-lo adormecer; eu lhe acariciava os cabelos, o rosto; suas bochechas já arranhavam e ele ainda dizia: "Quero me casar com a mamãe". Agora a casa está deserta, silenciosa, só se ouve a porta bater atrás de Michele saindo, atrás dos meninos saindo.

Talvez tenham sido estes três dias que Michele passou em casa a vencer minhas últimas incertezas. Não havia paz, mas tédio. Ele lia o jornal, atualmente compra vários, e parece ansioso por encontrar notícias que prenunciem a guerra. Mostra-nos todas quase com satisfação, dizendo que os produtores têm razão em não querer se comprometer. Hoje conversava com Riccardo e lhe dizia: "Espero que a sua geração tenha mais sorte. Quanto a mim, a cada vez que estive prestes a conseguir alguma coisa muito significativa, vi tudo desabar por causa de uma nova guerra". Eu o olhava para compreender se ele estava de fato convencido daquilo que dizia e esperava que sim. Lembrei das narrativas de meu pai sobre sua carreira, ou as coisas que minha mãe sempre fala de Bertolotti, e me perguntei se não é uma sorte que cada geração tenha sua própria guerra à qual atribuir as derrotas pessoais. Considerei que a vida de Michele, a esta altura, continuará monótona como a vida de meu pai, que passa o dia inteiro na poltrona, esperando; e senti uma grande pressa.

    Fui ao escritório mais cedo que nos outros sábados, Guido não estava. Chegou com meia hora de atraso, quando eu já começava a temer que não aparecesse. Fui a seu encontro com uma ansiedade infantil; ele se desculpou, disse que havia tido um dia difícil em casa, e não perguntei por quê. "Oh, Valeria, temos que viajar", ele dizia, como se precisasse respirar ar puro. Entramos em sua sala, nos sentamos um diante do outro, à escrivaninha, como sempre. "Sim, temos que viajar. Eu poderia sair de Roma daqui a dez dias, estou esperando uma carta da minha tia." Finalmente me sentia livre da incerteza na qual me debati por tanto tempo; gostaria de partir logo, ir diretamente do escritório à estação, a fim de que a coragem não me faltasse. Confessei isso a Guido e ele acrescentou: "Oh, quem dera pudéssemos. Eu queria não voltar mais, nunca mais, àquela casa". Parece querer partir para escapar de algo que o faz infeliz em casa, mais do que para encontrar alguma coisa que o faça feliz comigo; mas eu também tenho a mesma sensação. Ele falava do hotel onde ficaremos, o mais caro de Veneza, e eu, além de contente, me sentia lisonjeada. Contudo, talvez porque a decisão havia sido muito repentina, já não sabíamos conversar; para nos reencontrarmos, precisaríamos trabalhar, mas me dei conta de que, a esta altura, quando estamos sozinhos, já não trabalhamos. Eu me sentia perdida, disse "Guido", ele veio para junto de mim e me beijou. Até o momento em que nos despedimos, não fizemos outra coisa além de nos beijarmos, nos olharmos, nos beijarmos de novo.

Ao voltar para casa, me parecia ter as roupas em desordem, o rosto transtornado. Temi que Michele percebesse. Ele havia chegado naquele momento e segurava um bilhete de Mirella nos avisando que não viria jantar. Eu disse, em tom angustiado, suplicante: "Você precisa tomar alguma providência, Michele, precisa impedir...". Ele me olhava, espantado, e eu sentia estar perdendo o controle: "Depois será tarde demais, faça alguma coisa, Michele...". Falei da atitude intolerável de Mirella, mas nada disse sobre a visita de Cantoni por temer que ele me repreendesse por tê-lo recebido. Eu jamais tinha falado com tanta determinação. Havia tirado o bilhete das mãos de Michele e o lia, e relia: "Querida mamãe, desculpe, esta noite não volto para o jantar, boa noite". Minha irritação crescia: "Entenda, Michele, ela diz só isto: não volto para casa e boa noite. A família não importa mais. Não posso cuidar de tudo, estou cansada, resolvi partir para Verona, há anos não tiro um dia de descanso. É preciso que você faça alguma coisa. Afinal, é você o chefe da família, é você que deve exigir obediência, eu não consigo". Michele me respondia afetuosamente: "Tudo bem, viaje tranquila, mamãe, descanse. Não há nenhuma novidade. Mirella voltou tarde para casa muitas outras vezes". Eu disse que tinha a impressão de que esta noite havia algo diferente do usual. Quase tremia, enquanto o olhava desesperada, suplicando, "me ajude, Michele; não sei por quê, mas de uns tempos para cá eu tenho medo". Ele disse que isso resulta das idades diferentes: "A dos nossos filhos, quando a juventude começa, e a nossa que...". Hesitou um instante e eu completei, amargamente: "Que acaba, é isso?". Ele balançou a cabeça e, com um sorriso, disse que, se acabasse, já seria um alívio.

6 DE MAIO

Fui à igreja hoje cedo e me demorei muito porque a missa era cantada. Eu me sentia bem, em paz. Lembrei do tempo de guerra, quando as pessoas estavam desesperadas, não sabiam nem mais o que pedir, e sentavam-se durante horas na igreja, rezando, cantando e esperando que as coisas no mundo mudassem. Ontem à noite, Michele conversou com Mirella, e esta manhã ele me disse: "Eu tenho confiança nela. Aliás, existem casos nos quais não se pode fazer mais do que ter confiança e esperar". Da igreja, voltei para casa sem pressa, o sol já está esquentando. Acho impossível que Mirella não minta, e Cantoni talvez também tenha mentido enquanto parecia se abrir sinceramente comigo. "Eles são competentes nisso", pensei, "muito competentes." Mas não tinha vontade de pensar, e agora não tenho vontade de escrever. À tardinha plantei gerânios na sacada da cozinha, como faço todo ano. Em casa só estava Michele, que escutava o rádio. Fiquei sozinha, me sentia muito bem. Quero recordar este domingo de primavera, sereno.

8 DE MAIO

Hoje, depois do almoço, Riccardo me chamou ao quarto dele. Fechou cuidadosamente a porta atrás de si, virou a chave, embora estivéssemos sozinhos em casa, e esse gesto me deixou desconfiada. "O que houve?", fui logo perguntando. "Quero falar com você", ele disse, "já faz vários dias que desejo isso, mas nesta casa nunca se consegue ficar sozinho, conversando em paz." Acrescentou: "Sente-se". Eu insistia: "O que houve?", enquanto ele me obrigava a sentar na poltrona. Puxou uma cadeira e sentou diante de mim. Eu me sentia cada vez mais inquieta. "Escute, Riccardo", avisei, "estou muito cansada; se você vai me dizer alguma coisa que pode me desagradar, peço que fale disso com seu pai, porque..." Ele me interrompeu: "Você não pode partir para Verona, mamãe". Tive um sobressalto, e meu temor se tornou de outra natureza. "Por quê?", perguntei, empalidecendo. "Porque vou precisar de você nos próximos dias." Dei um suspiro de alívio, enquanto lhe perguntava se não acha que tenho direito a umas férias. Riccardo respondeu que lamentava atrapalhar meus planos, mas que era uma coisa muito importante para ele. Então, tentando me defender por antecipação, anunciei que tudo o que ele pudesse dizer seria inútil: eu viajaria de qualquer modo. "Você já é um homem, precisa aprender a viver por conta própria. Se quiser conversar comigo, eu o escuto, mas ande logo, preciso voltar para o escritório. O que aconteceu?" Depois de uma pausa, ele disse: "Decidi me casar logo".

Levantei na hora, perguntando se era para me anunciar semelhante tolice que ele me retinha em casa, e se percebia o absurdo disso; olhei os livros fechados sobre a mesinha e disse que ele faria melhor se estudasse. "Por acaso você considerou o que significa 'se casar'?", perguntei. "Temo que o casamento seja algo diferente do que você imagina. Pode me explicar como vão sobreviver?" Ele me fitou nos olhos, sério, e confessou: "Não sei".

Tentei rir, mas seu olhar, que permanecia grave ao me dar resposta tão boba, me mantinha apreensiva. "E então?", perguntei, "o que você quer fazer, se ainda não sabe como poderão sobreviver? Casar-se significa sobretudo isto: sustentar muitas pessoas." Ele nada dizia. "E então?", eu insistia. "Não sei", ele repetiu; "penso que por enquanto não irei para a Argentina, vou procurar um emprego provisório, aqui, para atravessar os primeiros momentos; soube que em Buenos Aires me contratariam inclusive no próximo ano, ou daqui a dois anos." Estava pálido. Eu insistia: "Não é fácil encontrar emprego. Seja como for, vamos admitir que você consiga logo. Vejamos: como os dois vão viver com seu salário, com quarenta mil liras por mês, se tanto? Já pensou nisso?". "Sim", ele respondeu, olhos nos olhos. Em seguida desviou o olhar e acrescentou: "O único jeito é morar aqui com vocês; eu lhe darei tudo o que ganhar, até o último centavo, não queremos nada. Basta este quarto, assim como está: só precisaríamos comprar uma cama de casal".

Balancei a cabeça enquanto pensava que, se era isso que ele desejava, não iria conseguir. Lembrei-o de minhas convicções radicais: "Cada um deve ter a própria casa, a própria vida". Eu me pusera a caminhar para lá e para cá, dizendo que ele se casaria quando tivesse tal possibilidade; a nora aqui em casa, não e não. E, aliás, por que não iam morar na casa de Marina? Riccardo respondeu que a madrasta jamais consentiria e que, ademais, o pai de Marina ganha pouquíssimo, eles mal têm como viver. "E nós?", repliquei com dureza: "E seu pai? E o meu cansaço? Vocês sempre me imaginaram capaz de fazer milagres, nunca perceberam que não eram milagres, era suor, horas de labuta. E agora, em vez de desejar que eu pare de trabalhar, que eu descanse, você acha que posso trabalhar para mais uma pessoa. Você é ingrato, ingrato e inconsciente". Enquanto isso, com alegria, com despeito, quase, imaginava minha partida: já me via no trem, entre as malas, via a laguna, os palácios, a amplidão do céu de Veneza, leve como um domingo. Fui até a porta; Riccardo se aproximou e pôs a mão na maçaneta para não me deixar sair: "Não, mamãe, não vá, por favor, escute. Eu decidi me casar a qualquer custo, logo, o mais depressa possível. Dentro de quinze dias".

Voltei-me de chofre. "Você enlouqueceu?", perguntei, "enlouqueceu, Riccardo?" Ele me fitava, sem responder, pálido. Eu me aproximei e o agarrei pela gola do paletó. "Você enlouqueceu", repeti, e já havia compreendido tudo. "O que você fez?", perguntei afinal, a contragosto, com repugnância, "o que você fez?"

Então ele abandonou a cabeça no meu ombro e caiu no choro. "O que você fez? O que você fez?", eu insistia, chorando também, e erguendo os olhos para o céu a fim de pedir não sei se ajuda ou se libertação. Em cima do armário, eu via o triciclo vermelho que está lá, coberto de poeira, desde que Riccardo era criança.

"Precisamos nos casar logo", ele disse, "antes que a madrasta perceba. Assim ninguém saberá de nada, nunca. A própria Marina nasceu de sete meses, mas não podemos esperar nem mais um dia. Tudo vai dar certo, você vai ver, eu vou trabalhar, Marina vai ajudá-la em casa. É preciso que você não nos seja hostil, mamãe, é por Marina, compreende?" "Ah", exclamei com violência: "É justamente por ela que você me pede? Devo ajudá-la, acolhê-la em casa, essa Marina, aquela que acusava sua irmã, aquela que sequer passa batom nos lábios, que diz somente sim e não. É uma menina, dizia você. Mas a menina soube agir para obrigá-lo a se casar logo!". Riccardo cobria o rosto, angustiado: "Eu sei, você tem razão de pensar assim", dizia, "mas Marina é justamente como eu lhe disse, uma menina, nem mesmo compreendeu o que fazia...". "Pior, então: devia saber", continuei, "hoje em dia, que mulher ainda tem o direito de ser uma menina? Aliás, algumas nunca tiveram esse direito." "Eu garanto", ele continuava, "que a culpa é minha, eu sou o único responsável. Aconteceu, sabe quando?, poucos dias depois que Marina veio aqui pela primeira vez. Eu estava contente por vê-la a seu lado, em nossa casa, havia falado com Bonfanti e ele me garantiu que tudo ia bem, que em outubro eu partiria para a Argentina. Era tudo tão fácil naqueles dias, eu me sentia forte, mas aquela mesma sorte repentina me fazia temer que tudo pudesse desabar novamente, que Marina não soubesse resistir um ou dois anos sem mim, que me esquecesse. Eu sempre a acusava disso, e ela me tranquilizava, jurava, eu a atormentava com meu ciúme e a vigiava, suas palavras não me bastavam, queria instintivamente amarrá-la de algum modo, provar a mim mesmo que era capaz de retê-la, que era dono dela, de meu destino, de minha vida..." "Bobagens", eu disse, "desculpas... Sabe-se muito bem como certas coisas acontecem. O resto nós inventamos depois, para nos justificarmos." Ele balançava a cabeça, afirmando: "Não, eu garanto, você talvez não compreenda, não sabe o que significa ter a minha idade em tempos como estes, e se ver sozinho, sem um centavo, sem nenhuma certeza do futuro, sem nada, a não ser essa moça, e ter medo de perdê-la e de perder tudo junto com ela".

Riccardo está magro, com a barba por fazer, os cabelos desalinhados. Eu revia seu aspecto no sábado passado, ao lado de Marina, também magra, pálida; sei que os espera uma vida cansativa, uma vida como a minha, e temo que os dois não tenham a mesma força que Michele e eu temos. "E agora? Não tem medo, agora?", perguntei. Ele começou a falar baixinho, como se consigo mesmo: "Um pouco menos. Os primeiros dias foram terríveis. Se você soubesse as noites que passei aqui dentro, sem dormir, pensava até em ir embora logo, em deixar Marina, fugir como um covarde. Agora que você sabe, me sinto melhor. Sinto não ter mais tantas incertezas quanto ao futuro, já está tudo decidido, nem me pergunto qual será minha vida, agora já sei". "Pois é, você deve somente vivê-la, agora", acrescentei baixinho. Ele não compreendeu, veio me abraçar, apertando sua face úmida de lágrimas contra a minha.

Fui até o telefone, disquei o número do escritório e avisei que estava retida por assuntos familiares urgentes. Em seguida fui para meu quarto, fechei a porta e me atirei sobre a cama. Pensei que, fosse como fosse, eu podia resistir: a questão não interessava somente a mim, mas, sobretudo, ao pai e à madrasta da moça. "São eles que devem vir falar comigo: eles que, depois do que aconteceu, devem vir propor alguma coisa. Marina tem que falar com o pai. Ele terá que vir aqui, não podemos ser somente nós a assumir todas as responsabilidades." Mas, enquanto pensava essas coisas, via Michele na antessala de Cantoni, entre outras pessoas que esperavam: levava o chapéu marrom sobre os joelhos. Em seguida eu o via falar com Cantoni, que é jovem, confiante; Michele, sentado diante dele, implorava. Cansada, adormeci pensando: "Aqui na minha casa eu não a quero, em hipótese nenhuma". Caí num sono pesado, em meio a imagens confusas. Encontrava-me num leito macio, o quarto dava para o Canal Grande; não via Guido, mas sabia que ele estava perto, me encontraria dali a pouco, eu esperava ouvir seus passos no corredor; em vez disso, escutava aproximarem-se de mim, decididos, quase arrogantes, os passos de Marina. Acordei sobressaltada e vi Mirella entrando: "Está dormindo, mamãe?", perguntou. Já era noite. Sentei na beira da cama e fiquei olhando para ela, apalermada. Depois, de repente, tudo o que havia acontecido pouco antes me voltou à memória. "Marina está grávida", falei. Ela teve um sobressalto e levou as mãos ao rosto, chocada: "Como você sabe?". "Riccardo me contou. Diz que querem se casar logo, dentro de quinze dias, que querem vir morar aqui, nesta casa. Como faremos, Mirella? Estou cansada, não aguento mais." Mirella se aproximou, eu apoiei a cabeça em seu corpo: senti no rosto o frescor de seu vestido de seda. "Vocês, filhos, nunca têm piedade", murmurei.

Mirella me acariciava a fronte, os cabelos; eu não sabia que ela podia ser tão terna. "Não se preocupe, mamãe", dizia, "não será tão grave como parece agora. Entendo, é um golpe, uma surpresa, mas depois tudo se arranjará, e talvez o resultado seja bom. Sempre pensei que Riccardo nunca teria ânimo para fazer algo sério na vida. Talvez seja melhor assim, certas pessoas devem ser obrigadas por forças externas a assumir as próprias responsabilidades, a tomar iniciativas; a viver, enfim. Talvez tudo isso tenha sido bom. Não se preocupe, mamãe; vou conversar com Riccardo, é preciso ajudá-los, vou conversar também com Marina, você sabe que Marina não me agrada, mas, desta vez, sem querer, pode ser que ela tenha feito uma coisa inteligente. Descanse, você parece muito cansada. Eu não tenho tempo para ajudá-la em casa, não posso, mas justamente nestes dias estava pensando em lhe dizer que arranje uma empregada, como você queria, para meio período. Pagaremos a ela com meu salário." Eu apoiava a cabeça em seu seio, sentia seu coração bater forte, um tanto veloz. Minha mãe diz sempre que Mirella é parecida comigo: se minha época tivesse sido diferente, talvez eu também teria sido uma moça como ela, tão segura. Mas temo que, justamente por causa de sua segurança, ela possa cair numa cilada. "Não, não pense em nada", falei, "pensarei eu, meu cansaço é somente passageiro, você verá, já estou me recuperando. Daqui a pouco seu pai volta para casa, quero que ele jante antes... antes de eu lhe falar disso tudo. Não se preocupe com isso, Mirella", repeti, "você tem seu trabalho, seus estudos, seu caminho..." Em seguida, mais baixo, acrescentei: "Vá embora". Achava que devia cortar, pela segunda vez, o vínculo com o qual, antes que ela nascesse, eu a mantinha ligada a mim. "Vá embora", repeti, "temo que haja aqui muitas coisas ruins, muitas mentiras. Talvez eu não lhe diga isto de novo, mas lembre-se de que lhe disse esta noite: salve-se, você que ainda pode se salvar. Vá embora daqui, vá logo." Mirella me abraçava com força; não nos olhávamos. "Quando vai nascer essa criança?", ela perguntou afinal. Recuei, surpreendida, como se ela tivesse dito uma coisa que eu não esperava. "Quando vai nascer?", repetiu. Eu estava distraída, absorta. "Não sei", murmurei, "eu ainda não tinha pensado que vai nascer uma criança."

10 DE MAIO

Esta noite falei com Michele. Temia uma reação violenta por parte dele e, por isso, havia aconselhado Riccardo a esperar em seu quarto; ele, me abraçando, tinha dito: "Peço encarecidamente, mamãe, faça o papai compreender que é por Marina". Mas, ao contrário do que eu supunha, Michele, assim que soube, começou a rir, exclamando: "Que cretino!". A natureza de seu riso não me agradou, parecia exprimir uma satisfação despeitada. Fui fechar a porta a fim de que Riccardo não ouvisse. "E agora?", Michele me perguntou, enquanto eu lhe voltava o olhar. A expressão de seu rosto era alegre, divertida: "E agora, mamãe?", ele repetia, afundando na poltrona como se quisesse desfrutar melhor de um espetáculo. Eu teria preferido que ele se indignasse: naquele seu modo de rir, havia alguma coisa que não me agradava. Contei que os dois pretendem se casar logo, dentro de quinze dias. Ele continuava a sorrir, balançando a cabeça e repetindo: "Cretino!". Perguntei-lhe se acha necessário que Riccardo case com Marina e ele respondeu, sério: "Naturalmente. O que mais ele poderia fazer, a esta altura?". Então comecei a falar de Marina com palavras duras, raivosas; cheguei até a duvidar de que Riccardo seja o primeiro homem que ela conhece. Mas Michele, sem me escutar, continuava: "Claro que Riccardo deve desposá-la". Logo acrescentou: "E não poderá mais ir para a Argentina". Baixei a cabeça, suspirando. Ele disse: "Riccardo é jovem, ainda não sabe que sempre se deve pagar pelo amor, de algum modo. Do contrário, é preciso ser forte, renunciar".

Essas suas palavras me fizeram voltar à manhã de hoje. "O que você tem, Valeria?", Guido me perguntou ao perceber que eu não conseguia prestar atenção ao movimento do escritório. Contei-lhe tudo sobre Riccardo e me sentia humilhada: ele não pode compreender o quanto é grande o dano que esse acontecimento representa para nós, por sermos pobres. Sentia-me humilhada por não poder me alegrar com o fato de que, apesar de tudo, meu filho se casará e ganhará um bebê; com meu relato, era como se fizesse Guido entrar na minha casa e o convidasse a se sentar no sofá de molas gastas, todo puído. Sentia que, a esta altura, devo fugir até mesmo dele, se realmente quiser umas férias nas quais possa ser eu mesma, somente eu, Valeria. Pensava "Valeria" e via uma moça de dezoito anos, bonita, alta, com um vestido longo, de organza, e um chapéu macio de palha de Florença, uma moça como eu nunca fui, porque completei dezoito anos em 1925, quando se usavam saias curtas, cintura baixa, e cabelo com corte masculino. Por estes dias, com frequência me acontece, pensando em mim mesma, me imaginar com aquela aparência juvenil e romântica, embora eu tenha uma filha adulta e um filho que... bem, é isso, embora dentro de pouco tempo vá ser avó. Eu saberia ser aquela moça, como somente as avós sabem ser nos retratos, como se representasse esse papel no teatro com a poética verdade das personagens. Guido havia acariciado minha mão, dizendo: "Tenha paciência, a esta altura faltam poucos dias para nossa partida". Eu esperava que também ele visse em mim aquela moça, e não uma mulher de meia-idade, oprimida pelas preocupações; sentia que nossa partida não devia ser justificada pelo desejo de compensar injustiças sofridas e dias humilhantes, mas somente por um impulso amoroso, irrefreável.

Lembrava tudo isso enquanto Michele dizia que sempre se paga pelo amor. Perguntava-me se algum dia amei e se saberia amar. Michele continuava: "Agora Riccardo deverá trabalhar a vida inteira por aquela jovem e a criança. Começará a compreender muitas coisas que até agora lhe pareciam inexplicáveis. Ele sempre dizia que, se estivesse em meu lugar, preferiria deixar a família passar fome a permanecer funcionário de um banco". Respondi que não via nenhuma relação entre a vida de Riccardo e a nossa, que nós não tínhamos enfrentado a necessidade de nos casar e, ademais, apesar dos protestos dele, insisti em dizer que qualquer comparação entre mim e aquela moça me ofendia, porque ela não tinha sabido respeitar nem a moral nem o amor. Michele dava de ombros, dizendo que hoje em dia muitos preconceitos já não importam. Exclamei, indignada: "Quer dizer, não importa mais nada daquilo que nós respeitávamos". Michele, depois de uma pausa, me perguntou: "Mas respeitávamos mesmo, mamãe? Ou éramos obrigados a fingir que respeitávamos?". Então se levantou e, aproximando-se de mim, disse: "Você tem certeza, por exemplo, de que se nos tivessem deixado sozinhos por longo tempo, ou se tivéssemos tido, suponhamos, a possibilidade de sair sem sermos acompanhados, tem certeza de que nós também não cederíamos, como eles?". Enquanto isso ele me segurava pelos ombros, em um gesto afetuoso, e falava em voz baixa, intensa: "Lembra-se?", dizia, "assim que ficávamos sozinhos começávamos a nos beijar, a nos abraçar... Se tivéssemos desfrutado da liberdade deles, você acha que teríamos resistido? Eu não, sem dúvida. E você também, confesse, faria como Marina, não?" Por um momento estivemos perto de ser totalmente sinceros, a voz dele me pedia isso, ainda mais do que suas palavras. Mas eu não podia: talvez por causa da comparação que ele havia feito entre mim e Marina, ou talvez porque, se admitisse, depois ficaria sem mais nada; sem o passado e sem o pouco que ainda me resta de Michele. "Eu, não", respondi incisiva, "antes do casamento, nunca." Ele me segurou pelos ombros por mais um momento, me olhando, e eu sentia que ficava com raiva dele, de meus filhos que não seguiram meu exemplo, de Marina que é a causa de tudo, de Guido que quer me levar a Veneza, de todo mundo, e até de mim mesma. Depois daquele longo olhar, Michele me abraçou em silêncio e me beijou a fronte. Em seguida se afastou e acendeu um cigarro, dizendo, em outro tom: "De qualquer modo, não era isso que eu queria dizer. Eu dizia... ah, sim, lembra-se do dia em que neguei a Riccardo o dinheiro para comprar a bicicleta? Você sabe muito bem que não podíamos. Mas os filhos nunca acreditam, e talvez gostemos que eles não acreditem, porque assim nos atribuem um poder que não temos. Riccardo disse: 'Por que vocês me trouxeram ao mundo?', e desde então eu sempre lembro dessa frase como uma acusação. Até hoje. Hoje, ele já sabe muito bem por que se trazem filhos ao mundo".

Michele caminhava de lá para cá pela sala e eu o olhava; sentia que havia nele algo incompreensível, como quando, durante o noivado, ele me lia certos poemas que havia escrito para mim e que eu não compreendia bem, mas que, justamente em sua incompreensibilidade, revelavam um quê de diabólico que me fascinava. Na época, volta e meia eu suspeitava que nosso casamento iminente era um erro; mas esse pensamento me afligia e eu não ousava me deter nele. Ainda hoje intuo que poderíamos ter sido absolutamente diferentes daquilo que fomos, e não quero saber por quê. Apressei-me a declarar que eu, por minha vez, tive filhos porque quis tê-los.

Depois, para encerrar, fui chamar Riccardo. Ele avançou tímido, quase relutante, e ao ver o pai lançou-se a seu pescoço num ímpeto de comoção. Com um aceno, Michele lhe sugeriu sentar-se do outro lado da mesa; dali, Riccardo se estendia para ele, esperançoso, e os dois começaram a conversar. Deixei-os sozinhos por algum tempo; quando voltei, falavam da possibilidade de Riccardo ser contratado pelo banco. "Acha mesmo possível, papai?", ele perguntava, animando-se. Michele respondeu que sim, que esperava conseguir: "Eu trabalho ali dentro há muitos anos, a esta altura me encontro numa posição privilegiada", afirmou, "se eu pedir, eles deverão me satisfazer, afinal". Riccardo dizia: "Obrigado, obrigado", e acrescentava que seria bom esclarecer que era somente por pouco tempo. Michele objetou que, se dissesse isso, não o contratariam. "Compreendo", assentiu Riccardo, com um sorriso esperto, "não dizemos nada, então. Quando o bebê nascer, quando puder enfrentar a viagem, partiremos logo. Acho que, uma vez em Buenos Aires, vou conseguir obter um salário melhor do que aquele que me prometeram. Do contrário, em três, não poderemos nos sustentar. Mas, quando eles virem que tenho mulher e filho, que diabo, vão me ajudar. Ou melhor, no fundo, você verá que tudo será mais fácil agora. Marina não quer que eu parta sem ela, não quer ficar aqui sozinha com a criança, e tem razão: nestes tempos, com uma guerra que pode explodir de uma hora para outra, não é prudente nos separarmos. Ela viu os prospectos da Argentina, diz que gostou muito do país, lhe mostrei também o das montanhas." "E o diploma?", objetei. "Antes vou me formar, naturalmente, do contrário não poderia partir. Farei tudo. Papai, você diz que poderei sair do banco quando quiser, certo?" Olhei para Michele, o qual respondeu, calmo: "Claro, quando quiser".

12 DE MAIO

Eu já estava deitada e levantei para escrever. Não consigo dormir. Tentei falar com Michele, mas ele acha inútil voltar mais uma vez ao assunto que, de uns dias para cá, é o único de nossas conversas. No banco, prometeram-lhe que Riccardo será um dos primeiros contratados; e ele marcou uma conversa com o pai de Marina na segunda-feira próxima. "Já fiz tudo o que devia fazer", disse. Depois adormeceu, virando-me as costas, inacessível: tal como acontece amiúde durante o dia, sinto que, da decisão de não se deixar abalar, ele extrai aquela força que invejo e admiro. A necessidade de trabalhar para ganhar dinheiro, de ler o jornal para acompanhar os acontecimentos políticos, lhe confere o privilégio de se isolar, de se defender; já minha tarefa é me deixar devastar. Tanto é que, quando escrevo este caderno, sinto estar cometendo um grave pecado, um sacrilégio: parece-me conversar com o diabo. Ao abri-lo, minhas mãos tremem: tenho medo. Vejo as páginas em branco, repletas de linhas paralelas, prontas para acolher a crônica de meus dias futuros, e mesmo antes de vivê-los já fico perturbada. Sei que minhas reações aos fatos que anoto em detalhes me levam a me conhecer mais intimamente a cada dia. Talvez existam pessoas que, conhecendo-se, conseguem se tornar melhores; eu, porém, quanto mais me conheço, mais me perco. De resto, não sei quais sentimentos poderiam resistir a uma análise impiedosa, contínua; nem quem, vendo-se em todas as suas ações, poderia ficar satisfeito consigo mesmo. Penso que é preciso escolher a própria linha de conduta na vida, afirmá-la perante nós mesmos e perante os outros, e depois esquecer aqueles gestos, aquelas ações que contrastam com ela. É preciso esquecê-los. Minha mãe sempre diz que tem sorte quem possui pouca memória.

O dia de hoje foi angustiante. Ao voltar para a casa na hora do almoço, encontrei a resposta de tia Matilde; ela diz que só precisa saber quando chegarei a Verona para ir me pegar na estação. À tarde mostrei a resposta a Guido. Estávamos no carro: foi o primeiro sábado em que não fomos ao escritório. Ele diz que já está fazendo muito calor. Eu lhe disse que amanhã escreverei à tia Matilde informando que fui obrigada a adiar. Guido nada dizia, fitando-me com um olhar angustiado. "Não, por favor, não", e acrescentou, "não devemos adiar de modo algum." Eu sentia uma amargura muito grande, pois só naquele momento em que anunciei minha resolução acreditei nela. Hoje, à mesa, quando falei disso, esperei que alguém se rebelasse e me obrigasse a viajar; mas ninguém fez caso dessa decisão que me era tão importante. Riccardo tinha ido ao registro civil e contava dos proclamas. "Viajamos logo depois deste triste casamento", prometi a Guido, "daqui a vinte dias, um mês no máximo." Pretendo comunicar desde já à tia Matilde o dia e a hora da minha chegada, escreverei a ela que já me decidi. Guido ainda insistiu, disse que em junho tem muita gente em Veneza. Dirigia devagar, desalentado, pelas desertas avenidas da periferia. Escurecia, o ar estava triste. "Vamos parar aqui", ele propôs, puxando os cigarros, "já que você não deseja mais ir às ruas do centro e ficamos exilados." Perguntei-lhe se eu estava errada, depois do encontro de ontem à tardinha; ele ficou um momento em silêncio, fitando, através do para-brisa, os primeiros postes de luz que se acendiam. Em seguida, murmurou: "Não, talvez não", e me apertou a mão com desespero. Ontem estávamos no bar de um hotel quando vimos entrar o irmão de sua mulher, junto com dois amigos. Esse cunhado dele me conhece muito bem, porque costuma ir ao escritório, e no entanto quase não me identificou, tão surpreso estava por me ver ali com Guido. Mas logo se refez, cumprimentou-nos com excessiva cordialidade e sentou-se no bar. Não sabíamos que comportamento adotar; começamos a falar em voz alta, esperando que ele percebesse que falávamos de assuntos de trabalho; e também já não achávamos o que dizer. Quando saímos, o cunhado fingia não nos ver, mas Guido lhe deu um tapinha no ombro para se despedir e ostentar nossa inocência. Assim que chegamos lá fora, eu disse que não devemos mais nos arriscar a semelhantes encontros. Talvez esperasse que Guido achasse exagerados os meus temores. Mas ele disse, sério: "Tem razão". Em seguida, acrescentou que seu cunhado é um homem experiente e não falaria nada.

Hoje ele também disse que tenho razão: a noite estava bonita e o automóvel, cúmplice, leal; mas, obrigados a não sair dele, nos sentíamos prisioneiros. As luzes das ruas nos atraíam como cometas que indicavam o caminho para uma fabulosa cidade proibida. Passou um guarda, de bicicleta, e pedalou um pouco mais devagar, observando-nos através do vidro da janela. Guido ligou o motor, dizendo: "Não é possível, não somos mais dois estudantes, não podemos ficar sempre dentro do carro nem nos encontrar nos cafés fora do circuito, nas leiterias; aliás, seria ainda mais perigoso. Quero ir a toda parte com você: ao teatro, ao cinema, ao restaurante, caminhar de braços dados pela rua". Eu o fiz refletir; e, embora pensasse em Cantoni, em Mirella, e até em Clara, disse que as pessoas que conheço raramente frequentam esses locais; se quero ser prudente, é por causa dele. Guido suspirou: "Se você soubesse o quanto sou livre, não tenho mais nenhum dever, mais nada". Com frequência intuo que ele gostaria de me falar de algo que não quero saber. "E também os filhos", acrescentou, "que direito eles têm sobre nossa vida privada, os filhos?" Insistia em marcar a data de nossa partida, dizendo: "Preciso ter uma certeza, não me sinto seguro nem de você...". Ao ouvi-lo falar de mim como Riccardo fala de Marina, tive uma aguda sensação de vergonha. Ele dizia que em junho será mais prudente irmos a Vicenza: "Lá não encontraremos ninguém. Você conhece Vicenza? É linda". Eu assentia, sorrindo, e sentia que em Vicenza também estaríamos presos, privados da janela voltada para o Canal Grande, como agora das luzes da cidade proibida.

Em casa, Riccardo veio ao meu encontro já na porta. "Mamãe, Marina está aqui", disse timidamente. Tive um sobressalto: estava estudando um modo de viajar logo, com Guido, e me parecia que eles, lendo meus pensamentos, queriam me atrair para uma armadilha. Aborrecida, entrei na sala sem tirar o chapéu, as luvas e a bolsa. Marina levantou na hora, baixando os olhos, e sua atitude me irritou ainda mais. Olhei seus quadris esbeltos sob a saia de pregas. Imaginei que havia enganado Riccardo e que agora se dispunha a tapear também a mim. "Bem", perguntei-lhe, "quando nascerá esta criança?" Intimidada por minha interpelação brusca, ela se voltou para Riccardo, e ele respondeu, tentando sorrir: "Em dezembro, mamãe, no Natal". Então nos sentamos e começamos a conversar; quando aludíamos à data do casamento, os dois trocavam rápidos olhares nos quais somente um grave sentimento de culpa velava a felicidade. Mas é uma culpa que conheço: sei tudo do pecado deles e também de seu futuro, não me sentia perdida, embaraçada, como por ocasião da conversa com Cantoni. Mesmo assim, tinha uma impressão desagradável; talvez porque ainda conservasse o chapéu na cabeça e o tom severo de meu discurso me mantivesse ereta na poltrona, parecia-me que estava de visita e que eles dois eram os donos da casa. Lembrei das primeiras vezes que Mirella e Riccardo recebiam os amigos e eu, por discrição, não saía do quarto. Já me sentia confinada a um canto, como uma velha, e ouvia as vozes deles, altas, brincalhonas, invadindo os aposentos que haviam sido um domínio somente meu, o meu reino. Esta noite eu olhava Marina pensando que dentro em pouco ela será, como eu, a senhora Cossati. Tirei o chapéu e nele espetei os prendedores, lentamente. Os dois falavam do quarto deles e perguntei a Marina se ela dispunha de algum enxoval, alguma roupa de cama. Ela balançou negativamente a cabeça. Houve um silêncio, então repliquei que não importa, eu ainda tenho uns do meu enxoval e do enxoval da minha mãe; e que, de resto, eles devem estar dispostos a muitos sacrifícios. "Você é muito bonita", continuei, "poderia facilmente desposar um homem rico, ainda que talvez de educação e origem diferentes das de Riccardo. E, quanto a Riccardo, minha mãe já havia lhe arrumado uma esposa. Você sabe como são os velhos", acrescentei com um leve sorriso, "pensam que a felicidade está no dinheiro, no bem-estar material, e sob certos aspectos têm razão. Ela e a avó da moça falavam há anos desse casamento. É uma jovem culta, filha única de uma prima nossa, a condessa Dalmò, dona das mais belas propriedades do Vêneto. Riccardo poderia cuidar do campo, ter segurança por toda a vida. Minha mãe sonhava que um dia ele pudesse comprar de volta a *villa* onde ainda figura o nosso brasão e que hoje, imagine, pertence a um marceneiro enriquecido. Mas prefiro que seja assim. Eu também me casei por amor, embora em circunstâncias diferentes. Você é religiosa?". Ela assentiu fervorosamente. "Pois bem", continuei, "dê graças a Deus por ter conhecido Riccardo. Um outro poderia não dar importância à sua condição e partir para a Argentina. É evidente que não permitiríamos e o obrigaríamos a cumprir seu dever. Mas ele mesmo logo renunciou, você viu? Sacrificou-se de bom grado. Vocês se instalarão aqui, não somos ricos, você bem sabe, mas dividiremos o que houver, para mim você será como uma filha." Marina havia baixado a cabeça e chorava. Eu lhe disse que agora já não convém pensar no passado, e abracei-a. Ela tem um corpo magro, maleável: me inspirava ternura e desconfiança ao mesmo tempo; nos secos soluços silenciosos, balançava-se como o corpo de um passarinho. "Acalme-se", eu dizia, "agora você deve ficar contente. Não chore, pode lhe fazer mal, Marina." Parece-me impossível que naquele seu frágil corpo esteja o bebê, e não só pela escassez das formas, pela delgada estrutura dos ossos, mas porque não quero admitir que o bebê pertence também a ela. Esse pensamento desperta em mim uma desdenhosa rebelião. O bebê é de Riccardo. De Riccardo e meu.

16 DE MAIO

Nem sempre consigo mascarar a ojeriza que a presença de Marina me provoca. Agora ela vem todas as noites; já criei o hábito de pôr a mesa para cinco. Depois Mirella sai, mas Michele e eu não temos um só momento de paz. Eu pego o tricô e deixo Marina e Riccardo entregues a seus assuntos. A conversa não é brilhante, Marina não tem cultura nem espírito de observação: quando tiro os olhos das agulhas, dou com ela me fitando e talvez se perguntando por que Riccardo tem tanta admiração por mim. Ontem mesmo ele me abraçava dizendo: "Você é uma mulher excepcional, mamãe". Sempre recorre a mim em busca de conselhos e me pede muitos pequenos favores, quase como se quisesse me dar a oportunidade de mostrar que sou hábil em tudo. Tenho a impressão de que essa sua atitude causa ciúme em Marina. Se assim for, é sinal de que ela tem um espírito mesquinho, porque na verdade deveria compreender que nenhum sentimento, por mais profundo que seja, pode substituir o da mãe.

Esta noite Michele pegou a poltrona e o rádio e acomodou-os no quarto. Levou também alguns livros, os jornais, a luminária de pé da sala de jantar; depois, com um suspiro de satisfação, disse: "Vou ficar muito bem aqui". Perscrutei a casa com o pensamento e vi que já não tenho um cantinho para mim, exceto a cozinha. Então perguntei, irritada: "E eu, Michele?". Ele já estava instalado, queria começar a desfrutar de seu tranquilo serão. Fitou-me com olhos surpresos e afetuosos e respondeu que raramente me vê sentada. Em vez de ponderar que eu nunca tenho tempo de fazer isso, talvez acredite que não sinta vontade.

Levantou-se de imediato e me ofereceu a poltrona. Eu jamais ousaria lhe subtrair esse lugar, e ele, embora seja um homem gentil e delicadíssimo, certamente pensaria que seria um abuso de minha parte. Quando sentou de volta, disse que logo nos habituaríamos a Marina, que ela é uma boa moça, e que gosta dela. É verdade. Gosta porque ela é bonita. Michele também, como Riccardo, sorri ao vê-la circular ao redor, porque Marina tem aquela mansidão animal que os homens confundem com doçura. Nem mesmo o que aconteceu entre ela e Riccardo serve para lhe despertar suspeitas: considera uma prova de obediência feminina, amorosa, que é lisonjeira também para ele, enquanto homem. Mas eu sei o conceito diferente em que ele tem uma mulher como Clara, por exemplo, embora não a mencione e tampouco se queixe de que ela não tenha telefonado mais. Sentei-me perto dele, dizendo: "Escute, Michele, se você passar os serões fechado no quarto, eu vou ficar realmente sozinha, e não aguento mais". Gostaria de lhe dizer que agora compreendo suas cartas da África e a perigosa solidão em que ele se viu, ao retornar, quando eu só me dedicava às crianças. Eu sentia que nós nos destruímos pela família, e que agora a família deveria nos socorrer. Mas não ousava falar com ele dessas minhas impressões, eu mesma só penso nelas quando abro este caderno. Michele me acariciou o ombro afetuosamente, dizendo que dentro de poucos meses não estarei mais sozinha, terei o bebê.

Falamos disso esta noite, à mesa. Michele reclamava da *pasta asciutta*, dizia que estava insípida. Eu havia voltado tarde porque tive uma longa conversa com Guido, que insiste em que eu não deixe de viajar por alguns dias, antes do casamento de Riccardo. Estava cansada e atribuía esse cansaço ao leve acréscimo de trabalho desde quando Marina janta conosco. Retruquei que estou farta de me esfalfar por todos, não sou mais uma criança, teria direito a descansar. Mirella me deu razão e perguntou a

Marina se tinha planos de trabalhar depois de casada. Riccardo logo a interrompeu observando que, dentro de alguns meses, Marina deverá cuidar da criança. Houve um silêncio. Mirella me olhava, atenta, séria; depois disse: "A mamãe poderia ficar em casa com o bebê".

Eu quis me rebelar, mas achei que não devia. Pensei que, se deixar o escritório, já não poderei ver Guido, que à noite os bebês choram, já não terei sequer o tempo ou a paz necessários para escrever o diário. Mas estes são segredos meus, e eu não podia contrapô-los à necessidade de cuidar da criança. Riccardo disse que essa é uma excelente solução, e que assim Marina e ele poderão partir sozinhos para a Argentina, instalar-se, aclimatar-se, e mais tarde voltar para buscar o filho, até porque comigo o bebê estará em segurança. "Mais em segurança do que com você", ele dizia, brincando, a Marina. Ela sorria, contente. Então ele acrescentou que, até o momento de viajar, Marina poderia ocupar minha vaga no escritório. "E você acha que é assim tão fácil?", perguntei com ironia. "O que Marina sabe fazer? Vejamos: estenografia, datilografia, contabilidade, escrever corretamente em francês?" Marina balançava negativamente a cabeça, enquanto eu recomeçava com reprimida fúria: "Vocês não entenderam nada de todas as dificuldades que precisei superar ao longo destes anos. Não levam em conta aquilo que, hoje, vocês têm condições de fazer. No colégio, minhas professoras eram as freiras, nós estudávamos quase por brincadeira, como se faz nos colégios elegantes, onde as alunas são ricas e não precisam se preparar para o trabalho. Eu tocava piano, pintava aquarelas. Tudo errado, como diz Mirella". Mirella me olhava sem nada dizer. "Precisei aprender tudo. Cuidei da casa e trabalhei como seu pai para que vocês pudessem frequentar o liceu, a universidade, ter roupas e sapatos. Assumir meu lugar não é tão fácil assim." Riccardo veio me abraçar, até Mirella se aproximou de mim, séria, como se estivesse sob o peso de uma íntima reprovação. Disseram que agora chega, eu devo deixar o escritório, eles já são adultos. "Até Marina, de algum modo, vai trabalhar", Riccardo afirmava, severo. Diziam que contrataremos uma empregada em meio período, para os trabalhos pesados, a cozinha, e eu vou cuidar do bebê, irei levá-lo às praças para tomar sol. "Chega do escritório", repetia Riccardo, "chega de ficar acordada até altas horas para consertar roupa ou passar a ferro."

Marina me fitava com seus olhos apalermados. Talvez, considerando o quanto é difícil ser mulher, esposa, mãe de família, se sentisse aflita. A mim, porém, parecia que ao me olhar ela procurava um ponto vulnerável no qual pudesse me ferir. De imediato pensei neste caderno, e decidi colocá-lo a salvo logo amanhã de manhã, fechá-lo no cofre de Guido. Mas tenho medo de sair com ele na rua, poderia ser atropelada; imagino meu corpo imóvel sob uma coberta cinza e vejo Marina se inclinar para recolher a bolsa caída no asfalto, abri-la, pegar o caderno. Não posso tirá-lo daqui, não é prudente. Por outro lado, dentro em breve Marina ficará frequentemente sozinha nesta casa porque será a esposa de Riccardo, minha nora, a senhora Cossati; poderá abrir as gavetas, as malas, remexer por toda parte. Vai encontrá-lo, mostrá-lo a Riccardo para lhe revelar o que faço quando fico acordada à noite e por que é impossível que ela ocupe meu lugar no escritório com o diretor. Talvez já tenha começado a procurar. Mas não descobrirá nada, sou mais inteligente do que ela: não conseguirá destruir a imagem que Riccardo tem de mim. Quando eu morrer, ele vai se lembrar de que eu acolhi Marina em casa de imediato, generosamente; dei-lhe abrigo e alimento, conquanto ela se tenha apresentado pobre, descontente com sua família obscura e atrapalhada, sem dote, sem enxoval, e grávida de dois meses. Marina, porém, não parece levar nada disso em conta: não está mortificada, não teme que eu possa duvidar de que, após o casamento, ela não vá agir com outros como agiu com meu filho. Esta noite, quando saíam, Riccardo a empurrava para me abraçar e lhe disse: "Diga à mamãe o que decidimos". Ela se esquivava, acenava que não com a cabeça; então Riccardo me anunciou: "Se for menina, vamos chamá-la de Valeria".

19 DE MAIO

Está cada vez mais difícil escrever. À noite Michele fica acordado até tarde, escutando música. Comprou dois discos: A *cavalgada das valquírias* e A *morte de Siegfried*, e os toca com tanta frequência que se tornaram um pesadelo para mim. Ontem, quando entrei no quarto, ele já estava deitado, e a vitrola a seu lado girava em vão, com um chiado angustiante. Mantinha a cabeça de lado sobre o travesseiro, numa posição de absoluto repouso que, ainda assim, revelava enorme cansaço. A expressão fixa de seu rosto me assustou. Então me aproximei e o abracei: eu também me sentia tolhida numa solidão que nunca experimentei antes de chegar a esta idade. Michele não se surpreendeu com meu repentino impulso de ternura: as pessoas que vivem juntas há muito tempo aprendem a se dizer tudo sem palavras, e talvez seja isso que torna insubstituíveis suas relações. "Venha se deitar, apague a luz", murmurou. Na cama, estreitei-me a ele: sentia seu corpo são, forte, o coração pulsando vigoroso, e dei um suspiro de alívio. Pouco antes, quando entrei no quarto, o rosto de Michele me havia lembrado o rosto do meu pai. Quando vou ver mamãe, ele nunca participa da conversa: lê o jornal, sentado ali perto, na poltrona, e aos poucos o jornal lhe escorrega das mãos. Enquanto dorme, eu o observo friamente e, com um calafrio, intuo que já morreu há muito. Talvez desde o dia em que decidiu fechar seu escritório de advogado e cedê-lo àquele que por muitos anos havia sido seu braço direito, hoje um velho também. Naquele dia houve um grande jantar, e todos se alegravam porque meu pai poderia enfim descansar e começar a viver. Naquele momento, ao contrário, ele começava a morrer.

Creio que as mulheres são privilegiadas por não poderem jamais abandonar sua atividade: a casa e os filhos não dão descanso ou aposentadoria; de modo que elas, até o último instante, estão ligadas aos principais interesses deles. Às vezes, observando meus pais, vendo-os bater boca por motivos irrelevantes, me pergunto como podem esquecer que estão sob a constante ameaça da morte. Talvez somente porque todo dia obtêm uma vitória com o próprio fato de ainda estarem vivos. Ou então porque, sendo a morte um estado por nós desconhecido, não podem imaginá-lo, temê-lo. Se assim for, talvez não devêssemos tentar conhecer bem a vida; do contrário, no esforço de compreendê-la e vivê-la adequadamente, acabamos por não vivê-la de maneira alguma.

Quando Michele para de ouvir música e a casa já não ecoa aqueles temas ameaçadores e enfáticos, eu gostaria de pegar o caderno e escrever. Mas então já é tarde, temo que Mirella chegue e me sobressalto a cada automóvel que se detém no portão. Por isso decido escrever depois de sua volta; continuo costurando, e esta noite adormeci sobre a costura. Acordei com Mirella me perguntando, séria: "Mas o que você fez até esta hora, mamãe?". Deve ter pensado que a determinação com a qual me recuso a descansar é semelhante à teimosia dos velhos. Não quero que a ocorrência desta noite se repita, não quero que minha filha me considere velha: só tenho quarenta e três anos.

Hoje o pai de Marina veio aqui: eu tinha insistido em adiar essa visita porque queria ir ao costumeiro encontro de sábado, no escritório. De um tempo para cá, Guido vive com receio que eu arranje alguma desculpa para não vê-lo, para não falar da viagem nem marcar uma data. Pela primeira vez ele foi quase brusco comigo, esta manhã, quando soube que eu não poderia passar a tarde com ele. "Você tem que escolher", me disse. "Pelo menos, tem que tentar se defender. Não consigo lhe dar nem sequer essa força? Até parece que você gosta de deixar que a consumam, que a atropelem." Estávamos no final do expediente: as funcionárias jovens já se apressavam para sair, despediam-se dos recepcionistas com alegria e, como toda semana, iam ao encontro do domingo quase como se empreende uma feliz e interminável viagem de férias. Guido continuava: "Desde que criei o hábito de ver você todo sábado, não posso mais ficar aqui sozinho, como fiz por muitos anos. Naquela época eu talvez sentisse estar à espera de algo que dissiparia, por milagre, a minha solidão. Lembro até hoje a surpresa que tive naquele primeiro sábado quando, ao virar a chave na porta, percebi que alguém havia me precedido, alguém que, tal como eu, precisava voltar ao escritório em busca de refúgio. Mas agora não encontro paz nem mesmo aqui, se você não estiver. Acabo ficando em casa, trancado em meu gabinete, sem poder trabalhar nem pensar porque, do outro lado da porta, os garotos estão ouvindo música dançante". Segurou minhas mãos e disse: "Venha hoje, por favor, nem que seja por meia hora: precisamos falar da viagem". Experimentei um forte desespero, e senti que jamais tinha amado alguém como o amava naquele momento. "Se eu pudesse, se ao menos eu pudesse...", respondi, e meu tom de voz pareceu recompensá-lo.

O pai de Marina é um homenzinho sorridente, vivaz. Mostrou-se contente com as bodas, que foram marcadas para 13 de junho; Marina é devota de santo Antônio e sempre repete que foi ele a fazer com que Riccardo não partisse deixando-a sozinha. Seu pai parece não ter compreendido em absoluto a necessidade de apressar o casamento: eu mesma quis que Michele lhe escondesse o motivo e falasse de uma provável partida imediata de Riccardo para a Argentina, de uma facilidade maior para os vistos, os passaportes. No entanto, hoje eu quase duvidei de que ele realmente acredite em tudo o que lhe foi dito, e me pergunto se não finge acreditar para se poupar da humilhação que, de outro modo, a conduta da filha o faria sentir.

Mas ele parece satisfeito: quando Riccardo lhe mostrou seu quarto, ainda que este não seja nada acolhedor para dois recém-casados, ele exclamou: "Ótimo, ótimo". Difundira-se ao redor uma euforia da qual eu, intimamente, me recusava a participar; lembrava dos soluços de Riccardo, poucos dias atrás, e do tom de Michele ao dizer "cretino". Gostaria de esquecer e não consigo. A esta hora os outros dormem: o sono apaga o dia que eles passaram e o novo dia se lhes apresenta livre do peso dos dias precedentes, que eu, ao contrário, conservo nestas páginas como em um mesquinho livro contábil do qual nenhum débito nunca é perdoado. Ao anoitecer o pai de Marina se despediu; embora Riccardo quisesse retê-lo para o jantar, ele insistiu em ir embora, despedindo-se festivamente: "Até mais ver, até mais ver", e, tendo abraçado a filha, ainda nos dirigiu outros cumprimentos muito cordiais antes de desaparecer da sala. Riccardo, depois de fechar a porta, comentou que tudo havia corrido bem, muito bem, e beijava Marina no rosto. Eu olhava os dois: impregnada de satisfação, ela parecia mais gorda. "Não é possível que o pai não perceba que está grávida", eu pensava. Eu o revia se afastar lépido, acenando-nos alegremente: desconfiava que pai e filha estivessem mancomunados e pensava que nessa gente sem passado, sem tradições, nunca se pode confiar. Hoje, por causa de Marina, tive de abrir mão do encontro com Guido, a única coisa que me pertence, que me dá alegria; por sua causa tivemos de adiar a viagem a Veneza. É como se, com deliberada intenção, ela queira me impedir de ainda ser jovem e feliz. De modo que, às vezes, me proponho não desistir de modo algum, para contrariá-la. Com mais frequência, porém, acho que renunciar é o único modo de ser mais forte do que ela, de derrotá-la, não somente hoje, mas sempre, condenando-a a admirar uma vida sem saída, como a minha.

22 DE MAIO

Riccardo me disse que uma amiga de Marina, dona de uma loja de meias, pretende contratá-la como caixa logo depois do casamento. Estava contente porque é um emprego no qual ela pode ficar muito tempo sentada, e por isso só deverá interrompê-lo por um curto período, quando o bebê nascer. Minha mãe, ao saber dessa notícia, deixou cair o bordado, como que fulminada, e me perguntou: "E você permite que a mulher de seu filho se empregue como caixa?". Respondi que não é um trabalho cansativo e ela observou amargamente: "Você não entende. A essa altura você não entende mais nada. Você é a primeira mulher da nossa família a ser obrigada a trabalhar; mas pelo menos trata-se de um escritório, não precisa servir o público. Caixa...", repetia, balançando a cabeça. Perguntou em que rua fica essa loja, mencionei um elegante endereço do centro e ela, depois de uma pausa, acrescentou que se alegra por não ver mais suas velhas amizades, por quase não sair mais. Eu disse que, se o fizesse, ela perceberia que o mundo mudou. "Não quero saber disso", replicou com aspereza.

Minha mãe passa o dia numa saleta com muitas recordações, quase o resumo de sua vida: aquarelas da nossa propriedade rural no Vêneto, uma fotografia desbotada da *villa*, lembrancinhas de casamentos e algumas peças de prata que, sendo de pouco valor, escaparam das vendas. Das paredes pendem grandes retratos de suas antepassadas. Eu olhava minha mãe sentar-se ereta, vestida de preto, com os cabelos brancos armados com enchimento. Não sei manter a postura dela, talvez por não ter usado espartilho; não sei dizer: "Não quero saber disso". Talvez as antepassadas dos retratos jamais tenham mantido um diário ou, pelo menos, não o deixaram chegar a nós. Depois da morte de minha mãe, não saberei onde pendurar aqueles quadros: são grandes demais para os nossos aposentos, chegariam ao teto. Além disso, abolimos a sala de estar e aquelas mulheres conspícuas, de untuosas carnes transbordantes dos cetins, não poderiam ser imprensadas entre o guarda-roupa e a cômoda. Nós os venderemos, Riccardo é amigo de um antiquário. Penso tudo isso enquanto minha mãe me lembra que é preciso retocar frequentemente as molduras com pó dourado. Eu a tranquilizo e tenho a sensação de estar incubando um crime. "Não é culpa minha", digo a mim mesma, "não cabem." Isso começou no tempo da guerra por causa da crise habitacional. Ou talvez porque qualquer um podia morrer de um momento para outro, e as coisas não tinham importância diante da vida das pessoas de carne e osso, todas iguais, todas ameaçadas: o passado não servia mais para nos defender, e não tínhamos nenhuma certeza do futuro. Sinto tudo em mim confusamente e não posso falar disso com minha mãe nem com minha filha, porque nenhuma delas compreenderia. Pertencem a dois mundos diferentes: um que acabou, junto com aquele tempo, e o outro que nasceu dele. E em mim esses dois mundos colidem, fazendo-me gemer. Talvez seja por isso que muitas vezes me sinto desprovida de consistência. Talvez eu seja somente essa passagem, essa colisão.

Ainda lembro do dia em que anunciei à minha mãe que começaria a trabalhar: ela me fitou demoradamente, em silêncio, antes de baixar a vista, e, por aquele olhar, sempre senti meu trabalho pesar sobre mim como uma culpa. Mirella desaprova esse meu sentimento, bem sei: talvez até o despreze e, com seu modo de ser, tencione fazer uma revolução contra mim. Não compreende que fui justamente eu a torná-la livre, eu com minha vida dilacerada entre velhas tradições tranquilizadoras e o apelo de novas exigências. Coube a mim. Eu sou a ponte da qual ela se beneficiou, como de tudo se beneficiam os jovens: cruelmente, sem sequer se darem conta de que ganharam algo, sem reconhecê-lo oficialmente. Agora posso até desabar.

No entanto, parece-me ver tudo com clareza esta noite; quando comecei a escrever, acreditava haver chegado ao ponto no qual se tiram as conclusões da própria vida. Mas toda experiência minha — inclusive aquela que me vem deste longo interrogar-me no caderno — me ensina que a vida inteira passa na angustiante tentativa de tirar conclusões e não conseguir. Ao menos para mim é assim: tudo me parece, ao mesmo tempo, bom e mau, justo e injusto, até mesmo caduco e eterno. Os jovens não sabem disso e, por essa razão, quando não são como Riccardo, são como Mirella.

24 DE MAIO

Ontem à noite, ao voltar para casa, encontrei Riccardo e Marina às voltas com a maleta onde estava este caderno. Empalideci: "O que estão fazendo?", exclamei com certa rudeza. Riccardo se desculpou: "Papai disse que minha certidão de batismo deve estar aqui dentro. Não consigo abrir. Onde está a chave?". Respondi que não admito que eles revistem tudo, que forcem o que está trancado à chave, que a maleta é minha e eu sou a dona da casa. Riccardo ficou aborrecido; enquanto me afastava com a maleta na mão, escutei-o dizer a Marina, em tom zombeteiro: "Ouviu sua sogra?". Os dois riam, mas aquele riso e aquele tratamento me irritavam. Fui para a cozinha e logo abri a maleta: quando tirei o caderno, fiquei ansiosa por largá-lo, como se queimasse; me movia entre superfícies lisas que não ofereciam esconderijos, escutava passos se aproximarem e tremia. Desesperada, joguei-o no saco dos trapos de limpeza, como no primeiro dia. Mais tarde, quando preparava o jantar, ouvi Riccardo falando com Michele: "Mamãe precisa mesmo de repouso, está muito cansada, nervosa. Depois do meu casamento ela deveria ir para a casa da tia Matilde e ficar por lá uns dois meses, pelo menos. Não aguenta mais esta vida; Marina cuidará da casa, com uma empregada". Michele o aprovava com entusiasmo. Por um instante saboreei a liberdade de partir com Guido, obrigada por eles; depois, ao ouvi-los dispor de mim como se eu não fosse capaz de raciocinar, fiquei desconfiada. Pareceu-me claro que Marina quer me suplantar: talvez pense que trabalhar fora seja cansativo demais, prefere que eu continue a fazer isso, ela ficará em casa com a empregada, dará ordens, cuidará de tudo, e logo a casa acabará por lhe pertencer completamente. Entrei na sala de jantar com a sopeira na mão e sorri, tranquila. "Não se preocupem comigo", disse, "eu estou muito bem. Não tenho a menor vontade de viajar agora. Não saio daqui." Depois, virando-me para Riccardo, acrescentei com displicência: "Se você quiser pegar aquela certidão, aqui está a chave da maleta". Olhei Marina para fazê-la entender que, também desta vez, ela não encontraria nada. Senti um frio rancor me invadir, me roer: até hoje nunca ligaram para mim, e esse zelo incomum me deixa desconfiada. "Tenho medo de me tornar má", pensei mais tarde. Estava no quarto de Mirella; eu tricotava e ela estudava, como agora é seu hábito, até noite alta, porque decidiu prestar muitos exames. "Você é que é feliz!", disse-lhe Riccardo ontem: "Eu tenho outras coisas a fazer agora, por isso não posso preparar a tese. E em setembro, quando entrar para o banco, terei menos tempo ainda." De vez em quando eu erguia a cabeça das agulhas e olhava Mirella. Sua expressão contraída mostrava o empenho que sempre dedica a tudo que faz; ela sempre foi assim, até em seus caprichos de menina. Sei que minha presença a incomoda, mas a esta altura já não tenho onde me refugiar: Michele estava em nosso quarto e o som da vitrola cobria as vozes de Riccardo e Marina, que jogavam baralho na sala da jantar, rindo. "Não há mais lugar", murmurei, quase sem querer; "em certos momentos eu também gostaria de fechar uma porta e ficar sozinha."

Mirella se voltou para mim esfregando os olhos, cansados da leitura. "Escute, mamãe...", começou. Agora eu sempre tenho medo quando os filhos começam a falar comigo. Ela continuou: "Dentro de dois ou três meses, eu vou embora. Este quarto é muito bom, é o melhor da casa. Você poderá ter um pouco de paz, finalmente. A gente se sente bem aqui", observou, olhando ao redor com afeto.

Fez-se um silêncio, eu estudava seus olhos inocentes. "Vai se casar?", perguntei com um sorriso. Ela balançou negativamente a cabeça, explicando: "Barilesi está abrindo um escritório em Milão e o confiou a Sandro. Eu vou com ele", acrescentou, sem baixar os olhos. "Vou para Milão, vou morar numa pensão, no começo farei a mesma coisa que faço aqui, mas no próximo ano estarei formada e tudo será diferente. Então poderemos verdadeiramente trabalhar juntos, entende?" Não respondi. Era inútil lhe falar de nosso consentimento, dentro de poucos meses já não teremos direito sobre ela. Perguntei: "Já está decidido?". Ela me fitou intensamente por um instante e respondeu: "Sim".

Eu olhava uma fotografia de Cantoni que, de uns tempos para cá, ela deixa sobre a escrivaninha, e que sempre fingi não notar. Lembrei da voz dele, do modo como falava de Mirella, a firmeza que sua linguagem precisa expressava. Perguntei a ela em que ponto estavam as providências para o divórcio e se ao menos tentariam obter a homologação aqui; ela respondeu que não havia nenhuma novidade. Era sucinta, de modo a exaurir o mais depressa possível a necessidade de ferir-se e de ferir. Eu me pergunto se não há mais bondade na frieza com a qual ela defende sua vida do que na fraqueza com a qual consinto que a minha se consuma. Riccardo, que agora não pode mais desaprovar a irmã, diz que hoje em dia existem muitas moças como Mirella, que aos poucos se esquecem de que são mulheres. Enquanto fala, olha para Marina: ela sorri e fica orgulhosa por estar esperando um filho. Mas eu sei que ela não o quis como eu quis os meus: Riccardo me contou que ela ameaçava se envenenar com cloreto de mercúrio; recordo a aflição dele, na noite em que me confessou que gostaria de fugir, abandonando-a. Ficaram felizes quando souberam que aceito cuidar do bebê, estão ansiosos por partir juntos, livres, dizem que depois voltarão para buscá-lo, não disseram quando. Tenho a impressão de que sou a única a esperar esse bebê, somente para mim ele não é um aborrecimento, um estorvo; espero-o como esperava os meus, ansiosa para conhecê-los, saber como eram, que olhos tinham, quem viriam a ser. O momento em que eu trouxe meus filhos à vida é o único que vivi com aquela consciência com a qual Mirella executa todas as suas ações. É essa consciência que a libera do sentimento feminino de culpa que sempre pesa sobre mim, me oprimindo; a ela Mirella recorre para afirmar seus direitos; tal como Riccardo recorre à sua fraqueza para suscitar pena. "Você vai embora", eu disse. "Logo Riccardo também irá e ficarei sozinha." Contudo, mesmo me queixando, eu antegozava a solidão como uma compensação longamente esperada; pois agora que todos se vão rumo às suas vidas, me parece natural começar a viver a minha; pensei em Guido e senti que ainda sou muito jovem. "Agora vou ficar sozinha", repeti. Mirella disse: "Não, mamãe, você bem sabe que Riccardo nunca irá embora". Olhei-a interrogativamente. Temi que ela quisesse me tirar até mesmo o direito de me consolar pelo abandono deles; senti um repentino frio nos ossos. Mirella continuava: "Você também sabe, mamãe, ele vai arrumar uma desculpa, não vai encontrar tempo para o trabalho, o estudo, a família; de fato, bem sei que é difícil. Depois nascerá outro filho... Ele vai ficar aqui, você vai ver. E você precisa dele. Eu tinha ciúme de Riccardo, quando criança; você sempre o perdoava quando ele fazia alguma coisa errada, ou melhor: parecia que eram os erros dele que provocavam sua ternura. Comigo você era inexorável. Talvez porque eu seja mulher". Eu assentia com a cabeça. Era por isso, talvez, mas sobretudo porque ela, mesmo quando errava, nunca parecia culpada. Já Riccardo é como eu: sempre se sente culpado, sobretudo por aquilo que ele não tem coragem de fazer.

"Pois é", respondi, e não queria aprofundar o assunto. "Talvez você tenha razão. De qualquer modo, se você for embora, eu posso ficar neste quarto, com o bebê." Ela disse que eu preciso de solidão, de calma. "Um bebê nunca é maçante", rebati; "eles são jovens, têm que trabalhar, à noite precisam dormir. Quanto a mim, estou habituada a ficar acordada até tarde, você sabe..."

Como agora: são quase quatro da manhã. Eu não deveria continuar; o cansaço me debilita, me predispõe à maldade. Mas, embora eu sempre me tenha dado aos outros, completamente, parece-me ter ainda tudo a dar. Por isso espero com ansiedade esta hora, para escrever, dar livre curso a um rico rio que corre em mim e que me dói como quando eu tinha leite demais. Foi por isso, certamente, que comprei o caderno. Lembro muito bem daquele dia: embora o outono já passasse da metade, o céu era azul, com um sol tépido como na primavera. Eu estava sozinha e não me parecia justo estar sozinha num dia como aquele, por isso voltei para casa com o caderno. Se já soubesse que Guido me amava, nunca o teria comprado; mas, se não o tivesse comprado, talvez nunca teria prestado atenção em Guido, assim como não prestava em mim mesma. Eu já era "mamãe" para todos, poucos meses depois ouviria Marina dizer "minha sogra" e em breve alguém me chamará de "vovó". Era um domingo e o moço da tabacaria não queria me vender o caderno, eu lembro. Ele disse: "É proibido". Então fui tomada por um desejo irrefreável de tê-lo, tinha esperança de poder extravasar nele, sem culpa, meu secreto desejo de ainda ser Valeria. Mas de lá para cá, ao contrário, começou minha inquietação. Minha memória era fraca até aquele dia, talvez por uma defesa instintiva: convém ignorar que a vida não passa de um caminho longo e difícil, acompanhado a cada hora por uma esperança que jamais conseguimos transformar em realidade.

Eu precisaria de calor, estou gelada. Está quase amanhecendo, a primeira luz já entra pela janela. Sinto certa repulsa por começar a viver novamente, e no entanto a cinzenta solidão desta hora me dá uma sensação de pressa. Os anos são compostos de muitos dias que se sucedem rápidos como batidas de cílios, e eu gostaria de ainda ter tempo de ser feliz. Neste caderno, o volume de toda a minha vida gasta pelos outros se me apresenta materialmente, quase, com o peso das páginas, com os signos da minha letra densa. Guido tem razão quando diz que tenho prazer em me sentir esmagada, atropelada; e talvez, se eu renunciasse, não seria por um princípio moral, como afirmo. Na verdade, não me sinto ligada a meus deveres de esposa e mãe nem julgo ridículo me apaixonar quando estou prestes a me tornar avó. Apenas tenho medo de destruir um capital acumulado pacientemente, mas sem bondade, um crédito maldoso que as pessoas às quais me sacrifico deverão quitar pouco a pouco. Felizmente agora compreendo isso. Preciso me defender: não quero, renunciando ao amor, me tornar uma velha avarenta e impiedosa. Já é dia; os passarinhos saúdam a manhã e o sol acende alegres chamas nas vidraças da casa em frente. Chegarei ao escritório, abrirei a porta, contente, Guido dirá: "Valeria...". Anunciarei que decidi partir com ele, logo depois do casamento de Riccardo. Iremos a Vicenza, depois voltaremos a nos encontrar, estarei fora por dois meses. Aqui em casa estará Marina. É a vez dela, agora; eu passei aqui vinte e quatro anos.

27 DE MAIO

Ontem à tarde, assim que abri a porta do escritório, tive uma sensação de refrigério: as salas estavam desertas na fresca penumbra. Guido tinha tirado o paletó e arregaçado as mangas da camisa de seda. Eu nunca o tinha visto tão atraente, tão jovem; e na palpitante doçura que me invadiu, pela primeira vez me parecia reconhecer o amor. Sentei-me, como sempre, diante dele; eu também vestia seda e, ao erguer os braços para ajeitar meus cabelos presos, me espelhava na expressão de seu rosto e me via bonita. Avisei que não podia ficar muito tempo; ele disse que não tinha importância, pois a partir do momento em que havíamos decidido partir juntos ele estava sempre feliz, e o tempo parecia ter assumido uma medida diferente, toda de fantasia. Sorria para mim, dizendo: "Amo você". Eu, olhando-o fixamente, murmurava: "Amo você". Era a primeira vez que eu dizia isso, e ele, iluminando-se, me estendeu sua grande mão aberta sobre o espaço da escrivaninha, em meio à papelada. Pousei nela a minha. Por um longo momento, ficamos assim. Eu não conseguia desviar os olhos de seu rosto, e em mim tudo era um bem que doía. "Você sabe, Guido, que não viajaremos nunca, não é?", perguntei. Ele ficou imóvel, me interrogando com um olhar desesperado, e depois disse muitas palavras de que não lembro, talvez porque me atordoei num contínuo balançar da cabeça. "Lá também ficaríamos aprisionados", repliquei, "tal como aqui, ou no seu carro, ou no café quando perscrutamos o ambiente. Atrás de grades que não podemos derrubar porque não estão fora de nós, mas em nós. Eu não poderia me resignar às pequenas mentiras, aos subterfúgios. E não porque isso seria hipócrita. Não: eu sou uma pequeno-burguesa e estou mais familiarizada com o pecado do que com a coragem e com a liberdade. Mas porque não teríamos nada a dividir, somente o pecado. Você teria a sua vida, eu a minha. Você mesmo disse: estamos velhos demais para nos adaptarmos. A adaptação é somente momentânea e pressupõe uma esperança que em nossa idade nós não podemos ter."

Guido se aproximou e me tomou nos braços. O perfume fresco de sua camisa, o contato de seus braços nus me estonteavam. "Deus, meu Deus", invoquei em meu coração. "Quer ir embora comigo para sempre? Quer que não voltemos mais?", ele murmurou, enquanto me estreitava. Eu balançava a cabeça contra seu ombro. "Não", respondi, "para isso também seria tarde demais. E, em relação aos que nos circundam, talvez fosse mais injusto do que nos adaptarmos a uma solução de compromisso." Ele se apressou a retrucar que não tem nenhum dever, que é livre, mas eu o impedi de prosseguir dizendo coisas de que depois se arrependeria. "Eu sei", admiti; "teríamos esse direito. Aliás, bastaria estarmos apaixonados." "E então?", ele insistia, ansioso. "E então não sei, não consigo me explicar, mas acho que, para usufruir de um direito, é preciso não sentir culpa. Para mim, o amor, se não for justificado pela família, é uma culpa. Já Mirella diz sempre que a culpa está em sentir o amor como um pecado. Creio que ela tem razão, mas eu sou como você, que, para aliviar a própria culpa, gostaria de chamar a si culpas que talvez caibam a outros. Mas Mirella diz também que o amor não é amor quando é injustificado, quando é só paixão, instinto…"

Estive prestes a acrescentar: "Ou quando, como o nosso, talvez seja apenas desejo de reparar apressadamente a falência de nossa vida". Se Guido e eu tivéssemos nos conhecido ainda jovens, teria sido diferente; se fôssemos jovens no tempo de hoje, sobretudo; talvez eu não tivesse ligado para o comentário da zeladora. "E o trabalho não é uma justificação?", ele disse; "nós trabalhamos juntos há oito anos..." Olhava-me esperando que nisso estivesse a salvação. Por um momento eu também tive essa esperança. Então nos beijamos, abraçados. Depois continuei: "Não. É difícil explicar. Veja, comecei a trabalhar porque precisava de um salário; você me disse que trabalhou noite e dia, por trinta anos, porque havia decidido ficar rico. Acho que o dinheiro não é uma justificação. Trabalhar junto para enriquecer não me parece que seja um objetivo". Sinto, ao contrário, que o dinheiro nos separa, me provoca um outro desejo, baixo, incriminador: possuir aquilo que ele possui, aquilo que lhe dá segurança onde sou insegura e indefesa. Alguns dias atrás, Guido estava sem carro e quis me acompanhar de bonde até minha casa. Foi uma aventura para ele, que não sabia o preço da passagem; o cobrador o encarava, desconfiado, e eu ria, mas estava do lado do cobrador. Às vezes caminhamos um tanto; Guido não tem esse hábito e, quando atravessa a rua, sempre teme ser atropelado. Certa tarde eu o guiava pela mão, gracejando, mas enquanto isso pensava: "Os ricos têm medo...", quase gostando de senti-lo sujeito a um temor que desconheço, logo ele, que está a salvo de muitos temores que a mim, ao contrário, são familiares. E quando o vejo puxar do bolso muitas cédulas de alto valor, em busca de cem liras para pagar o café, não gosto, pois sinto que, se ele me oferecesse essas cédulas, eu talvez as aceitasse. Eu teria em comum com ele somente o pecado e o dinheiro. "Não é possível, acredite", concluí.

Eu é que disse que era hora de ir embora; apaguei a luz sobre a escrivaninha, fechei a porta. Guido me fitava, mudo, e eu fazia tudo aquilo sem sofrer, como se, a partir daquele momento, nada mais pudesse me causar dor, ou alegria. Na rua, caminhávamos muito próximos, mas as pessoas, ao passar, nos afastavam. Assim chegamos à beira do Tibre e nos demos o braço. Eu falava, calma, dizia que segunda-feira não poderei ir ao escritório, ocupada com os preparativos do casamento de Riccardo, que vou precisar de uma longa licença, e que Michele e os meninos decidiram que vou parar de trabalhar e ficarei em casa com o bebê. Acrescentei: "Ninguém pode cuidar de um bebê melhor do que a avó". Pronunciei essa palavra com intenção. Tinha certeza de que tudo aquilo que antes parecia doloroso pareceria natural depois de ser pronunciado. Mas nada mudava: éramos duas pessoas jovens que caminhavam de braços dados no doce entardecer primaveril. Quando nos separamos, eu quis chamá-lo: senti que era minha última possibilidade de ser jovem que se afastava. E sem dúvida ele também pensava a mesma coisa, eu o via caminhar com os ombros curvados.

Não pude escrever ontem à noite: o esforço de falar com Guido havia me deixado confusa como se eu tivesse recebido uma forte pancada no peito. Recolhi-me cedo: Michele já estava acomodado e lia. Estreitei-me a ele, que continuava lendo, e fingi dormir como se fosse uma noite qualquer. Pensava que Michele talvez também tenha fingido dormir algumas vezes. E que desse contínuo fingir dormir e permanecer acordado na própria angústia, sem que o companheiro se dê conta, é feita a história de um casamento exemplar. De fato, pouco a pouco, adormeci de verdade.

Hoje é domingo. Mirella foi almoçar no Lido. Quando cheguei da missa, o carro de Cantoni ia se afastando do portão. Mirella se debruçou para me acenar alegremente, e ele, inclinando-se sobre o volante, a imitou. Sorriam e estavam tão contentes e jovens que me foi natural retribuir a saudação deles, afetuosamente. Depois achei que não deveria, mas fiquei contente por tê-lo feito. A zeladora me perguntou quando eles vão se casar e eu respondi: "No outono, em Milão".

Eu queria ficar sozinha hoje: como na época em que iniciei este diário, comprei três ingressos para o jogo de futebol e disse que os ganhei de uma colega. Michele ficou contente por acompanhar os meninos, gracejando galantemente com Marina.

Até o momento em que eu os vi sair e resgatei o caderno que estava no saco de trapos, me sentia forte, segura. À mesa, na presença de Marina, tinha voltado a mencionar — possivelmente não pela última vez — a filha da condessa Dalmò, que Riccardo poderia ter desposado. Eu havia preparado um excelente almoço, até mesmo *tortellini*, e Michele os julgou superiores aos de minha mãe. Riccardo perguntou a Marina se ela sabia fazê-los e, enquanto esta negava com a cabeça, eu assegurava que é muito fácil e que ensinarei a ela. Mas, assim que tive em mãos este caderno, perdi a paz. A imagem de Guido aflora por toda parte, entre as linhas: suas palavras, escritas, adquirem ecos impensados, apelos perturbadores. Eu deveria ter dito sim desde o primeiro dia em que ele me propôs partir, já que, na realidade, não desejo outra coisa; minha renúncia é somente mais uma prova daquela falta de coragem que Mirella chama de hipocrisia. Diante destas páginas, sinto medo: todos os meus sentimentos, assim desentranhados, apodrecem, fazem-se veneno, e tenho a consciência de me tornar ré quanto mais tento ser juíza. Devo destruir o caderno, destruir o diabo que se esconde nele entre uma página e outra, como entre as horas da vida. À noite, quando nos sentamos à mesa todos juntos, parecemos transparentes e leais, sem insídias; mas eu, a esta altura, sei que nenhum de nós se mostra como verdadeiramente é, todos nos escondemos, nos camuflamos, por pudor ou despeito. Marina me olha longamente, toda noite, e eu temo que ao me olhar ela veja em mim este caderno, descubra os subterfúgios aos quais recorro para escrever, a esperteza com a qual o escondo. Tem certeza de um dia encontrá-lo, e de nele encontrar um motivo para me dominar como eu a domino pelo que fez com Riccardo. Sentada diante de mim, espera com a inexorável paciência das pessoas pouco inteligentes.

Mas não o encontrará, não encontrará nada: eu quis ficar sozinha de propósito, para fazer o caderno desaparecer. Vou queimá-lo. Quando Marina voltar para casa, sentirá o ar levemente morno, pousará a mão sobre a terracota da estufa, como por acaso, e compreenderá tudo. Compreenderá, tenho certeza, já que todas as mulheres escondem um caderno negro, um diário proibido. E todas devem destruí-lo. Agora me pergunto onde é que fui mais sincera: se nestas páginas ou em minhas ações, aquelas que deixarão de mim uma imagem, como um belo retrato. Não sei, ninguém nunca saberá. Sinto que fiquei árida, meus braços são ramos de uma árvore seca. Tentei envelhecer e talvez só tenha me tornado má. Tenho medo. Marina poderia induzir os outros a voltar para casa antes da hora, para me surpreender. Preciso queimar o caderno o mais depressa possível, imediatamente, sem sequer relê-lo e me arriscar a me enternecer, sem dizer adeus. Esta será a última página: nas seguintes não escreverei, e meus dias futuros serão, tal como as páginas que se seguem a esta, brancos, lisos, frios. Lisa será a grande pedra branca sobre a qual, no fim, voltarei a me chamar Valeria. "Era uma santa", Riccardo dirá a Marina, soluçando, como Michele disse a mim. E ela não poderá desmenti-lo, não saberá nada. De tudo o que senti e vivi nestes meses, daqui a poucos minutos não haverá mais vestígios. Permanecerá no ar apenas um leve cheiro de queimado.

Posfácio

Além das aparências*

Mariella Muscariello**

O minucioso trabalho de reorganização e inventário do arquivo de Alba de Céspedes, desenvolvido por Linda Giuva e Alessandra Miola,[1] nos permite avaliar o peso que a escrita, tanto como criação de mundos possíveis quanto como prática de autorrepresentação, teve na biografia intelectual dessa autora. Notas, lembretes, comentários léxicos convivem com confissões privadas e com um notável volume de cartas, conservados para si e para os futuros leitores, com abundante zelo, em seus espaços domésticos:

> O arquivo representa o testemunho de seu modo de trabalhar, mas também o lugar onde estão contidas as "provas" (*evidence*) de

---

* Texto publicado originalmente sob o título "Oltre la soglia delle apparenze: *Quaderno proibito* di Alba de Céspedes", em Rossella M. Riccobono (Org.) *A Window on the Italian Female Modernist Subjectivity: From Neera to Laura Curino*. Newcastle: Cambridge Scholars Publishing, 2013.
** Pesquisadora e professora de literatura italiana, lecionou nas universidades de Nápoles Federico II e da Basilicata.

sua liberdade, porque, para Alba, a escrita é o instrumento através do qual se realiza sua independência e se constrói sua identidade de mulher livre. Desde os primeiros anos de sua vida, é a escrita que a faz sentir-se uma mulher diferente; é a escrita que lhe permite emancipar-se da tutela econômica do pai e criar o filho sozinha; é a escrita que lhe possibilita entrar como protagonista no mundo dos homens; é a escrita que lhe dá o sentido e o prazer da de viver.[2]

E não só isso. O arquivo demonstra que o entrelaçamento de escrita privada — cadernos e diários — e escrita de ofício — contos, artigos jornalísticos, romances — avança lado a lado à sua biografia intelectual, desde o proclamado sucesso de *Ninguém volta atrás* às dificuldades práticas que acompanharam a redação da inacabada autobiografia cubana *Con grande amore*;[3] uma disposição para relacionar a palavra poética à escrita diarística que tem origens longínquas, na composição, aos seis anos, do poema "La notte"[4] e nas infantis, tímidas abordagens da narrativa secreta de si:[5]

> Dizem alguns que o diário é uma espécie de mesquinha economia das pessoas ricas; outros, que é a mais arriscada ousadia das pessoas tímidas. Agrada-me, afinal, reconhecer-me nestas últimas. [...] Sempre fui assim, desde menina; a timidez foi meu adversário mais tenaz. No entanto, foi minha timidez, com certeza, que me impeliu a escrever, a manter o diário; e foi ainda a timidez que me impediu de revelar a existência dele: minhas primeiras páginas foram escritas em folhas soltas.[6]

"Não sei imaginar minha vida sem a escrita porque para mim nunca existiu vida sem escrever."[7] Está explícita, aqui, nesta declaração peremptória, aquela equação entre vida e escrita que aproxima muitas histórias de autoras entre os séculos XIX e XX e que mergulha suas raízes já antes, na geração precedente, por exemplo na vontade de Neera de praticar a escrita em sua absolutez, como um universo autônomo e, quem sabe, alternativo às pressões do viver,[8] ou na tenacidade com que Sibilla Aleramo trabalhou para que sua vida fosse uma obra de arte, "poesia viva".[9] Uma vez confiado o sentido de uma vida à capacidade de transfiguração literária de experiências, ideias e sentimentos, não é de espantar que nos mundos narrativos de Alba de Céspedes a escrita apareça como marca estilística distintiva de algumas protagonistas ou até mesmo se eleve à condição de modalidade propriamente dita da narrativa, nas "formas primárias"[10] da carta, do diário e das memórias. Em seu romance de estreia, *Ninguém volta atrás*, no coro de jovens alojadas no colégio Grimaldi, Silvia e Augusta confiam à página escrita a tarefa de transportá-las, para além da "ponte",[11] até o espaço de uma ansiada emancipação; *Dalla parte di lei* [Da parte dela] é a longa narrativa de memórias através da qual a protagonista, Alessandra, repercorre a própria história a fim de explicar as razões do seu gesto homicida; *Caderno proibido* é o diário que Valeria Cossati, num domingo de outono, começa a escrever; Irene, em *Prima e dopo* [Antes e depois], é uma consagrada jornalista, enquanto *O remorso* é construído com base no hábil entrelaçamento de uma correspondência epistolar com anotações diarísticas.[12]

Se é verdade que "diferentemente da carta o diário pode chegar a abolir o *eu* e desprezar totalmente o dado espacial, o *qui* [aqui]; não pode, se for diário, abolir o *nunc* [agora], o ponto do tempo no qual cada um de nós vive de certo modo o último momento do mundo, em solidão ou em sincronia com os outros, e fixa sua última experiência",[13] compreende-se por que a forma-diário adotada em *Caderno proibido* responde, mais do que outras, ao interesse que sua autora afirmou de reservar ao presente[14] um interesse, por outro lado, como observou Marina Zancan, confirmado pelo "tratamento do tempo narrado, aderente aos ritmos da vida cotidiana e sempre contíguo à data de edição da obra".[15] O tempo da escrita de Valeria Cossati — escandido sobre a segmentação progressiva e sobre a descontinuidade próprias do gênero[16] — vai de 26 de novembro de 1950 a 27 de maio de 1951, anos em que os episódios do romance foram inicialmente publicados na *Settimana Incom Illustrata*. Já a partir do título, o texto se constrói sobre o duplo plano dos fatos e da consciência. O caderno, adquirido em um domingo, dia em que legalmente não pode ser vendido, será adotado como *journal intime* no qual seja possível dar voz à inquietante dissecação das próprias relações familiares, e desde o início é percebido como um censurável instrumento de insubordinação a ser escondido de qualquer olhar externo:

> Fiz mal em comprar este caderno, muito mal. Mas agora é tarde demais para lamentar, o estrago está feito. Nem sei o que me levou a adquiri-lo, foi por acaso. Nunca pensei em manter um diário, até porque um diário deve permanecer secreto e, para isso, seria preciso escondê-lo de Michele e dos meninos. Não gosto de deixar nada escondido; além do mais, em casa há tão pouco espaço que seria impossível. (p. 9)

Se é verdade que a unidade entre "palavras, ações, traços exteriores e condições internas" da personagem é confiada em primeira instância ao seu nome,[17] a cisão da identidade da protagonista — "mamãe" para o marido, Valeria para si mesma, escrito com letra bonita na primeira página de seu caderno — assinala a presença simultânea, em *Caderno proibido*, de um romance familiar, que se desenrola sobre a exígua trama dos eventos cotidianos, e de um romance de autoanálise, no qual a perfeita coincidência entre eu narrador e eu narrado permite, através de reflexões, sentimentos e sensações, a expansão de uma alma.[18] A própria Alba de Céspedes sublinhou que *Caderno proibido* é um romance no qual "não acontece nada", no qual "a história está na narrativa [...] está toda na análise da personagem".[19] O plano dos eventos — a vida de uma família da média burguesia dos anos 1950, quando a Itália do pós-guerra "voltou a ser", após a aventura da Resistência, "banal e compromissiva"[20] — é como que absorvido pela urdidura dos pensamentos que enchem as páginas do diário e que levarão Valeria a rever substancialmente as convicções que a sustentaram antes de que aquele caderno "pret[o], luzidi[o], gross[o]" (p. 10) se insinuasse, como um "diabo" tentador, na plácida e tranquilizadora monotonia do seu cotidiano.[21] Escrever é uma culpa a ocultar,[22] de modo que o diário de Valeria se caracteriza imediatamente, para dizer com Rousset, como um "texto sem destinatário", um "santuário do qual ele [o escritor] é o único a ter a chave"[23] e, desde logo, exerce a função de munir quem escreve de um segundo olhar que vai além das aparências, permitindo-lhe notar, na coesão do real em que se move, os sinais de um contrarritmo desestabilizador. De fato, é a necessidade da clandestinidade — Valeria escreve à noite, nas horas roubadas ao sono — que submete a uma revisão crítica a percepção que ela tem do próprio espaço doméstico. Se, antes, sua casa, embora exígua, parecia-lhe como que uma "asa" envolvente,[24] agora se lhe evidencia como um perímetro claustrofóbico, invadido pela presença estorvante dos próprios familiares, que concorrem para expropriá-la de um espaço todo seu:

> "Vou guardar no meu armário", pensei, "mas não, Mirella abre toda hora para pegar alguma coisa emprestada, um par de luvas ou uma blusa. Michele vive abrindo a cômoda. A escrivaninha agora é praticamente de Riccardo." (pp. 10-1)

Quanto mais a escrita concorre para a revelação da própria subjetividade, mais intenso se torna o sonho de um lugar inacessível aos outros, nem que seja um cubículo, no qual seja possível exercer a própria capacidade de pensar, proibida a ela pelas rígidas dinâmicas familiares:

> sonho ter um quarto só para mim. [...] Eu me contentaria com um cubículo. [...] Michele volta do escritório e começa a ler o jornal, ouve música sentado na poltrona, e pode pensar, refletir, se quiser. Já eu, volto do escritório e devo ir imediatamente para a cozinha. (pp. 71-2)

Na topografia da alma, o cubículo como depósito, como fundo de loja, é simulacro da interioridade, uma espécie de "arsenal privado" no qual se acumulam, em proposital desordem, os materiais da consciência. É nessa perspectiva que o caderno proibido de Valeria pode ser considerado um *arrière-boutique* onde seja possível se enfurnar sem perturbações, onde o único imperativo ao qual sujeitar-se é a escuta da própria voz interior. Em seu refinado recenseamento dos lugares da alma, Lionello Sozzi afirmou que "se na loja propriamente dita estamos de algum modo a serviço dos outros, no fundo da loja recuperamos nossa autonomia, aquela interioridade na qual não apreciamos nenhuma interferência":[25] uma imagem que, metaforicamente, é bem adequada a significar os dois perímetros — a casa e as páginas em branco a preencher — nos quais se move Valeria, cindida como está entre os deveres do seu papel de esposa e mãe e a intermitente liberdade que o caderno, apesar dos transtornos que provoca, oferece a ela. Uma polaridade que encontra espaço, em sua imaginação e em sua vida onírica, em um culpado mas prepotente desejo de descumprir suas tarefas cotidianas, o qual convive, porém, com uma antiga disposição à ordem que havia funcionado como barreira contra a dispersão de si e que agora, mais do que nunca, volta nostalgicamente à memória como vislumbre de uma passada condição de tranquilizadora estabilidade:

> [...] por saber que negligencio muitas coisas por causa deste caderno. Fico de pé até tarde, e depois estou cansada durante o dia. Hoje, por exemplo, me arrependi de ter ido ao escritório e perdido tempo ali, sem fazer nada: a cozinha ainda estava por arrumar e Michele precisa das camisas que, nas últimas noites, por escrever, não passei. Às vezes, numa afortunada sensação de embriaguez, imagino me abandonar à desordem; deixar as panelas sujas, a roupa sem lavar, as camas desfeitas. Adormeço com este desejo: um desejo violento, voraz, semelhante àquele que, quando estava grávida dos meninos, eu sentia por pão. À noite sonho que devo remediar tamanha desordem mas não consigo, não dá tempo antes de Michele voltar para casa. É um pesadelo. (p. 110)

E em seguida:

> Aos domingos, há sempre um maior número de pratos para lavar, até o insólito prazer da mesa resulta em fadiga. Contudo, resolvidas essas tarefas, eu tinha à minha frente uma tarde inteira e me dediquei a arrumar minhas gavetas; satisfeita, jogava fora embalagens vazias, papéis inúteis, cartas. Quando recém-casada, volta e meia abria os armários onde a roupa da casa estava disposta, atada por fitas azuis e cor-de-rosa, e ao constatar aquela ordem me sentia tranquilizada. (p. 129)

Leitura, esta, do valor metafórico dos móveis e do seu conteúdo, reforçada pela exímia topografia da casa elaborada por Gaston Bachelard, na qual o armário e as gavetas são registrados como "órgãos da vida psicológica secreta" e constituem o "centro de ordem que protege toda a casa contra uma desordem sem limite".[26] Não por acaso, a imagem das gavetas retorna também na comparação que a própria Valeria utiliza para definir, com a força de um emblema de concretude pregnante, a desarrumação que vai erodindo a retícula de calmas certezas que ela havia construído para si: "Parece-me ter chegado a um ponto em que é necessário passar minha vida a limpo, como quem arruma uma gaveta na qual, por muito tempo, tudo foi sendo jogado de qualquer jeito" (p. 71).

Quanto mais se adensam as páginas, quanto mais os eventos cotidianos são submetidos a uma leitura vertical que escava nas profundezas das palavras e dos gestos, mais Valeria toma consciência de que o caderno assinala um divisor de águas entre o antes e o depois, entre uma identidade confiada à máscara social e uma subjetividade gradualmente reconstruída sobre os escombros do existente. Disso resulta que, para ela, abrir o caderno, transpor o limiar daquela capa preta e luzidia que a atrai e ao mesmo tempo a apavora, é como escancarar uma janela, como andar pela rua sob o risco, porém, de se perder: "[...] quanto mais me conheço, mais me perco" (p. 240), escreve em uma anotação do diário. É ela mesma, de fato, quem estabelece uma significativa e estreita ligação entre o próprio *journal intime* e a rua:

> Para me reencontrar tal como sempre pensei ser, preciso evitar ficar sozinha: ao lado de Michele e dos meninos, readquiro aquele equilíbrio que era minha prerrogativa. A rua, ao contrário, me atordoa, me lança numa singular inquietação. Não sei me explicar, mas fora de casa não sou mais eu. [...] Nem mesmo agora, sozinha com o caderno, consigo compreender: este caderno, com suas páginas em branco, me atrai e ao mesmo tempo me perturba, como a rua. (pp. 62-3)

Uma condição dilemática, de angustiante incerteza que se manifesta nas síndromes opostas da claustrofobia e da claustrofilia, na consciência de que o "ninho" é para ela um espaço aprisionador e, ao mesmo tempo, protetor: "A esta altura a casa me parece uma gaiola, uma prisão. No entanto gostaria de poder trancar as saídas, as janelas, gostaria de ser obrigada a permanecer dia após dia aqui dentro" (p. 168).

Blanchot afirmou que "quem escreve um diário é, mais do que qualquer outro, obrigado a ser sincero: a sinceridade é aquela transparência que o proíbe de lançar sombra sobre os limites da existência de cada dia, ao qual restringe seu cuidado de escrever".[27] Escrever se torna, de fato, nas mãos de Valeria, um instrumento para arrancar as máscaras que cobrem o rosto dos que a circundam, e alcançar, dolorosamente, uma verdade sepultada sob as incrustações dos relacionamentos sociais e dos vínculos familiares. Assim, seu encontro anual com as amigas de colégio deixa de ser um costume mundano para evidenciar-se agora, à sua disposição analítica, como a verdade nua de um "teatro" burlesco do qual ela já não consegue participar,[28] assim como toda a sua vida familiar lhe parece regulada com base nas lógicas do fingimento e da inautenticidade.[29] Se o uso abundante de adversativas medeia a condição problemática da protagonista, dividida entre o prazer de cultivar a própria vida íntima e o medo de desconstruir a própria identidade sedimentada ao longo dos anos — "Somente as cartas de Michele ainda estão vivas, embora endereçadas a uma mulher que não se assemelha a mim, na qual não me reconheço" (p. 179), escreve ela depois de procurar, numa velha maleta, lembranças de sua juventude —, a ocorrência reiterada do verbo "compreender" sublinha a função gnosiológica do *journal intime* predisposto a encontrar um sentido profundo inclusive nas "coisas mínimas", aparentemente irrelevantes, da vida cotidiana: "Aprender a compreender as coisas mínimas que acontecem todos os dias talvez seja aprender a compreender realmente o significado mais recôndito da vida. Mas não sei se isso é um bem, temo que não" (p. 36).

Em *Caderno proibido*, também encontra espaço o tema da maternidade, amplamente atravessado pela escrita feminina do século xx.[30] De fato, é complexa a relação de Valeria com a filha Mirella, de vinte anos, determinada e autônoma por temperamento, que escolhe, apesar da opinião contrária da mãe, trabalhar e manter uma ligação sentimental com um homem casado e mais velho. Confiando à página escrita a lembrança das polêmicas entre as duas, Valeria chega a entender que na raiz das incompreensões recíprocas existe um conflito geracional irreparável: diferentemente dela, Mirella não quer nem servir nem obedecer, assim como, em sua perspectiva, trabalhar é uma opção consciente, e não uma necessidade, como foi para sua mãe:

> Nos meus vinte anos, já existiam Michele e as crianças, antes mesmo que eu o conhecesse e que elas nascessem; estavam na minha sina, mais ainda do que na minha vocação. Eu só precisava me entregar, obedecer. Pensando bem, parece-me ser essa a causa da inquietação de Mirella: a possibilidade de não obedecer. Foi isso que mudou entre pais e filhos, e também entre homem e mulher. (pp. 70-1)

E, analisando ainda mais a fundo as razões dessa transformação, Valeria as localiza na histórica mudança do sistema de valores em ação na sociedade contemporânea. Se antes, aos olhos dos filhos, os pais eram "possuidor[es] de bens muito mais preciosos do que a riqueza" [alteração feita por mim], portadores de sólidos modelos de vida nos quais era natural inspirar-se, agora é o dinheiro que orienta comportamentos, juízos, escolhas de vida. Se para ela, suspensa entre passado e presente, aqueles valores, embora arranhados pelo germe erosivo da dúvida, continuam exercendo uma fascinação indiscutível, já não é assim para os filhos Mirella e Riccardo. Mirella se torna, assim, o ícone de um modo alternativo de ser mulher com o qual não é possível subtrair-se a um confronto cerrado, e se Valeria, diante da transformação da filha de menina para adulta, precisa admitir que não a conhece,[31] tanto que os brinquedos infantis, ciumentamente conservados, agora lhe parecem "coisas inúteis, [...] ninhos de poeira" (p. 179), Mirella, em contraposição, tem da vida conjugal dos genitores uma nítida percepção que ela não hesita em comunicar à mãe, com impiedosa lucidez:

> Acha que o que vocês sentem é amor? Esta miséria, este desgaste, esta renúncia a tudo, este vaivém do escritório ao mercado? Não vê como ficou acabada, na sua idade? Por favor, mamãe, você não quer compreender nada da vida, mas eu sempre a considerei uma mulher inteligente, inteligentíssima. Raciocine: que vida você e papai levam? Não vê que papai é um falido e que a arrastou junto com ele? Se você me quer bem, como pode desejar que eu tenha uma vida semelhante à sua? (pp. 44-5)

Se a esta altura Valeria se obstina em depreciar o processo de constituição identitária da filha, dando voz às normas patriarcais sobre as quais ela se formou — "Você vai refletir, eu a farei refletir, você se casará quando estiver apaixonada, quando admirar um homem, e então amar sua família, seus filhos, como eu fiz" (p. 45) —, quando as páginas do diário se adensam, construindo a retícula sobre a qual se desenha uma nova imagem do feminino que é também um modo novo de repensar a maternidade, Valeria chega a reconhecer em Mirella "um sujeito com um centro de experiência equivalente",[32] portanto livre para empreender um percurso de vida alternativo ao seu:

"Vá embora". Achava que devia cortar, pela segunda vez, o vínculo com o qual, antes que ela nascesse, eu a mantinha ligada a mim. "Vá embora", repeti, "temo que haja aqui muitas coisas ruins, muitas mentiras. Talvez eu não lhe diga isto de novo, mas lembre-se de que lhe disse esta noite: salve-se, você que ainda pode se salvar. Vá embora daqui, vá logo." (pp. 234-5)

Mas Valeria, antes de ser mãe, é também filha. Filha de uma mãe que, aos seus olhos de mulher pertencente a uma "geração que não se envergonha de mostrar o próprio cansaço" (p. 51), não pode deixar de aparecer senão como "uma imagem sacra, uma ilustração antiga" (p. 34), jamais disposta a um momento de abandono, como que enrijecida em suas *toilettes démodées*, outros tantos vislumbres de sua entrega a gestos costumeiros, de atávica e persistente memória:

> Minha mãe é uma velha senhora alta e grisalha; no modo de pentear os cabelos — que ela avoluma com enchimentos, segundo a moda dos primeiros anos do século XX — ainda se percebe um toque de coquetismo. É uma velha senhora daquelas que dificilmente encontramos hoje. [...] Cerzia umas meias velhas do meu pai [...] cerzia com um gesto elegante, como, quando jovem, fazia renda renascença. (p. 51)

A distância histórica que as separa está inscrita na linguagem convencional com que conseguem se comunicar, uma linguagem alusiva que esconde, por trás de discursos banais sobre coisas materiais, a apreensão da mãe pelas fadigas às quais Valeria se sujeita, dividida como é entre trabalho e família, e mais ainda o seu desagrado com as modalidades, a ela estranhas, nas quais é organizada a vida conjugal da filha. Nesse sentido, é significativa a reflexão que Valeria confia ao seu *journal* sobre os quadros da casa materna, que não poderão encontrar acolhida em seu espaço familiar, assim como, na realidade dos anos 1950, não há mais espaço para uma subjetividade feminina da qual a mãe é protótipo emblemático:

> Depois da morte de minha mãe, não saberei onde pendurar aqueles quadros: são grandes demais para nossos aposentos, chegariam ao teto. Além disso, abolimos a sala de estar e aquelas mulheres conspícuas, de untuosas carnes transbordantes dos cetins, não poderiam ser imprensadas entre o guarda-roupa e a cômoda. (p. 254)

A imagem da "ponte", figura recorrente em *Ninguém volta atrás*, funcional, como foi dito, para visualizar o percurso do inevitável amadurecimento das jovens do colégio Grimaldi, é aqui interiorizada na posição suspensa de Valeria, que, por estar dividida "entre a renúncia silenciosa da mãe e as escolhas de ruptura da filha",[33] sintetiza em um emblema sua condição de irresgatável solidão:

> Pertencem a dois mundos diferentes: um que acabou, junto com aquele tempo, e o outro que nasceu dele. E em mim esses dois mundos colidem, fazendo-me gemer. Talvez seja por isso que muitas vezes me sinto desprovida de consistência. Talvez eu seja somente essa passagem, essa colisão. [...] [Mirella] não compreende que fui justamente eu a torná-la livre, eu com minha vida dilacerada entre velhas tradições tranquilizadoras e o apelo de novas exigências. Coube a mim. Eu sou a ponte da qual ela se beneficiou, como de tudo se beneficiam os jovens: cruelmente, sem sequer se darem conta de que ganharam algo, sem reconhecê-lo oficialmente. Agora posso até desabar.[34] (pp. 254-5)

Também seu casamento se transformou ao longo do tempo, com a cumplicidade do silêncio, em amarga solidão.[35] O papel de genitores e as exíguas dimensões da casa, transformando em culpa os arroubos íntimos dos dois, anularam o desejo; e a Valeria, desvalorizada em sua sexualidade, só resta confiar a um espelho a imagem da própria feminilidade:

> Enquanto me despia, me olhava no espelho; procurava me ver velha, humilhada inclusive quanto ao aspecto exterior, e não conseguia. Pelo contrário, voltei a chorar porque me via jovem: minha pele era morena e lisa sobre o desenho enxuto dos ombros, a cintura fina, o busto cheio. Contive os soluços com dificuldade: Mirella dormia logo do outro lado da parede e eu temia que ela pudesse me ouvir. (pp. 211-2)

A mortificação à qual seu casamento a submete seria suficiente para dispô-la ao adultério, mas, se não tivesse confiado à peremptoriedade da palavra escrita o sincero escrutínio de sua relação conjugal, Valeria provavelmente nunca teria prestado atenção no interesse que Guido, seu chefe, lhe reserva: "Se já soubesse que Guido me amava, nunca o teria comprado [o caderno]; mas, se não o tivesse comprado, talvez nunca teria prestado atenção em Guido, assim como não prestava em mim mesma" (pp. 259-60).

Tem início uma relação que encontra no espaço do escritório, alternativo ao agora sufocante interior doméstico — de fato, aqui, Valeria pode trancar com chave uma gaveta, tem um "aposento só para si", tem a sensação de aportar em uma "ilha verde" (p. 180) —, seu pano de fundo mais adequado. Se as dinâmicas do enredo obrigarão Valeria a renunciar ao amor de Guido — a inesperada paternidade do filho Riccardo, que por sua vez espera um filho da noiva Marina, irá obrigá-la a encarnar o papel de avó —, o estreito vínculo que ela mesma intui entre Guido e o próprio diário nos autoriza a sustentar que, seja qual for o desenlace dessa história sentimental, de qualquer modo o adultério foi vivido, dia após dia, na redação daquele caderno, "negro e luzidio como uma sanguessuga" (p. 225). De fato, em 27 de abril ela escreve: "o único remorso de que sofro é roubar tempo à família, à casa, o mesmo que sinto quando escrevo este diário" (p. 215). E pouco depois: "Nossos encontros mais íntimos são quando eu abro este caderno, à noite" (p. 222).

Irmanam o diário e o adultério a necessidade de sigilo, o sentimento de culpa, o tempo subtraído às obrigações familiares, o temor dos espaços abertos — Valeria teme, de fato, que alguém a veja fora do escritório em companhia de Guido, tal como é aterrorizada pela possibilidade de que, levando o diário consigo pela rua, algum incidente imprevisível o faça ser descoberto —,[36] mas sobretudo liga-os a carga subversiva ante uma ordem preexistente, a alteração de sua identidade pregressa:

> Com frequência sinto o desejo de trocar confidências com uma pessoa viva, e não só com este caderno. Mas nunca pude; mais forte que o desejo de me abrir era o temor de destruir algo que fui construindo dia após dia, em vinte anos, e que é o único bem que possuo. (p. 204)

Se, confiando ao caderno a narrativa da própria vida íntima e das perturbações do próprio romance familiar, aprendeu o ofício de aprender, Valeria não aprendeu, porém, o "ofício de viver".[37] Como não tem coragem para ir embora, uma coragem da qual eram desprovidas muitas mulheres de sua geração,[38] finalmente decide queimá-lo. Não deixa de ser significativo que, pouco antes de ela resolver fazer isso, seu diário, desprovido da função de cúmplice testemunha dos próprios sentimentos e da própria vivência, assuma em seu imaginário as feições de um espaço sepulcral onde, como em uma urna preciosa, estão encerradas as relíquias de uma alma solitária:

> Preciso queimar o caderno o mais depressa possível, imediatamente, sem sequer relê-lo e me arriscar a me enternecer, sem dizer adeus. Esta será a última página: nas seguintes não escreverei, e meus dias futuros serão, tal como as páginas que se seguem a esta, brancos, lisos, frios. Lisa será a grande pedra branca sobre a qual, no fim, voltarei a me chamar Valeria. (p. 266)

NOTAS

1. L. Giuva, "L'archivio come autodocumentazione". In M. Zancan (Ed.), *Alba de Céspedes*. Milão: Il Saggiatore, 2005, pp. 383-91; A. Miola, "Il riordinamento e l'inventariazione: criteri, scelte, problemi". Ibid., pp. 392-97.

2. L. Giuva, "L'archivio come autodocumentazione", op. cit., p. 385.

3. "[...] os cadernos e os diários têm início em 1936 e se concluem somente em 1992", A. Miola, "Il riordinamento e l'inventariazione: criteri, scelte, problemi", op. cit., p. 393.

4. De Céspedes confiou a descrição das circunstâncias nas quais escreveu seu primeiro poema ao depoimento "Incontro con la poesia", publicado em *Il Messaggero* de Roma de 23 de janeiro de 1940 (mais tarde, incluído na coletânea *Fuga. Racconti*. Milão: Mondadori, 1940, pp. 315-24).

5. Todas as informações sobre a prática precoce da escrita diarística estão em M. Zancan, "Introduzione" a A. de Céspedes, *Romanzi*, M. Zancan (Ed.). Milão: Mondadori, 2011, pp. xi-xvi.

6. Ibid., p. xv.

7. Em P. Carroli, "Appendice. Colloqui con Alba de Céspedes (Parigi, 19-20 marzo 1990)". In P. Carroli, *Esperienza e narrazione nella scritura di Alba de Céspedes*. Ravena: Longo Editore, 1993, pp. 190-91.

8. Ver M. Muscariello, "Neera e l'autobiografia impura". In *Anime sole. Donne e scrittura tra Otto e Novecento*. Nápoles: Dante & Descartes, 2002, pp. 54-57.

9. "[...] fiz da minha vida a obra-prima que eu havia sonhado criar com a poesia: fui, ademais sou sempre, poesia viva, oh não perfeita, ao contrário, muitas vezes confusa, caótica, enorme", S. Aleramo, *Dal mio diario* (1940-1944). Roma: Tuminelli, 1945 [29 de abril de 1941].

10. "[...] voltamo-nos para a análise daquelas que consideramos oportuno denominar formas primárias da escrita, primárias não somente e não tanto no sentido cronológico e na motivação original, mas pelo lugar que ocupam na comunicação: são elas a carta, essencialmente comunicação com outros à distância no espaço, e o diário, a escrita *pro memoria*, que é antes de tudo comunicação consigo mesmo no tempo", G. Folena, "Premessa" a *Le forme del Diario*. *Quaderni di Retorica e Poetica*, 2. Pádua: Liviana, 1985, p. 5.

11. Sobre o valor metafórico da imagem da "ponte" em *Nessuno torna indietro*, ver L. Fortini, "*Nessuno torna indietro* di Alba de Céspedes", in A. Asor Rosa (Ed.), *Letteratura italiana. Le opere*, IV, *Il Novecento*, II. *La ricerca letteraria*. Turim: Einaudi, 1996, pp. 152-58.

12. Ver A. Rabitti, "Donne che scrivono. Le protagoniste dei romanzi". In *Alba de Céspedes*, op. cit., pp. 124-41; M. Zancan, "Introduzione" a A. de Céspedes. *Romanzi*, op. cit., pp. XXXII ss.

13. G. Folena, *Le forme del Diario. Quaderni di Retorica e Poetica*, op. cit., p. 6.

14. "Eh, sim! O presente é sempre o tempo mais significativo para mim", P. Carroli, "Appendice", *Esperienza e narrazione nella scrittura di Alba di Céspedes*, op. cit., p. 161.

15. M. Zancan, "La ricerca letteraria. Le forme del romanzo". In *Alba de Céspedes*, op. cit., p. 23.

16. "No diário são essenciais a dependência em relação ao tempo da escrita, a segmentação progressiva, a descontinuidade", G. Folena, *Le forme del Diario. Quaderni di Retorica e Poetica*, op. cit., p. 6.

17. L. Ginzburg, *La prosa psicologica*, trad. ital. por F. Gori. Bolonha: Il Mulino, 1994, p. 277.

18. Ver a respeito P. Carroli, *Esperienza e narrazione nella scrittura di Alba de Céspedes*, op. cit., pp. 64-5.

19. Ibid., pp. 148-9.

20. A. de Céspedes, "Prefazione" a *Dalla parte di lei* (1994). In *Romanzi*, op. cit., p. 831.

21. "Cada vez mais me convenço que a inquietação se apoderou de mim desde o dia em que comprei este caderno: nele parece se esconder um espírito maligno, o diabo" (p. 128).

22. Sobre o nexo entre escrita e culpa, ver S. La Spina, "La scrittura come colpa". In D. Corona (Ed.), *Donne e scrittura*. Palermo: La Luna Edizioni, 1990, pp. 365-70. Sobre o tema da culpa em *Caderno proibido*, ver U. Akerström, *Tra confessione e contraddizione. Uno studio sul romanzo di Alba de Céspedes dal 1949 al 1955*. Roma: Aracne Editrice, 2004, pp. 119-23; C. Seno Reed, "Il diario nei romanzi di Alba de Céspedes; verso uno 'spazio' utopico. *Quaderno proibito* (1952)". *Esperienze letterarie*, 3, xxxv, 2010, pp. 61-73.

23. J. Rousset, "Le journal intime, texte sans destinataire?". *Poétique*, 56, 1983, p. 437.

24. "Ainda vivemos na mesma casa onde Michele e eu, recém-casados, viemos morar. Ficou apertada demais; para dar um quarto a Mirella, tivemos de renunciar à sala de estar; os cômodos são muito pequenos, mas, talvez por isso mesmo, eu achava que nos abraçavam melhor, nos acolhiam sob a mesma asa" (p. 47).

25. L. Sozzi, *Gli spazi dell'anima. Immagini d'interiorità nella cultura occidentale*. Turim: Bollati Boringhieri, 2011, pp. 93-4.

26. G. Bachelard, *La poetica dello spazio*, trad. ital. por E. Catalano. Bari: Dedalo, 1993, pp. 103-4.

27. M. Blanchot, *Il libro a venire*, trad. ital. por G. Ceronetti e G. Neri. Turim: Einaudi, 1969, p. 187.

28. "Já estávamos na porta, àquela altura; durante aquelas duas horas, era como se todas houvessem representado um teatro no qual somente eu não sabia meu papel e tivesse esquecido as falas." (p. 33).

29. "Eu poderia dar esse conselho a uma amiga, mas não à minha filha, mesmo reconhecendo que a intransigência à qual devemos nos constranger, em família, é justamente o que determina a falta de sinceridade" (p. 115).

30. Ver a respeito A. Giorgio (Ed.), *Writing Mothers and Daughters. Renegotiating the Mother in Western European Narratives by Women*. Nova York/Oxford: Berghahn Books, 2002.

31. "Achei que, escondendo-o [o diário], poderia superar mais facilmente uma dúvida que se apoderara de mim: a de ter vivido por cerca de vinte anos com minha filha, de tê-la nutrido, educado, estudado seu caráter com amoro-

so zelo, e afinal precisar admitir que, na verdade, não a conheço em absoluto" (pp. 48-9).

32. J. Benjamin, *The Bonds of Love: Psychoanalysis, Feminism and the Problem of Domination*. Londres: Virago, 1990, p. 19.

33. M. Zancan, "La ricerca letteraria. Le forme del romanzo", op. cit., p. 45.

34. Ver a respeito também M. A. Parsani, M. De Giovanni, *Femminile a confronto. Tre realtà della narrativa italiana contemporanea: Alba de Céspedes, Fausta Cialente, Gianna Manzini*. Manduria-Bari-Roma: Lacaita, 1984, pp. 36-7.

35. "Nós nos distanciamos tanto um do outro que já nem conseguimos nos enxergar; e vamos adiante, sozinhos. Refleti muito sobre as confidências que ele fez a Clara e que nunca faz a mim. Prefere falar com Mirella, e, quando eu entro, os dois mudam de assunto [...] Eu me pergunto se a esta altura saberia conversar com ele, dizer-lhe muitas coisas que penso. Coisas que são minhas e não mais nossas como no tempo em que nos casamos e como depois, com o nosso silêncio, acabamos fingindo que continuaram sendo nossas" (p. 207).

36. "Mas tenho medo de sair com ele na rua, poderia ser atropelada; imagino meu corpo imóvel sob uma coberta cinza e vejo Marina se inclinar para recolher a bolsa caída no asfalto, abri-la, pegar o caderno. Não posso tirá-lo daqui, não é prudente" (p. 248).

37. "[...] a fascinação do diário íntimo como obra literária deriva do fato de ele se encontrar no limiar entre vivência e escrita, produto de um ofício de escrever que é função de, remete a, um ofício de viver — que em certos casos, como justamente no de Pavese, ou também no de Leiris, é antes um ofício de morrer", F. Fido, "Specchio o messaggio? Sincerità e scrittura nei giornali intimi fra Sette e Ottocento (rileggendo Benjamin Constant)". In *Le forme del Diario*, op. cit., p. 80.

38. É a própria Valeria quem sublinha a exemplaridade de sua situação: "Todas as mulheres escondem um caderno negro, um diário proibido. E todas devem destruí-lo" (p. 266). A própria Alba de Céspedes explicou assim o sucesso de *Caderno proibido*: "Porque para fazer outras coisas precisa-se de muita coragem, para dizer vou embora de casa, para dizer vou fazer meu trabalho, então ela ficou! Valeria era insegura, como a maior parte das mulheres. Hoje a situação é diferente porque desde meninas elas recebem uma educação diferente. Para mim, *Caderno proibido* é o livro mais pernicioso, sob certos pontos

de vista. Mas, para os leitores, é o mais confortador, porque diz pronto, é preciso ficar, ao passo que *Dalla parte di lei* não, ao passo que *Il rimorso* não, compreende? *Caderno proibido* é o livro que conforta quem se sente fracassado", P. Carroli, "Appendice". In *Esperienza e narrazione nella scrittura di Alba di Céspedes*, op. cit., p. 150.

1ª EDIÇÃO [2022] 10 reimpressões

ESTA OBRA FOI COMPOSTA EM ELECTRA PELO ACQUA ESTÚDIO
E IMPRESSA PELA LIS GRÁFICA EM OFSETE SOBRE PAPEL PÓLEN DA
SUZANO S.A. PARA A EDITORA SCHWARCZ EM SETEMBRO DE 2025

A marca FSC® é a garantia de que a madeira utilizada na fabricação do papel deste livro provém de florestas que foram gerenciadas de maneira ambientalmente correta, socialmente justa e economicamente viável, além de outras fontes de origem controlada.